19,90

HET VERSTOORDE EVENWICHT

Joyce Hackett

Het verstoorde evenwicht

Vertaling Karina van Santen
en Martine Vosmaer

2003
DE BEZIGE BIJ
AMSTERDAM

Oorspronkelijke titel *Disturbance of the Inner Ear*
Oorspronkelijke uitgever Carroll & Graf Publishers,
New York
Omslagontwerp Brigitte Slangen
Omslagillustratie Sean Santos / Image Bank
Foto auteur Steve Friedman
Vormgeving binnenwerk Perfect Service, Schoonhoven
Druk Hooiberg, Epe
ISBN 90 234 1103 X
NUR 302

Voor Thomas Bernhard

Waar is God? Overal waar mensen God toelaten. We moeten God toelaten zoals zelfs Job deed in zijn diepste verwarring.

– Rabbijn Menachem Mendel uit Kotzk

I

(*vallend zoals een lichaam valt*)

Signor Perso was de laatste die wist wie ik was geweest en wat ik had gedaan, en toen ik wakker werd in de stille afwezigheid van zijn ademhaling fladderde mijn maag van de duizelingwekkende, onbelemmerde mogelijkheden. Ik legde mijn paspoort in de hotelasbak en stak de bladzijden aan; voordat de vlammen doofden was ik al in mijn kleren geschoten. Maar toen ik de deur opendeed, dwarrelde een vlaag asvlokken omhoog in de rusteloze lucht, en in plaats van weg te lopen rende ik terug om te proberen ze te vangen voordat ze op zijn lichaam konden neerdalen. Zijn absolute roerloosheid dreef de spot met mijn verwoede, stupide gegrijp, totdat ik stil over hem heen stond in de zwarte sneeuw. Na een poosje raakte ik zijn gezicht aan, al wist ik dat ik het niet moest doen. Mijn vinger stuitte tegen zijn dode wang, en daar zat ik, op het bed in onze pensionkamer, gestrand achter een muur waar hij moeiteloos overheen was gezeild, zonder mij, in zijn slaap.

Ik deed het licht uit en ging zitten. Knoopte mijn jas open. Vluchten had eigenlijk geen zin. Met mijn achtergrond zou het wereldvreemd zijn geweest om iets als dit niet te verwachten, waar ik ook naartoe ging. Ik had het zien aankomen sinds onze laatste avond in Milwaukee: al op het vliegveld van Milaan, waar signor Perso door de douanerij voor Italiaanse ingezetenen zoefde, was ik vastgelopen in een rij Amerikanen die zo lang en traag was dat hij in zichzelf terugkrulde als een door de war geraakte vliegenstrip, en toen ik hem plotseling niet meer zag, was ik ervan overtuigd dat hij dood was. Zodat ik nu, een week later, niet heel erg verrast was. Ik leegde de asbak in de wc. Met een nat washandje bette ik de donkere vingerafdruk die ik op signor Perso's wang had achtergelaten en plukte daarna de vlokjes as van zijn keurig verzorgde witte snor, zijn vliesdunne oogleden, van zijn kamerjas, van de handen die over het kleine boekje op zijn borst waren gevouwen alsof hij voor de gelegenheid klaar was gaan liggen. Toen begon ik aan het bed en het kleed. Zodra elk zichtbaar bewijs van as verwijderd was, zocht ik de uitspraak van *cadavere* en *coffina* op in mijn handige in plastic gebonden woordenboek en stelde een korte lijst nieuwe woorden samen die ik nodig zou kunnen hebben. En terwijl de Italiaanse politie me in de wacht zette, oefende ik op zijn handtekening, steeds opnieuw, tot mijn krabbel overeenkwam met de bovenkant van zijn travellercheques.

Er was een klein probleem. Ik had signor Perso midden in de nacht gevonden en toen het licht begon te worden had ik verschrikkelijke honger. Er lagen twee eieren in de koelkast van de kitchenette. Ik bedacht dat ik die waarschijnlijk op zou moeten eten. Maar ik had nog nooit ontbijt gemaakt; ik had vanaf mijn zevende in hotels gewoond met mijn vader Yuri en als ik niet op tournee was, kookte mijn moeder. Later had signor Perso erop gestaan ontbijt op bed voor me te maken, elke ochtend, omdat hij door een beroerte aan afasie leed, steeds de woorden voor dingen vergat, en het ontbijtritueel een zeearm was die rechtstreeks terugstroomde naar het geheugen. Toch haalde ik een lepel te voorschijn, vastbesloten om roerei te maken. Maar er ging iets mis; hoe hard ik ook roerde, er bleven hardnekkige klodders naar het oppervlak zweven. Ik dacht me van tv te herinneren dat je melk deed bij roereieren, maar er was geen melk en nu waren de eieren drabbig en bedorven en kon ik ze zelfs niet meer koken. Een minuut lang kwam het allemaal op me af, hoe weinig ik waar dan ook van wist. Maar toen klonk er een notatie in mijn oor, in de bijtende bas van mijn vader, hoe je een passage moest aanpakken: (*als voor de honderdste keer*). Wanneer ik klaagde over een moeilijkheid in een passage die ik studeerde, was Yuri's vaste refrein dat laarzenleer als biefstuk smaakt wanneer je het voor de honderdste keer eet. Overigens was deze dood niet mijn eerste.

(*als voor de honderdste keer*)

Ik hield mijn adem in om mijn hartslag te vertragen, zoals ik altijd deed voordat ik het podium opging, en telde het aantal minuten dat signor Perso nu dood was. Zodra ik een getal had, kon ik weer ademen. Het was een bewijs dat de tijd voorbijging, een stroom was die deze laatste dood langzaam stroomafwaarts zou slepen. Ik draaide het kraantje open, goot de eierdrab door de afvoer, nam een douche, boende daarna grondig het bad, en kleedde me aan. Onder de dunne zijden stof van zijn kamerjas leek signor Perso te bloot, dus worstelde ik hem in een pak met das. En toen een gelijkmatig leigrijs licht het donker verdunde, speelde ik voor hem.

Niemand hoorde me. Ik demp al jaren mijn cello door een dikke zijden sjaal om de kam te wikkelen en de uiteinden stevig in de *f*-gaten te proppen, om te voorkomen dat mijn oor verdoofd raakt door te veel geluid. Zo begon het in elk geval: ik gebruikte het tijdens tournees, om op te warmen voor een uitvoering. De stilte dwong me naar binnen, dwong de muziek terug in mijn zenuwstelsel tot alle noten van een volmaakte uitvoering tegelijk door mijn vlees stroomden als ik het podium op liep, het geluid uit de eerste streek van mijn strijkstok barstte als het vlees van een overrijpe pruim.

Hoe dan ook: ik werd niet gearresteerd. Tegen de schemering, na veertien uur – gelukkig had signor Perso zich net gewassen – kwam een *commedia buffa* binnensjouwen. De stuntelende carabinieri met hun driehoekige steken op waren verrassend schappelijk; zij leken het gevoel te hebben dat het Italiaanse paspoort van signor Perso zijn dood vereenvoudigde. De ondervraging was van beperkte duur. Zodra ze begrepen hadden dat ik noch de vrouw noch de kleindochter was, lieten ze de zaak vallen en namen ze een beschermende, tactvolle houding aan. Hun enige rechtstreekse vraag was het vettige, hoopvolle *Zou het mijn maat zijn?* van de commandant toen hij de zoom van signor Perso's broek betastte, aangespoord door de schrandere opmerking van de rechercheur dat vouwen die goed vielen op een dode kerel van Italiaanse makelij moesten zijn. De rechercheur noemde de naam van zijn neef, een begrafenisondernemer; ik begreep de deal die hier werd gesloten en vroeg naar de kosten. Hij zei dat het ervan afhing. Waarschijnlijk zou het lichaam gecremeerd worden? Mijn stem bleef in mijn keel steken bij de gedachte dat hij in een oven verbrand zou worden. De rechercheur zei dat ze me een dag gaven om een beslissing te nemen. Hoewel de borg die ze vroegen zes van mijn zeven travellercheques kostte, tekende ik toch. En ik vermeed verdere discussie toen ze het lichaam van signor Perso, na diverse vergeefse pogingen om het rechtop in de piepkleine lift van het pension te zetten, op het kleed lieten vallen en een sigaret opstaken. Na een passende cesuur liep ik gewoon de gang in, raapte de manchetknoop op die van signor Perso's pols was gevallen, en legde die boven op het ongerepte duintje in de asbak, waardoor ik hen dwong hun sigaretten tussen hun vingertoppen uit te knijpen voordat ze hem de acht trappen afdroegen.

Bij de herdenkingsdienst gebeurde er iets wat ik niet verwacht had. De akoestiek in de basiliek was afgrijselijk, het wrakkige spinet van de organist een lachertje, de wereldberoemde cello niet erg in vorm. De oude kam was uitgedroogd en gekrompen, de snaren lagen te laag en zoemden wanneer ik van positie veranderde. Ze waren van onomwikkeld staal en sneden in mijn vingerkussentjes. Het leek of de klankbodem los had gelaten. Ik had al bijna tien jaar gedempt gespeeld en toen ik de stok over de snaren wiegde om de balans te oefenen voelde ik al dat de precisie die nodig was om een fatsoenlijke toon te produceren de atrofie van mijn spieren ver te boven ging. Onmiddellijk verkrampte mijn hand toen ik probeerde hard genoeg te strijken om de klamme Romaanse basiliek te vullen. De Savant had in de verste verte niet de kracht van een Strad of een Montagnana. Het muizige geluid bleef gedempt in de kast, als een cello die in een cocon zat gewikkeld. Wat een aanfluiting, dacht ik, dat oude gezegde over instrumenten die de toon en stijl van hun voormalige eigenaren aannemen – als de Savant iets had geabsorbeerd van de jaren dat hij door Vrashkansova was bespeeld, dan was het hout zeker allang opgehouden op haar frequentie te resoneren.

Het kostte me zoveel moeite om de klankkast te hanteren dat ik feitelijk zat te beenworstelen met het ding.

Maar toen lukte het me een frase te spelen, een beetje op de manier van Vrashkansova op die oude Victor 78, tijdens haar laatste openbare recital in Praag, in '37. Hij gleed eruit zonder dat ik er erg in had, alsof ze uit de dood was opgestaan om mijn strijkende hand te grijpen. Alles werd toen anders, zoals iemands uiterlijk verandert wanneer je verliefd op hem wordt. Ik hield op met proberen. Plotseling kreeg de keelontsteking van de Savant substantie en mysterie en verzadigden we de koepel. Er opende zich een lange, stille betovering waarin elke noot vertraagd kwam. Frasen vielen als linten neer. Ik speelde de *Elégie* van Fauré en een seconde, letterlijk een moment, sloot ik mijn ogen en vergat de dode.

Vrashkansova was signor Perso's idool. In Parijs, voor de oorlog, had hij een masterclass bij haar gevolgd die volgens hem zijn leven had veranderd. Op foto's droeg ze donkere rouwjurken; ze was tenger, altijd iets in elkaar gedoken; je kreeg het gevoel dat ze het gewicht van de wereld torste op de kleine bochel die tussen haar schouders omhoog stak. Op de opnamen zweefde haar lage stem achter de Savant, als een rouwende die bij een wake zacht een rituele klacht prevelt. Muziek resoneerde in haar lichaam, nam fysiek de macht over. Zij was zelf een instrument en signor Perso had geleefd voor het ogenblik dat ik haar plaats zou innemen. Zijn overgebleven vertrouwen, zijn geweldige herinnering aan de keer dat hij mij als kind had gehoord, had me jarenlang verpletterd. Tegen de tijd dat we elkaar tegenkwamen, zes maanden na de dood van mijn ouders, rafelde mijn talent als een draad die aan hun hakken hing, maar signor Perso trok zijn das recht en schraapte zijn keel, alsof ik aan hem uitgehuwelijkt was. 'Iemand als jij,' zei hij nerveus, 'zou naar Chicago moeten gaan.' Toen begon ik erop los te zagen, en hij begreep het. Hij probeerde me bijna een decennium lang te helpen, leerde me piano spelen, speelde urenlang duetten met me, speelde poëzieplaten voor me tot laat in de avond, maar hoe langer hij vasthield aan zijn geloof in mij, hoe meer ik me schaamde om geluid te maken. Tot ik gewoon ophield het te maken.

Wat ik nu hoorde, was een geluid dat Vrashkansova oversteeg, een stem zo gewijd en volkomen dat de vraag bij me opkwam of een onbezield voorwerp de geest van God kon bezitten. Toen ik mijn strijkstok terugtrok, voelde ik hem trekken aan de adem van de rouwenden. Er sprong een rilling van opwinding door me heen. Ik vroeg me af wat hij zou zeggen.

Het was tot op dat moment nog niet tot me doorgedrongen hoe ongelooflijk dóód signor Perso eigenlijk was. Als een vliegtuigdeur die wordt opengeblazen ontplofte mijn geveinsde overleven, en toen beschreef ik een spiraal – het stuk was bijna afgelopen –, was ik buiten de cello en buiten mijn spel, de muziek verstoken van adem, het geluid vlak en hard en te correct. Waarna de gebruikelijke versteende ellende volgde: mijn handen haastten erdoorheen, snakkend naar het einde, mijn hart was aan de kant van de weg blijven zitten, smekend om terug te gaan en opnieuw te beginnen. En de muziek was weg, teruggekrompen tot de partituur, tot groepjes stippen die even stil en levenloos waren als de weduwen met donkere sluiers die her en der in de houten banken zaten.

Een uitvoering is eindig, eindig als alles wat tijd opbrandt. Een geweldige uitvoering is kostbaar om dezelfde reden dat een slechte een kwaadaardig gezwel wordt in de herinnering, omdat hij nooit herhaald kan worden.

Ik had gedacht dat iemand op de begrafenis me wel een lift zou aanbieden nadat ik had opgetreden. Toen ik weg-ging droeg ik de cello onhandig, met de bult naar binnen, als een acteur die een cellist speelt. Ik heb vanaf mijn vierde met een een cello rondgesjouwd, dus moet ik dit doen om er een beetje hulpeloos uit te zien. Maar signor Perso was teruggegaan naar Italië om met pensioen te gaan, na zovelenveertig jaar in het buitenland, dus afge-zien van de pokdalige doodgraver die ik ontliep – ik had beloofd het restant op de begrafenis te betalen – waren er maar een paar mensen komen opdagen. Ik kende ze geen van allen, en geen van allen kenden ze mij; in Italië zijn introducties belangrijk. Bovendien was ik, terwijl de kerkmuisorganist het eind van de *Elégie* uitkwijlde op zijn afgrijselijke spinet, halverwege een frase opgehouden met spelen en van het podium afgelopen. Dat kan van invloed zijn geweest.

Buiten de basiliek stonden geen taxi's. Het was zater-dagavond, maar afgezien van het triomfbeeld van Augus-tus dat boven de piazza uittorende, waren de straten leeg, de sjofele winkels achter de monumentale colonnade donker. Er kringelde mist boven de grijze bergjes sneeuw. Signor Perso en ik waren aan het eind van de koudste november sinds mensenheugenis in Milaan aangekomen; maar die middag, toen ik net naar mijn sollicitatie bij meneer Pettyward wilde gaan, had de eigenaar van het pension in de buurt van het Brera, waar signor Perso en ik logeerden, op de deur gebonsd en geld geëist; dus had ik mijn mooiste zwarte jurk aangetrokken, omdat ik wist dat ik, wat er ook bij de sollicitatie gebeurde, vóór de dienst niet meer terug kon naar het pension, misschien zelfs nooit meer.

Het was zachtjes gaan sneeuwen. In mijn dunne wollen jurk en jas had ik het steenkoud. Ik stond een tijdje op de verlaten piazza om te beslissen wat ik moest doen, zonder iets te beslissen. In gedachten zag ik signor Perso na onze eerste keer samen, zag ik zijn handen vallen, zijn vingers wapperen, terwijl hij naar het woord voor sneeuw zocht. Na de beroerte had de afasie zijn geest tot in de verste uithoeken aangetast; die ochtend was hij zonder overhemd uitgegaan. Toen hij thuis kwam en me naar hem zag kijken, keek hij omlaag, en toen hij zijn blote borst zag, ging hij liggen en huilde. We begrepen toen allebei dat dit het begin van het einde was, dat hij niet zou herstellen. Ik had de radio aangezet en ging naast hem zitten en legde mijn hoofd op zijn borst. De huid was leerachtig, maar zijn vlees verraste me. Het was niet oud. Het was stevig van ervaring. Ik harkte door de lange witte haren met mijn vingers, hield van zijn veilige geur, de manier waarop leeftijd zijn borst had veranderd in iets dat noch mannelijk noch vrouwelijk was. En ik gaf er een kus op.

'Maar, wij, waarom,' vroeg hij na afloop. Ik had al die tijd aangenomen dat hij op me had gewacht: waarom had hij anders mijn schulden vereffend, mij gevraagd bij hem in te trekken, en het nooit over mijn ouders gehad? Waarom zou iemand je anders de bijbel en Shakespeare en Dante voorlezen, of je meenemen op een boot over de

Great Lakes voor je eenentwintigste verjaardag, alleen om de waterval te horen? Maar toen vroeg hij weer, 'Waarom nu, jij met mij?' Op de radio zette Christa Ludwig de langzame, stralende stijging naar het einde van de *Alt Rapsodie* in. Ik legde mijn hoofd op zijn borst en lag een tijdje te luisteren, bij zijn langzame gepiep. Ten slotte vroeg ik hem waarom hij zo lang was doorgegaan met mij lesgeven, terwijl we allebei wisten dat ik niet kon optreden. Dat was het moment dat hij vertelde over de oude pianoleraar in *Doctor Faustus* die zijn onbegrijpelijke lezingen over Beethoven gaf. Waar het om ging, was niet of de mensen in zijn dorp zijn ideeën hadden begrepen. Het was Gewoon Belangrijk Ze te Horen. Toen was de muziek afgelopen, en raakte signor Perso zijn woorden weer kwijt, maar hij wilde het dringend afmaken. Hij hief zijn armen en toen zweefden zijn handen naar beneden, met wriemelende vingers, alsof hij op een vallende piano speelde. 'Wat is de noten,' zei hij, 'de witte noten die vallen?' 'Sneeuw?' zei ik. Hij knikte. 'In een tuin, de sneeuw, maakt nat,' zei hij. 'Zonder te vragen waar de zaden zich verstoppen.'

Onze laatste nacht in Milwaukee, onze laatste nacht in zijn grote eiken bed, had zich een holte in mij geopend toen we vreeën: ik keek plotseling naar de gepakte koffers, de reiskleren die hij voor me had klaargelegd boven op mijn kist, en wist, zoals ik eerder niet had geweten, dat we naar Italië gingen om zijn leven te beëindigen. Ik míste hem. Signor Perso zag het verlangen in mijn ogen, had het opnieuw geprobeerd, maar uiteindelijk was het hetzelfde als elke andere keer. Ik was op mijn hoede geweest terwijl hij het uitschreeuwde. Na afloop lag ik wakker, mijn jarenlange falen knarste tegen zijn lege vijzel van wachten. Zodra zijn adem regelmatig was geworden, trok ik mijn ledematen los en sloop naar beneden naar de kelder om nog één keer te proberen voor hem te spelen. Een poosje later vond hij me zwoegend op Bach, gedempt spelend. Met de zoom van zijn nachthemd depte hij het zweet van mijn slapen. Zijn ogen zagen het razende te hard proberen, zagen mijn handen zwoegen als blinde, razende mieren. En spraken niet. Toen ik weer keek, waren zijn ogen in verdriet verkleefd.

Er kwam een groezelige oranje tram voor de colonnade aanknarsen, als een veewagen. De piazza lag nu onder een witte deken. Ik besefte dat ik bijna een uur voor de basiliek had gestaan; ik voelde mijn voeten niet meer. Ik was nog nooit met de tram gegaan; het zou geld kosten; dit was niet het moment om het weinige dat ik had te verspillen aan betrapt worden en een boete krijgen omdat ik zonder kaartje reisde. Bovendien ging de tram in de richting van een enorme boog in de oude stadsmuur, wat de verkeerde kant leek, want de Pettywards woonden bij het *centro*.

Toen de tram het donker in ratelde, verlichtte een vonk het enorme web van draden boven mijn hoofd dat ik niet had opgemerkt. Ik hees de cello op en liep de andere kant uit. Terwijl ik voortploeterde, bedacht ik dat iemand zou kunnen proberen het instrument te stelen. Een van de pafferige, goedbedoelende bibliothecaressen in de openbare bibliotheek van Milwaukee had gewaarschuwd dat in Italië iedereen alles steelt. Maar (*als voor de honderdste keer*) leek aan te geven dat deze passage zonder voorzorgsmaatregelen gespeeld moest worden, dat voorzorgsmaatregelen zelfs konden veroorzaken wat gevreesd werd. Als ik iets had geleerd van Yuri, was het geen aanstoot geven. Met de Savant bij me, redeneerde ik, zou ik eruitzien als een student. Ik had al dagen niet geslapen en hoewel mijn haar in een knot was opgestoken zag ik er sjofel en een beetje onverzorgd uit; niemand zou lang nadenken over het instrument in mijn aftandse bruine kist. Voor Italianen zou het idee dat een jonge vrouw met opgezwollen ogen en een hoekige Amerikaanse jas een zeldzame zestiende-eeuwse cello zou dragen, laat staan een van de achtendertig instrumenten die Karel IX rond 1560 bij Andrea Amati bestelde, niet tot het rijk der mogelijkheden behoren. Dat ik dé Amati zou hebben, de rariteit Amati, kleiner van formaat en abusievelijk afgebouwd, de enige van zijn hand die niet alleen bol stond van de warmte en complexiteit van de beste cognac in Frankrijk – Amati's kenmerkende toon – maar daar ook de branderigheid van had, de akoestiek voor een moderne zaal, het kattengejank van een Strad: in de ogen van mensen die zo met stijl en schoonheid zijn doordrenkt dat ze het gen voor dieptewaarneming kwijt lijken te zijn, zou het idee absurd lijken.

Ik denk dat ik onder de betovering verkeerde van het soort waanzinnige maar praktische denken dat alles subtiel ondermijnt tijdens een crisis. Ik herinner me dat ik in het voorbijgaan uitrekende dat de dood van signor Perso meer dan drie dagen geleden was en dat zag als een teken dat ik overleefde. Het was de eerste winteravond van mijn leven dat ik zonder handschoenen was uitgegaan – ik had besloten dat ik ze niet langer nodig had. En dus, ondanks de felle kou, ondanks het instrument dat ik droeg, hoewel ik kousen en pumps droeg en alles ijzig was, dacht ik dat ik het laatste geld van signor Perso, mijn laatste travellercheque, zou moeten bewaren en proberen te lopen.

Ik zwierf uren rond. Op een gegeven moment dreef er een prachtige nazingende coda, het thema van Schuberts

Unvollendete, mijn oor binnen. Die middag, tijdens mijn sollicitatie in de paleiselijke woonkamer van meneer Pettyward, had ik geleidelijk aan afgestemd op iemand die achter de deur stond te neuriën. Toen ik eindelijk met mijn hoofd in de richting van het neuriën knikte, kondigde meneer Pettyward aan: 'Mijn zoon Clayton,' alsof hij een chique auto of een stuk antiek presenteerde. Als op afspraak kwam een lang, slungelig joch met rood krulhaar binnen, zijn vinger in een boek. Hij nam me moedeloos op – óf dit was al veel vaker gebeurd, óf hij zag onmiddellijk dat iets aan mij verschrikkelijk niet klopte – maar toen zei hij: 'Ja, best,' en ging weer verder met de Schubert. Onder zijn ribfluwelen hemdslippen bolde een onnatuurlijk uitziende bobbel in zijn broek. Hij ving mijn blik op en zijn lippen krulden omhoog toen mij me zag blozen. Hij greep in zijn zak – de Schubert won vaart – en wurmde een groene rubber vis naar buiten. Met een brede grijns naar mij zwom hij hem de kamer uit.

De Schubert bleef doorgaan, vanuit de gang. Zo zachtjes mogelijk vroeg ik naar het verband om Claytons schedel. Meneer Pettyward stond op, zette een schakelaar aan de muur om en het neuriën verdronk in een dikke deken van ruis. Er leken in elke hoek apparaten te staan en hun geluiden legden zich op ons neer als lagen as van de Vesuvius. Hij ging weer zitten en schraapte verdedigend zijn keel. Met zachte stem zei hij dat Clayton sliste. Dat hij linkshandig was. Dat hij vaak struikelde. Dat hij voor de laatste reeks hechtingen zeven uur had moeten wachten in de *policlinico*. Deze keer had hij Clayton meegenomen naar een belachelijk dure privékliniek in San Pretorese. Zonder een sprankje humor zei hij dat volgens hem de tijdsdifferentie net opwoog tegen de kosten. Hij zei dat hij rekende op het feit dat Claytons hoofd het waard was.

Of dat tenminste zou zijn nadat ik hem had leren spelen.

Op zijn minst, voegde meneer Pettyward eraan toe, leek zijn zoon een heel bestendig hoofd te hebben.

Zo lang ik me kan herinneren heeft blootstelling aan kou me over de rand gekieperd. De triviale tirannie van die pijn, het piepkleine blikveld dat hij eist, overstijgt mijn belangstelling voor het dagelijkse. Maar ik raakte niet onmiddellijk in paniek. De hoekige neoclassicistische gevels leken bekend en de Schubert was een vertrouwde metgezel. Meneer Pettyward had die ochtend zijn chauffeur gestuurd om me op te halen; door de getinte ruiten had ik geen acht geslagen op de route die we namen; en na het onderhoud was ik weggerend naar de begrafenis, zonder op het adres te letten. Toch zwierf ik door de kronkelende straten van Milaan, klauterde over bergjes sneeuw, vol vertrouwen dat het gebouw elk moment kon opduiken. Meneer Pettyward en zijn zoon woonden tegenover een kerk, dus zodra ik een torenspits ontdekte, ging ik erop af. Op een gegeven moment keek ik naar de overkant en zag een hek met pijlpunten dat onder vier kleine bogen golfde. Achter het binnenplaatsje dat het bewaakte, stond de dikke vierkante bakstenen toren van het oude Romeinse circus dat signor Perso had aangewezen toen we het huis van zijn kennis, Marie-Antoinette de Nogwat, bezochten. Haar huis was absoluut niet in de buurt van dat van Pettyward. Het werd plotseling veel kouder. Ik rende de zijstraat in om een plek te vinden waar ik naartoe kon, maar mijn hak bleef in de tramrails steken. Ik gleed uit. En zodra ik wist dat ik viel, liet ik me gaan en ik viel zoals een dood lichaam valt.

Ik kon me niet bewegen.

Niet omdat ik gewond was, maar omdat ik gevangen zat in een droom die ik had gehad toen ik veertien was, aan de vooravond van mijn debuut in Carnegie Hall. Daar zat ik met mijn cello op een stoep, op een winteravond, in een dodelijk stille stad waar niemand was, behalve ik.

Door mijn hele lichaam hamerde mijn hartslag blauwe plekken uit. Maar het had ook iets troostends dat ik op de grond was beland, dat ik nergens meer kon vallen, dat de huid van mijn wang tegen het ijzige beton kleefde. Het beven van mijn lichaam bedaarde ten slotte. Het was de duizeling van de vrije val geweest, realiseerde ik me.

Toen hoorde ik een gesnuif. Ademen. En ik wist dat ik overeind zou moeten komen. Een lage stem vroeg of het ging. Er rukte iets van achteren aan mijn arm, trok een hard, zwaar gewicht weg. Iemand pakte de Savant. Ik rukte hem weer naar beneden.

'*Lasciami star*,' blafte ik. Laat me met rust. Signor Perso en ik hadden elkaar als leraar en leerling ontmoet, toen hij zesenzestig was en ik vijftien, dus waren we altijd formeel gebleven. Ik was blij dat het er nu instinctief uit kwam, om een grens te trekken tussen mij en deze man.

'Laat me u helpen,' zei hij op hetzelfde moment en probeerde weer de Savant te pakken. Maar ik hield hem bij de hals vast, dus sleurde hij mij mee. Toen ik half overeind was, zei ik: 'Het gaat best.' Zijn ogen hielden de mijne vast en hij liet los. Ik plofte terug op de stoep, met de cello boven op me.

Deze tweede val benam me de adem. Een hele tijd stond hij daar, met zijn armen over elkaar, terwijl vage versies van verre auto's af- en aanrolden als golven. Hoewel er een heel gevangen universum in de mica stoep glinsterde, waren de straten verlaten, de hemel zonder sterren en leeg. In de ijskoude lucht bleef onze adem als wolken hangen tot hij verdween. Ik hield mijn adem in zodat ik hem kon zien. Mijn overvaller bleek een man in een zalmkleurig zijden overhemd en een marineblauwe blazer met gouden knopen die glinsterden in het licht van de lantaarns; een lichaam als een brandkraan, nonchalant aristocratisch gekleed, handschoenen maar geen jas, begin dertig. Doordat hij al kaal werd, was zijn leeftijd moeilijk te schatten.

'Ik zou niet degene willen zijn die dat ding van u probeerde af te pakken,' zei hij zacht.

Een dichte massa pijn propte zich in mijn hoofd. Mijn handen prikten en mijn linkerknie klopte. Ik zette de Savant overeind – de val, in deze kou, had hem waarschijnlijk doen barsten – en duwde mezelf overeind. Er bolde een gedeukte knie uit een scheur in mijn kous. Ik draag verstevigende kousen – die persen je samen – dus stulpte er een bubbel uit het gat, geschaafd en bloederig, en toen ik probeerde om hem er weer in te schuiven, wankelde ik en begon uit te glijden. Toen ik neerging, verhief zich een tedere steun bij mijn elleboog. Ik had niet gehuild toen signor Perso stierf, had mijn ademhaling beheerst en in plaats daarvan voor hem gespeeld. Nu was de hand van deze man om mijn elleboog genoeg om me te doen huiveren en instorten.

'Help me niet,' zei ik zacht.

Als er iets is dat je leert met een vader als Yuri, is het dat het accepteren van medelijden het begin van het einde is. Ik concentreerde me om het bibberen van mijn lichaam te stoppen, om te ontspannen, niet koud te lijken. Het leek cruciaal om de ontmoeting *moderato* te behandelen, cruciaal om niet wanhopig te lijken. De man leek oprecht bezorgd; maar aan de andere kant, als hij een rechercheur was die me moest arresteren, zou bezorgdheid de juiste toon zijn voor zijn optreden.

'Laat me u helpen,' zei hij, bijna geërgerd. 'Ik ben dokter.'

Het was een kleine man – met hakken kwam ik bijna tot zijn neus – en zijn houding was kalm. Hij trok zijn handschoen uit, veegde zacht een paar korreltjes ijs van mijn wang, en bestudeerde me nader.

Hij stak zijn hand onder mijn knot en wiegde mijn nek met een tedere, stevige druk, en ik voelde me oplossen in de vriendelijkheid van het gebaar. De meeste mensen raken aan om te nemen, maar de hand van deze man luisterde – het was bijna beangstigend hoe lang – tot de spieren in mijn nek zich ontspanden. Zijn trekken vervaagden. Ik dwong me om mijn ogen scherp te stellen. We stonden voor een brillenwinkel met een enorme verlichte oogbol in de *vetrine*. Het licht verdiepte de wallen onder zijn ogen. Hij was eigenlijk alleen van voren kaal; aan de zijkanten en achterkant had hij golvend zwart haar dat, ter compensatie, een beetje te lang was. Hij had donkere ogen, donkere, volle lippen, en een knokige, lelijke, kromme neus die eruitzag of hij gebroken was geweest. Maar zijn stem had een gespierde gratie die vertrouwd voelde, de gebroken kracht van een litteken.

Hij duwde mijn hoofd achterover tot ik recht in de

straatlantaarns keek. Achter het wazige aureool gloeide de hemel zwaar, kalkachtig roze. Hij prikte behoedzaam in mijn voorhoofd, trok mijn onderoogleden een voor een omlaag.

'U heeft een accent,' zei hij, terwijl hij zijn hand heen en weer liet gaan voor mijn ogen.

'Dat hebben buitenlanders wel meer.'

'Dat zou het verklaren,' zei hij. 'Bent u buiten bewustzijn geweest?'

'Niet echt.' Ik denk dat ik wilde dat hij dacht van wel maar wilde het niet toegeven.

'Kan ik u brengen waar u naar op weg bent?'

'Het gaat wel,' zei ik, opgelucht dat ik een plek had om naartoe te gaan.

Hij reikte me mijn cello aan. '*Sicura*?' zei hij, alsof hij kon zien dat ik eigenlijk wilde dat hij me oppakte en droeg.

Ik bedankte hem opnieuw. Hij draaide zich om en rende naar een *tabacchaio* op de hoek.

Het nummer van Marie-Antoinettes appartement was 21, de dag van signor Perso's verjaardag. Dat wist ik nog. Hoewel het inmiddels ver na etenstijd was, belde ik aan. Signor Perso had Marie-Antoinettes moeder lesgegeven op het *Conservatoire* van Parijs; haar grootvader was een beschermheer van Casals geweest. We waren haar in de Scala tegengekomen, en ze had ons uitgenodigd om iets te komen drinken. Twee dagen later, toen de politie hem naar buiten droeg, belde ze om signor Perso te spreken over een baantje als leraar van de vijftienjarige zoon van een rijke man met de naam Pettyward. Ik kreeg het woord niet over mijn lippen, het woord voor wat hij was, dus in plaats daarvan zei ik dat hij met pensioen was. Bij nadere overweging vroeg Marie-Antoinette of ik geïnteresseerd was. Onze ene ontmoeting was voor mij genoeg geweest om te zien dat zij zo iemand was die voortdurend audities hield voor het toneelstuk dat haar leven was, die een invaller zou inhuren bij het eerste teken van problemen. Toch schreef ik het nummer op.

Ze zoemde me binnen door de kleine, manshoge uitsnede in de enorme houten *portone*, en liet toen de lift komen zonder te vragen wie ik was. Ik vroeg me af of ze een feestje gaf. De houten lift was een cocon van donzige, surrealistische stilte, als een kamer in een droom. Ik stak mijn hand uit naar mijn bloedende been om er wat gruis uit te halen. Net toen ik begon te denken dat de lift niet bewoog, schoven de deuren open in het overdadige appartement.

Het dienstmeisje van Marie-Antoinette was een gebochelde, grijsharige vrouw die duidelijk niet op wilde zijn op dit tijdstip. Ze kromp ineen toen ze me zag – ik zag er duidelijk uit als een vluchteling. Ik trok zelf mijn jas uit, zodat ze me niet hoefde aan te raken. Mijn been en gezicht waren tenminste bewijs dat ik was gevallen; ze gaven me een excuus om langs te komen.

(con brio)

Ik bukte me en aaide de bejaarde afghaan van Marie-Antoinette. Ik houd niet van honden, houd niet van de manier waarop ze je besnuffelen en likken en hun kwijl tussen je benen deponeren alsof ze niet van die gehoorzame bruinhemden zijn die plichtsgetrouw op bevel hun tanden in je kuit zouden zetten. De enige keer dat ik hier met signor Perso was geweest, had ik met name een hekel gekregen aan Rudolphs magere kop en de minuscule hersenen die hij bevatte. Dat gezegd zijnde, omhelsde ik het ding. Marie-Antoinette had onvoorwaardelijk verkondigd dat ze nooit iemand opnieuw uitnodigde die haar hond niet aanbad.

'Enig,' zei Marie-Antoinette terwijl ze de lift weer sloot. Marie-Antoinette was een kleine, volmaakt gekapte blondine. 'Ben je zo naar je sollicitatie gegaan?'

Voordat ik iets kon uitleggen, liep ze weg. Waarschijnlijk deed het er niet toe: de vorige keer, toen ze ons had uitgenodigd om iets te komen drinken, had Marie-Antoinette me al te kennen gegeven dat mijn ensemble van geen kanten een redelijk niveau van Italiaanse kleermakerselegantie haalde. Op het toneel had mijn moeders smaak de overhand gehad, maar in het dagelijks leven werd mijn garderobe gedomineerd door Yuri's boerenutilitarisme. In Milwaukee viel ik niet op, maar hier in Italië kon ik er gewoon niet mee door.

Hoewel ik de Savant wilde controleren volgde ik haar de zitkamer in, waar een gebronsde man met grote witte tanden, die eruit zag als de gastheer van een televisiequiz, een drankje inschonk voor een lange, blonde Barbie van middelbare leeftijd.

'Fabio, dit is mijn vriendinnetje *La Bohème*,' zei Marie-Antoinette droogjes.

'Mimi,' stelde ik me voor de grap voor, en we wisselden knikjes. De gebronsde man wendde zich tot de blondine naast hem om haar voor te stellen. Midden in het verhaal dat ze een voormalige Miss Tsjechoslowakije was, daalden zijn ogen naar mijn geschaafde, bloederige knie. Voor ik het wist had ik me verstrikt in een omstandige leugen over hoe iemand me neer had geslagen en had geprobeerd mijn cello te stelen. Ik had geluk gehad, zei ik, dat ik net om de hoek was. Het liep goed: Fabio vroeg het dienstmeisje verbandgaas te halen en vertaalde voor de schoonheidskoningin die haar bezorgdheid uitdrukte met sissende geluiden, afgewisseld met klikkende geluiden. Maar net toen ik het verhaal rond Pettywards adres wilde opdissen, ging de bel. Marie-Antoinette sprong op om de lift weer van het slot te doen. Ik stond op.

'Nee nee nee, blijf,' zei ze. 'Het is gewoon iemand die ik om sigaretten heb uitgestuurd. Giulio! Ik was vergeten dat je op bezoek was. Ken je iemand in de buurt?'

'Zo lang ben ik niet weg geweest,' zei hij. '*Good evening*,' zei hij vervolgens.

Ik verstarde, niet alleen omdat ik betrapt was, maar omdat hij al wist, van de weinige woorden Italiaans op straat, waar ik vandaan kwam.

'Kennen jullie elkaar?' vroeg Marie-Antoinette.

Giulio overhandigde haar twee pakjes sigaretten. 'We hebben elkaar ontmoet,' zei hij terwijl hij er twee in zijn mond aanstak.

'Via wie?' vroeg ze, alsof ze probeerde greep te krijgen op het net van mensen dat ons verbonden had, achter haar rug om en zonder haar permissie.

Giulio gaf haar een sigaret zonder antwoord te geven.

'Isabel is net overvallen en bijna verkracht,' fluisterde ze dringend.

'Nu net? Hier op straat?' vroeg Giulio.

Het bloed begon weg te trekken uit mijn hoofd. Ik knikte.

'Werkelijk,' zei Giulio, zijn ogen strak in de mijne. 'Ik wou dat ik het daarnet geweten had. Ik had misschien iets kunnen doen. Heb je een dokter nodig?' vroeg hij plechtig.

Het idee dat ik een dokter nodig had, nu iedereen van wie ik ooit had gehouden dood was, was zo belachelijk dat ik bijna stikte. Iedereen staarde. Ik hikte abrupt en probeerde mijn pathetische verhaal te redden. Om voor de hand liggende redenen verdoezelde ik het eerdere deel van de avond – de omschrijving die ik voor de toestand van signor Perso verzon was nu: *hij rust* – en vertelde verder hoe ik ternauwernood ontsnapt was. Ik beschreef een strijd, en smeekte Giulio met mijn ogen zijn mond te houden.

'Milaan zit boordevol ontaarde en verdorven mensen,' zei Giulio hoofdschuddend.

Marie-Antoinette fronste haar wenkbrauwen. 'Maar

neem me niet kwalijk, van de San Lorenzo-basiliek, met dit weer, ik bedoel, waarom geen taxi?'

Ik deed mijn mond open, en deed hem toen langzaam dicht om te voorkomen dat ik de lawine van snikken die zich achter mijn gezicht ophoopte ontketende. Gelukkig kwam Giulio tussenbeide: 'Omdat we elkaar dan nooit zouden hebben ontmoet.'

Giulio leek onmiddellijk door te hebben dat ik geen geld had, of dat geld op een of andere manier een factor was, want hij glimlachte geruststellend en veranderde van onderwerp. Terwijl hij mijn knie schoonmaakte, ging zijn afgemeten Italiaans over in een borrelend, melodieus Frans. Hij stak een lange riedel af over neuzen in Milaan versus neuzen in Parijs, waar hij geweest was om zijn fiancée Daphne op te zoeken, die een vriendin van Marie-Antoinette was en een erfgename van iets. Uit zijn borstzakje haalde Fabio een ding dat eruitzag als een zuiver zilveren sigarettenkoker. Hij legde twee witte plastic dopjes op zijn ogen, stopte zijn kraag in en haalde een schakelaar over. Een heldere paarsige gloed verlichtte zijn gezicht. Hij was het aan het bruinen.

Terwijl zij praatten, doezelde ik af en toe weg. Ik denk dat ik hoopte dat Marie-Antoinette me zou uitnodigen te blijven slapen. Maar Marie-Antoinette bleek 's ochtends een kleine chirurgische ingreep te moeten ondergaan en vervolgens naar Parijs te vliegen. Naast de Pettywards, die ik die ochtend had ontmoet – en mijn nieuwe vrienden Fabio en Giulio en Miss Tsjechoslowakije – was zij de enige persoon die ik kende in Milaan. Giulio moet hebben gemerkt dat mijn gezicht betrok, want plotseling vroeg hij of we Engels zouden moeten spreken. Marie-Antoinette verkondigde dat ze dat een vervelend idee vond. Of ze nú wegging, dacht ik, of over zes maanden, het maakte niets uit. Ze zou even behulpzaam zijn in Milaan als duizenden kilometers ver weg.

'Mary Ann is kwart Amerikaans,' zei Giulio. 'Hoewel ze bezig is dat deel van zichzelf af te werpen.'

'Noem me niet zo,' bitste ze. Ze rukte het zilveren etui uit Fabio's hand, klikte het ultraviolette licht uit, plofte neer naast Miss Tsjechoslowakije en plette haar wang tegen de hare, loerend naar de twee neuzen in Fabio's spiegel.

'Wat denk je, Isabel? Zou de hare te extreem zijn op mij?'

De oude dienstmeid bracht een zilveren blad met nog meer flessen binnen. Fabio trok Miss Tsjechoslowakije omhoog, schoof wat geld in haar jaszak en stuurde haar met een klopje op haar kont naar de lift. Kennelijk was ze een wegwerpartikel, net als ik. Hij pakte zijn etui terug van Marie-Antoinette, tuurde in het spiegeltje en begon in het vlees van zijn wang te prikken om te zien of hij verbrand was.

Giulio schudde zijn hoofd. 'Fraai voorbeeld ben jij, *Professore*,' zei hij. 'Op gezondheidsgebied enzo.'

'Ik heb een gezonde gloed,' zei Fabio.

'Als van *il big bang*,' zei Giulio smalend.

Ik dacht dat ik het gesprek in het Italiaans kon volgen, maar dit volgde ik niet. 'Wat was dat voor big bang?'

'Il big bang,' zei hij, alsof iedereen wist wat het was.

'Ik snap het geloof ik niet.'

'Dé big bang,' zei Giulio in het Engels.

'Van het heelal,' zei Fabio in het Engels.

Toch dacht ik nog steeds dat ze de draak staken met mijn val, dat ze wisten dat mijn verhaal gelogen was. Maar toen wierpen Giulio en Fabio elkaar een blik toe, lijkbleek van bezorgdheid. Ze zwermden om me heen.

Giulio begon in mijn schedel te prikken. Het topje van zijn rechterpink was bij het gewricht afgehakt, merkte ik. Ik vroeg me af wat voor leven deze mensen leidden.

(*molto allegro*) 'Grapje,' zei ik.

De gebochelde dienstmeid serveerde warme chocolade op een belachelijk rococo blad, bedekt met belachelijke rococo kanten kleedjes, en Rudolph ging aan mijn voeten liggen. Hoewel dat big bang-gedoe me zorgen baarde – waarom had signor Perso me daar nooit iets over verteld? – schopte ik mijn pumps uit en wurmde mijn voeten onder het lijf van de hond. Langzamerhand begon de rust van het neergedrukt worden door een ander wezen vat te krijgen. Marie-Antoinette vroeg de dienstmeid waar Fabio zijn heerlijke Armagnac verstopte, en ze ging hem halen. Ik vroeg me af of ze hier samen woonden, of hij zijn vriendinnen voor haar ogen mee naar huis nam. De conversatie verliep martelend langzaam, zoals de langzame delen van een trio van Boccherini. Deze mensen praten om te praten, dacht ik, alsof tijd een oneindige woning was die wachtte om gevuld te worden. Ik deed mijn ogen dicht en vroeg me af of de gulheid die ons omvatte voortkwam uit het leven in een antieke cultuur, een overweldigende gelatenheid omdat de belangrijke dingen al waren gebeurd, of gewoon het lichamelijke gevoel van weelde was. Toen richtte Giulio zich weer tot mij en vroeg met een uitgestreken gezicht waarom ik, als ik hier woonde, nog steeds zo'n *putan d'accento Americano* had, wat me een anathema moest maken in de ogen van half-Parijse puristen als Marie-Antoinette.

'Misschien zou je het woord hoer kunnen vermijden,' zei Marie-Antoinette tegen Giulio, terwijl ze een blad neerzette. Toen giechelde ze, alsof ze wilde uitwissen wat ze net gezegd had en gaf hem een vluchtige zoen op zijn wang. 'Wist je dat Isabelle een briljant celliste is?' vroeg ze, hoewel ze me natuurlijk nog nooit had horen spelen.

Giulio richtte zich weer tot mij. 'Voor een Parijzenaar,' ging hij verder, terwijl hij een nieuwe sigaret voor haar aanstak, 'is iedereen beneden de Alpen een spaghettivreter.'

'Alsjeblieft,' zei Marie-Antoinette. 'De Romeinen zijn een club goedgeklede, provinciaalse snobs. Agorafobisch. Als een van hen per ongeluk verder rijdt dan het strand bij Ostia en ontdekt dat het rijk gevallen is, scheurt hij onmiddellijk weer de stad in, naar de Via Condotti voor een kalmerende *gelato*.'

'Ach,' gaf Giulio toe, 'misschien hebben de Parijzenaars alleen de pest aan zuiderlingen. Voor hen begint Afrika bij Napels. Maar wij Milanezen hebben een bredere continentale *Weltanschauung*,' zei hij, met een Duits accent. Hij boog zich naar haar toe. 'Is het niet, prinses?'

'*Je suppose*,' zuchtte Marie-Antoinette en blies rook in zijn gezicht.

Giulio keek me strak aan en vroeg of ik de monotonie niet zou willen doorbreken met mijn spel.

'Hè ja,' zei Marie-Antoinette. 'Net een salon.'

Ik staarde hen aan, versteend, wij zaten met zijn allen gevangen in mijn stomme *retard*. Toen de pauze pijnlijk werd, spuugde Giulio weer een brede, kolkende stroom woorden uit. Ik dreef weg op zijn golf van taal, pakte hier en daar een tak beet maar begreep niet veel. Hij vertelde me later dat hij had geprobeerd mij te vermaken. Maar op dat moment was het alsof ik naar een buitenlandse film keek waarin de personages erop los praten en iedereen lacht terwijl de ondertiteling helemaal niet grappig is. Ze begonnen af te geven op de opvoering van *Blauwbaard* die we in de Scala hadden gezien. Voor de grap begon Marie-Antoinette Judith, Blauwbaards bruid, te spelen en vroeg de sleutels voor de verboden deuren, in dit geval Fabio's buitenhuis, waar ze heen wilde om te herstellen na haar operatie. Het lachen en praten loste op in een ondoordringbaar gebrul. Op kamertemperatuur zijn luchtmoleculen zo beweeglijk dat hun botsingen een vreselijke ruis genereren, net buiten bereik van het hoorbare: nu dacht ik koortsachtig dat ik ze misschien begon te horen, alsof iemand het volume van mijn toch al gruwelijke gehoor hoger draaide. Ik dacht aan de enorme vlakte van tranen die Judith vond toen ze, nadat ze de bloederige martelkamer, de bloederige wapens, de bloederige schatkist en de bloederige wat nog meer had gevonden, de vijfde verboden deur van Blauwbaard opende. In de Scala had ik gehuiverd toen ik me de enorme leegte van een leven zonder signor Perso voorstelde. En hij had mijn hand gepakt alsof hij het had geweten.

Een zacht geklop bij mijn voeten bracht me terug bij Marie-Antoinette. Rudolph leek een toeval te hebben. De hond droomde, met zenuwtrekkende poten alsof hij rende. Er kwam een gegrom uit zijn trekkende lippen toen hij zijn tanden ontblootte tegen de prooi die hij in zijn kop achtervolgde. Waarom was mijn leven een eindeloze reeks ontdekkingen, net als die van Judith? Ik had nooit vragen gesteld, had nooit gevraagd waarom mijn talent als een wapen moest worden gewet; nooit, als ik me verstopte in struiken van Tsjechische huizen en Argentijnse villa's en in stegen in Tel Aviv, nooit heb ik Yuri gevraagd wie de vreemdelingen waren die hij moest opsporen maar nooit kon aanspreken. Toen mijn ouders er niet meer waren en mijn tante Carmela op sterven lag, geloofde ik haar toen ze zei dat ze voor me had gezorgd – omdat ze het zelf geloofde, omdat ik me niet kon voorstellen wat er van me zou zijn geworden als ze dat niet had gedaan. Net zoals ik me met geen mogelijkheid kon voorstellen wat er nu van me zou worden. Toen zij doodging en ik niets had, was signor Perso langsgekomen en had me uitgenodigd bij hem te komen wonen. Nu was er geen signor Perso. Het enige wat ik wilde, was mijn gezicht in zijn borst begraven, maar nu ik in het geniep uit het pension was vertrokken zonder te betalen, en in het geniep bij de begrafenisondernemer was vertrokken, zou ik er nooit achter komen waar hij was.

Terwijl de verwarring zich begon te ontbinden in paniek hoorde ik de stem van Marie-Antoinette zeggen: 'Hij heeft van die warme blauwe ogen!' Ik realiseerde me dat ze signor Perso bedoelde, die grijsblauwe ogen met gouden vlekjes had, en plotseling zag ik ze weer, glazig van verwarring na onze eerste keer samen, toen hij zich mijn naam niet kon herinneren. Ze stak een verhaal af over haar moeder, die nooit in staat was zich te concentreren tijdens haar celloles, vanwege haar verliefdheid op signor Perso. Ik wilde haar de mond snoeren, haar vertellen dat hij dood was, maar ik was er niet direct mee gekomen; nu was er geen manier om het te zeggen zonder heel erg vreemd te lijken. Ik sloot mijn ogen en kneep in de hoeken bij de neusbrug, alsof ik heel hard nadacht over een ingewikkelde wiskundige vergelijking, om maar niet te huilen.

Gelukkig begon toen net een vreemd elektronisch deuntje – een dubbele openingsmaat van *Für Elise* – te piepen op Fabio's lichaam. Hij liet het zilveren bruiningsapparaat in zijn borstzakje glijden, grabbelde in zijn broekzak en haalde er een miniatuur speelgoedtelefoon uit, die zonder snoer leek te werken.

'Ach. Mijn vrouw gaat naar buiten.'

'*Il Professore* is toevallig met de dikste mezzosopraan ter wereld getrouwd,' fluisterde Giulio hardop.

'Ze is ook de grootste mezzo van haar generatie,' bitste Fabio, en drukte op een knopje waarna het ding ophield met für-elisen. In het speelgoedje voerde hij een kortaf, monosyllabisch gesprek. Geen van de anderen leek dit vreemd te vinden.

'Dus, kleermakers,' zei Marie-Antoinette, 'wordt het de tekening of het fragment?'

'Bent u kleermaker?' vroeg ik Giulio, in de hoop hem ook op een leugen te betrappen.

'Van vlees,' zei Giulio.

Giulio en deze professor schenen Marie-Antoinette de volmaakte Romeinse neus van Miss Tsjechoslowakije te gaan bezorgen.

'Wat zal ik nemen?' vroeg Fabio aan Giulio.

'De schets van Bellini is de voor de hand liggende keuze,' zei Giulio, 'en op het ogenblik meer waard, maar ik zou het frescofragment nemen. Het is een stuk dat je maar eens in een eeuw tegenkomt. Over een paar jaar schiet het omhoog. Het is louter walgelijk geluk dat het kleinood in haar handen is gevallen.'

'Het zij zo,' zei Fabio. 'Breng het maar mee.'

Marie-Antoinette stond op en rekte zich uit. Fabio wendde zich tot mij en zei dat het een genoegen was geweest. Ik vroeg of hij terugkwam met zijn vrouw. Hij lachte en zei dat ze in haar huis woonden. Het begon me te dagen dat het appartement waar we waren van hem was, dat Marie-Antoinette daar tijdelijk woonde, dat ik niet eens wist waar zij woonde.

'En, wat brengt u naar Italië,' zei Giulio op zachte toon, zodra Marie-Antoinette weg was om hem uit te laten.

Ik staarde naar het plafond. We waren naar Italië gekomen om signor Perso thuis te laten sterven.

'Basilieken.'

'Basilieken?' zei hij sceptisch. 'Ik bedoel als je er een heb gezien, heb je ze allemaal gezien.'

'Ik vind herhaling ontspannend.'

Hij tuitte zijn lippen en zijn kin ging omhoog en omlaag, een compact Italiaans schouderophalen. 'Je kunt er niet neuken. Ik bedoel, als je geen priester bent.'

'U zou nog raar staan te kijken,' zei ik, hoewel signor Perso en ik nooit ergens anders hadden gevreeën dan in zijn grote eiken bed.

'U lijkt me niet het religieuze type.'

'Gelooft u niet in God?'

Hij glimlachte zuur. 'Ik kom uit een lange lijn van communistische atheïsten. Mijn grootmoeder van vaderskant schreef pamfletten voor de partij tot ze in de tachtig was. We zijn geneigd kerken te vermijden.'

'Dus het is een traditie.'

'Ik ben geen atheïst omdat mijn vader atheïst is,' zei hij. 'Gewoon, het idee God is belachelijk. Het onwetenschappelijkste dat er bestaat. Wij Italianen...'

'Mijn leraar is een Italiaan,' onderbrak ik voordat hij nog iets kon zeggen.

Giulio nam een slokje wijn en knikte langzaam. 'Ik heb het nog nooit geprobeerd in een basiliek.'

Marie-Antoinette kwam terughuppelen met haar balletstapjes. Ik stond op en begon haar te bedanken. Ik hoopte het gesprek op de Pettywards te brengen, op het adres van hun appartement, om de buurt van de kerk met het *Laatste Avondmaal* te vinden. Maar ze raakte geagiteerd – om de een of andere reden leken de Pettywards taboe als onderwerp – ze sprong op en probeerde me een paar van haar sneeuwlaarzen te geven, onder het mom dat ze dingen wegdeed voor ze de stad uit ging.

Mijn keel kneep dicht. Ik had gedacht dat ze tijdelijk naar Parijs ging. Ik schudde mijn hoofd en zei dat ik zelf een paar had.

'Warme?' vroeg ze, alsof mijn voeten plotseling haar voornaamste zorg waren.

Giulio stond op.

'Ga je me verlaten?' jammerde ze.

'Jij gaat ons verlaten,' zei Giulio, en pakte het frontje van zijn autoradio.

'Ik muss unterdoiken,' teemde ze met een vet, ordinair Duits accent, net als Giulio daarnet had gedaan.

Waarom verbazen mensen zich dat je een mot kunt vangen door een kaars aan te steken? Dat een schepsel dat in het duister zit opgesloten een zon zoekt? Dat na 1939 mensen als mijn grootouders nog steeds konden geloven in een reclamefolder – het idyllische meer, de majestueuze bergen met zonnestralen die net over de rand piepen – en hun hele vermogen konden afdragen om een veilige villa aan het meer in het kuuroord Theresiënstad te kopen? Ik deed toen iets heel doms, uit pure zwakte, waar ik onmiddellijk spijt van kreeg. Ik had al sneeuwlaarzen, ik had hele praktische rubber laarzen uit Milwaukee die zelfs warmer zijn dan alles wat Marie-Antoinette, met haar limo en haar chauffeur, ooit heeft bezeten of zal bezitten. Maar mijn sneeuwlaarzen waren natuurlijk in het pension, samen met al het andere dat ik bezat, en de pumps die ik aan had waren doorweekt en geruïneerd, wat de reden kan zijn dat ik mijn gedachten niet meer in de hand had: omdat ik ze al twee keer had afgewezen en wist dat Marie-Antoinette ze zou gebruiken zoals ze al het andere gebruikte, net zoals ze had gewacht tot Giulio uit de badkamer kwam om haar veren op te steken en ze mij in handen te duwen – alsof zij en ik op twee schalen van een weegschaal zaten, en hoe meer ze op mijn schaal stapelde, hoe hoger ze zou stijgen – zo dacht ik. Als Marie-Antoinette eenmaal naar Parijs was gegaan en ik haar nooit meer zag, als ze eenmaal dood was, of gewoon dit reisje gebruikte om me af te danken, zou ik er beter aan toe zijn met laarzen die een air van 'geen hulp nodig' uitstraalden. Ik hield mezelf voor dat ik mensen zou tegenkomen, nieuwe mensen die uit mijn mooie laarzen zouden opmaken dat ik pas kort in de puree zat. Maar als ik ze zou aannemen, dacht ik, had ik ze meteen moeten aannemen, alsof ik het voor het kiezen had, maar toevallig had besloten ze aan te nemen en gemakkelijk kon besluiten om ze weg te gooien. In plaats daarvan, vroeg ik erom nadat haar paranoia over mijn gezondheid was weggeëbd en toen was ik te dankbaar, alsof ik haar bedankte dat ze mijn leven had gespaard. Ze had me het baantje bij Pettyward toegeworpen zonder een idee te hebben hoe wanhopig ik was. Maar toen ik op die manier om de sneeuwlaarzen vroeg en ze in aanwezigheid van haar en van Giulio aantrok, had ik net zo goed een gele ster op mijn jas kunnen naaien.

De liftdeur sloot voor Fabio's appartement en ik vertrok zonder het adres van Pettyward. Toen we aan onze zwijgende afdaling begonnen, keek Giulio me aan en zei heel zacht: 'Giulio Romano Salvagente.' Hij stak zijn hand uit en zag toen dat ik de mijne vol had. 'O,' zei hij onhandig. Hij nam mijn geruïneerde pumps van me over, ik pakte de Savant beter vast en we schudden elkaar overdreven formeel de hand. Net als zijn handschoen was zijn hand boterzacht. Ik gaf mijn achternaam niet.

We staarden naar de dalende verdiepingnummers. Het was een vergissing geweest om er vanuit te gaan dat ze me kon helpen; een vergissing om de sneeuwlaarzen aan te nemen; een vergissing om het baantje bij de zoon van meneer Pettyward aan te nemen. Toen ze dat had aangeboden, had het edelmoedig geleken. Maar uit de manier waarop ze vermeed erover te praten, bleek duidelijk dat iets aan de situatie niet klopte.

'Nu sta ik erop dat ik je mag brengen waar je moet zijn,' zei Giulio toen de liftdeuren opengingen. 'Zodat je niet wordt overvallen en bijna verkracht.'

We legden de cello op de achterbank – Giulio pakte een enorme stapel vuile was op en liet die boven op de Savant vallen – en ik stapte in. Mijn stoel voelde vreemd warm aan. Giulio's Lancia was groot en luxueus, donker en diep; het voelde onbekend en weelderig, als in een Egyptische sloep stappen. Ik schrok een beetje terug voor de rijkdom, zo door hem te worden omringd en ingesloten. Hoewel ik dankbaar was in zijn auto te zitten, omgordde de sterke lucht – zijn lucht – me met claustrofobie. Een auto maakt een gordeldier van je; je sleept een grote, rammelende bolster van jezelf mee, waar je ook heen gaat; terwijl het deel van reizen dat ik leuk vind, jezelf achterlaten is. Hoewel ik wist dat het niet hoorde, was ik als kind dol op treinen – dol op hun anonieme gewoonheid, hun generieke ontwerp, de onverschillige manier waarop ze mensen afschudden op het perron. Yuri liet nooit een foto van mij nemen, helemaal nooit; toen hij in Praag was opgepakt, hadden ze hem geïdentificeerd aan de hand van een foto. Hij had bijna een fotograaf gewurgd die een kiekje van me probeerde te nemen, was meer dan eens bijna opgesloten geweest en had zich meer dan eens uit moeten kopen na een ruzie. Maar niemand verwachtte dat ik de trein zou nemen; daar hadden we een veilige anonieme verplaatsing. En treinen hielden Yuri onder controle. Hij had het te druk met het driedubbel controleren van dienstregelingen en perrons om kwaad te worden. Hoeveel kritiek hij ook had op mijn vertolking, in de coupé was ik gewoon zomaar een passagier, deed ik mijn ogen dicht te midden van het geroezemoes en stelde me een landschap voor dat overeenkwam met de gesproken talen, met het stijgen en dalen, de tikken en steminzetten van de vocale topografie in de coupé. Mijn meest gedenkwaardige maaltijden, mijn helderste muzikale ideeën, mijn beste discussies met Yuri waren in treinen die zich huiverend in beweging zetten, me ergens anders brachten.

Terwijl Giulio de sneeuw van de voorruit veegde, pijnigde ik mijn hersens om een plek te bedenken waar hij me heen kon brengen. Toen loste het denken op. Ik gleed weg in een nieuwe berekening van het aantal minuten dat ik had doorgemaakt sinds de dood. Misschien zit er enige waarheid in de opmerking van Leibnitz, dat het genot dat we aan muziek beleven voortkomt uit tellen, want mijn enige stabiele momenten, nu, had ik wanneer ik al tot een getal was gekomen en er elke volgende minuut bij op kon tellen zodra die voorbij was. Hoe verschillend was de dood van signor Perso van die van mijn ouders – hoe onaflatend drukte hij op mijn borst. Toen de auto van mijn ouders verongelukte, zat ik op het podium in Carnegie Hall, en lokte de ramp uit; toen ik zag dat hun stoelen leeg waren, was ik uit Yuri's web van voorzorgsmaatregelen gestapt, had hem alleen gelaten, daar in zijn verleden, en had me gewoon laten gaan en gespeeld. Nu kende ik de vlijmende openbaring waar mensen het over hebben: ik had het toen ik wakker werd in de afwezigheid van signor Perso's ademhaling, en ik bleef het krijgen, steeds opnieuw. Maar in Carnegie Hall, terwijl mijn ouders omkwamen op de snelweg, had ik hen compleet vergeten. Ik denk dat ik nooit zo gelukkig ben geweest.

Tegen de tijd dat Giulio klaar was met het schoonvegen van de auto had ik een plan. Ik zou achteloos vragen – *(allegro)* – of we langs de beroemde kerk zouden kunnen rijden. Giulio knikte. Maar in plaats van naar het *Laatste Avondmaal* te rijden, sloegen we plotseling een hoek om en kwamen bij de hoog optorenende witte rotswandgevel van de Duomo in het centrum van de stad, fel verlicht door de neonslinger die het kille, verlaten plein omsloot. Buiten mijn raampje hoorde ik het ritselende gekoer van rusteloze duiven. Misschien om de leegte te vullen, begon Giulio uit te leggen hoe Leonardo da Vinci de kanalen van Milaan had aangelegd om de enorme witte blokken steen voor de Duomo naar het centrum van de stad te vervoeren. We minderden vaart voor een stoplicht en ik keek op en zag dat de zijstraat de Via Solferino was, de straat van ons pension. Ik onderbrak hem en vroeg of we daar even konden stoppen. Hoewel hij duidelijk een uitleg wilde, klikte hij zijn richtingaanwijzer aan, te tactvol om te vragen wat ik van plan was.

Buiten het pension stond de gedrongen, plompe eigenaar met de politie te praten. Ik glipte achter hem langs de lobby in, rende de gang door en de brandtrap op en stak mijn sleutel in het slot. Onze kamer was schoongemaakt; elk spoor van signor Perso was verdwenen. Ik stond te staren naar een moment in de tijd voor de dood van signor Perso, naar de kamer zoals we hem samen waren binnengegaan, en deed toen zachtjes de deur dicht. Ik liep op mijn tenen de achtertrap af naar de waskamer waar ik een paar overhemden had ingeleverd om gewassen te worden, de dag voor signor Perso's dood. De machines stonden te klotsen; het jonge Joegoslavische meisje dat ons kamermeisje was geweest lag op een bedje in haar shorts te roken en een stripboek te lezen. Toen ze me zag, gebaarde ze door een gang met een naakt peertje naar een berghok. Ze had alles bewaard. Ze trok de kledingzak van signor Perso te voorschijn die ik vol had gepropt. Hij hing als een lijkenzak over mijn arm, dus moest ik hem loslaten. Hij viel op haar voet. Ze staarde me aan. Ze kon de Italiaanse woorden niet vinden, maar haar gezicht zei dat ze dacht een enorme gunst te hebben verleend en haar baan te hebben geriskeerd voor een of andere idioot. Als een bezetene zocht ik in mijn zak naar de geheime vooraad van Marie-Antoinettes marsepein die ik had gestolen, verpakt in een servet, en drukte die in haar hand. Dat maakte de zaken alleen nog maar erger. Ik sjorde het metalen kistje met mijn partituren omhoog en zei dat ik terug zou komen voor de rest. De lobby was verlaten, dus nam ik het risico en stormde erdoorheen naar buiten. Maar op straat bleef ik staan: ik had de portefeuille en het paspoort van signor Perso vergeten. Toen zag ik de kleine, gezette hotelier achter me aan komen.

'VEDOVA STRONZA! VEDOVA STRONZA!' schreeuwde hij. Ik sprong in de auto en smeet het portier dicht.

'Vriend van je?' vroeg Giulio terwijl hij op een knopje drukte dat alle sloten dichtklikte. De man stond met zijn vlakke hand op de auto te bonken. Ik deed mijn ogen dicht en spoorde Giulio's voet aan om gas te geven. Hij reed door een rood licht en sloeg een paar blokken verder een verlaten straat met kinderhoofdjes in. 'Dus je bent een weduwe én een booswicht?'

Ik gaf geen antwoord. Ik bladerde door de muziek op zoek naar het adres van het enige bed ter wereld waar ik kon gaan liggen.

'Wat zit daar in?'

'Mijn leven,' zei ik, waarmee ik de discussie afkapte. Ik liet Giulio Pettywards adres zien, en hij startte zonder nog iets te vragen.

Toen we door de stille, witte, verlaten straten reden, dwaalde mijn geest naar de rit naar huis na mijn debuut in Carnegie Hall. Mijn ouders waren niet op komen dagen na afloop van het concert; een violist die samen met mij in de groene kamer had gewacht, bracht me thuis. Ook toen was er een sneeuwstorm geweest; we hadden over de beijzelde straten geglibberd, door de kalme witte straling, alsof we langzaam zweefden. Het was alsof het heldere uitspansel van stilte dat op me was gevallen, in het moment voor het applaus, op de wereld was gevallen.

In de straat die naar het gebouw van Pettyward leidde, stonden gele paaltjes op de stoeprand om parkeren tegen te gaan dus verwachtte ik dat Giulio me gewoon zou afzetten, meer niet. Maar hij ontdekte de enige plek waar ze ontbraken en zei: 'Daar is mijn plek.' Ik kreeg het gevoel dat hij ongelooflijk veel geluk had, dat hij gewoon verwachtte dat dingen liepen zoals hij wilde, dus voelde ik me een beetje triomfantelijk toen zijn auto niet paste. Er lag een enorme berg sneeuw aan de voorkant dus moest hij er diagonaal in, zodat de achterkant van zijn auto een eind de straat instak.

Milaan is een grimmige, grijze, Duitse stad. De weinige overgebleven Italiaanse fiorituren zijn dof te midden van het ene na het andere zware akkoord van industrieel, naoorlogs drijfzand. In de dagen die ik er had doorgebracht voor mijn recitals in de Scala, had ik nooit zo'n elegant woonhuis gezien als dat van de Pettywards, een zeventiende-eeuws palazzo met roze marmeren zuilen en een groene bronzen fontein met waterspuwende dolfijnen op de binnenplaats. Het had de oorlog overleefd, vertelde meneer Pettyward me, doordat het tegenover de kerk met *Het Laatste Avondmaal* staat, die de geallieerden niet wilden bombarderen. Toen ik Giulio zag staren naar de enorme, overwelfde, rijk versierde deuren van het portone van de Pettywards, wist ik wat hij dacht: hoe onwaarschijnlijk het was dat een buitenlander op doorreis zoals ik in zo'n mooi huis kon wonen.

'Weet je zeker dat je hier woont?' vroeg Giulio en zette de motor uit.

(forte)

'Verrassing!' zei ik, blij dat ik niet zo'n verschoppeling leek. Ik deed het portier open en schoof het metalen kistje op de stoep.

'Wacht.' Giulio reikte langs me heen en trok mijn portier dicht. 'Hoe lang woon je hier al?'

'Al een tijdje,' zei ik.

'Je woont er met je maestro?'

Ik beet op mijn lip en schudde langzaam mijn hoofd.

'Dus je woont met je ouders,' concludeerde hij.

'Dood.'

Hij knikte langzaam. 'Dus je woont alleen,' zei hij na een pauze.

Ik schudde weer mijn hoofd.

'Ik snap het.'

Hij keek door de voorruit en omklemde met beide handen het stuur. Toen liet hij ze weer in zijn schoot vallen.

Een tijdje bleven we zwijgen.

'Hoe wordt je naam gespeld?' vroeg ik.

Giulio spelde het op de voorruit met zijn vinger. 'Net als de schilder.'

Ik knikte, hoewel ik de schilder niet kende. 'Klinkt alsof het met een J zou moeten beginnen.'

'Een chirurge in Amerika zei een keer dat mijn naam klonk als Julia vereend met Romeo. Ze schreef het Julie-O.'

(con sentimento profondo)

'Romantisch,' zei ik.

'Zeg eens – heb je altijd van die wallen onder je ogen?'

'Jij bent kaal,' zei ik in het Engels.

Hij fronste zijn wenkbrauwen, greep naar zijn kruin en speurde hem af in de achteruitkijkspiegel. 'Laten we opnieuw beginnen.'

Ik rolde met mijn ogen.

'Serieus,' zei hij. 'Je begrijpt me verkeerd. Ik dacht dat je misschien een hersenschudding had. Ik maakte me zorgen om de zwelling. Echt. Ik vind ze mooi. Je ziet ermee uit als een depressieve Russische gravin. En trouwens, in het Engels heet het kalend.'

'Wat?'

'Kalend,' zei hij in het Engels. 'Ik ben niet kaal. Ik ben kalend.'

Toen ik glimlachte, zei Giulio 'Eindelijk!' en maakte excuses voor zijn gepest. En hij stond erop dat we Engels spraken zodat ik zelf kon zien hoe slecht hij was in talen.

'Mijn ouders scheidden zich toen ik drie had,' begon hij. 'En daarna gaat mijn moeder op cruises of safari met wat andere mannen. Elke jaar zij komt terug op bezoek, mijn moeder, zij brengt een nieuwe nanny van een ander land en ontslaat de oude. Ik ben beginnen te haten ze komt thuis, want net als ik de van tevoren nanny ga kennen, huurt ze een nieuwe. Toen ik acht was liet ze me achter met die oude Panzer-tank met de naam Fräulein Edwige die huilde in haar zakdoek elke keer dat ik om mijn moeder riep. *Sie hat uns ganz vergessen*,' riep hij in een imitatie van haar falsetto gejammer. 'Mijn moeder viste haar op tijdens een cruise. Ik denk zij was verliefd op haar.'

Giulio lachte, ik wist niet wat ik ervan moest denken.

'Mijn moeder hoopte ik zou vele talen leren,' zei hij. 'En dat deed ik. Ik spreek nu vijf, allemaal tegelijk. Ik verzette me om er een te leren, en verwar ze allemaal in mijn hoofd. Dus nu spreek ik geen taal zuiver, niet eens het Italiaans, misschien alleen het Frans omdat mijn fiancée me altijd corrigeert.'

'Daar hebben we de fiancée.'

In het Italiaans zei hij: 'Ze is blond, heel mooi, maar verfijnd, niet als jij.'

Ik vroeg me af of hij daarmee bedoelde dat ik niet mooi was, of niet verfijnd, of dat hij niet weg was van mijn lichaam, dat een kort, breed eerbetoon aan de Russische boerenstand is.

'Weet ze dat je met anderen omgaat?' vroeg ik om te ontdekken of hij dat deed.

Hij schudde zijn hoofd. 'Ze zou er kapot van zijn.' Giulio stak een hand uit, betastte lui een losse knoop die aan één draad aan mijn jas bungelde en plukte hem eraf, een bijna gewelddadig gebaar. Maar toen haalde hij een naai-etuitje uit een vak in zijn portier en zocht de bijpassende kleur garen. Terwijl hij hem weer aannaaide, praatten we over zijn talenten in chirurgie en skiën en naaien, en over mijn absolute gehoor. Hij vroeg mijn achternaam. Ik haalde diep adem en noemde hem. Hij zei: Natuurlijk, met die zwarte ogen en dat zwarte haar had hij kunnen raden dat ik Russische was. Hij herhaalde mijn naam. Ik bloosde omdat ik dacht dat hij op het punt stond mij te herkennen. Maar ik herstelde me, vertelde hem dat mijn moeder zangeres was geweest.

'Wist dat ik de naam eerder had gehoord,' zei hij, terwijl hij de draad knoopte en afknipte met een klein schaartje. Hij zei dat ik een beetje op Callas leek. Toen hij me vertelde dat volgens hem de Duitse opera de opperste muziekvorm was, had ik zin de naald te grijpen en hem een oog uit te steken. Maar toen voegde hij eraan toe dat hij in het Duits niets verstond, minder dan niets, waardoor het een goed moment werd om na te denken.

'Zing je?'

'Ik heb ook een absoluut gehoor,' pochte hij, en klapte een smal houten paneel open dat naast mijn voeten tegen de stuurkolom aan zat. 'Ik zit er altijd absoluut één toon naast. Ik probeer niet in mijn eigen aanwezigheid te zingen. Daar krijg ik zware hoofdpijn van,' voegde hij eraan toe, 'heel zwaar, waar alleen absinth tegen helpt.'

Hij haalde een stel borrelglazen te voorschijn, en twee flesjes, en klapte het paneeltje dicht. Hij hield een zilveren theelepel met een gleufje boven een borrelglas, legde er een suikerklontje op, en schonk daar een paar druppels over.

'Doe er wat water bij,' beval hij toen de gesmolten suiker door de spleet was gezakt.

Werktuigelijk, zonder nadenken, schroefde ik de fles die Giulio me had gegeven open en schonk in.

‘Absinth is een illegaal narcoticum,’ protesteerde ik puriteins.

‘Alleen als je het niet kunt krijgen,’ zei hij en toostte met zijn borrelglas naar de straatlantaarn om de vloeistoffen te zien wervelen en mengen.

De likeur bracht mijn zintuigen aan het slingeren. Ik wist dat ik voorzichtig moest zijn. Maar ik bracht zijn fiancée niet meer ter sprake, hoewel, of misschien juist omdat, Giulio zijn hand uitstak en een krul van mijn haar om zijn vinger wond. De mouw van zijn kasjmier blazer vlijde zich tegen mijn nek en ik voelde me als een van de zilveren dingen die ik in een la in Fabio's appartement had gezien, gewikkeld in een volmaakt lapje. Er groeide een deken van sneeuw over ons heen, die de geluiden van de stad dempte, en de voorruit glansde donkerwit alsof we in een iglo zaten waar andere mensen niet langer meetelden.

'Echt,' was Giulio aan het vertellen, 'mijn leven bestaat uit beperkingen, de dingen die ik niet in staat ben te vervullen, vrouwen die me afwijzen.'

Hij keek me strak aan. Ik leunde naar hem toe. Maar in plaats van me te kussen reikte hij langs me om zijn autotelefoon in het handschoenenkastje te leggen, dus deed ik net of ik naar voren leunde om de manchetknopen die uit zijn jasje staken te bestuderen. De gouden randen waren rondom gegraveerd. Ik probeerde me te concentreren, te verwerken wat hij zei, het in overeenstemming te brengen met zijn gepantserde, welgestelde zelfvertrouwen. Ik denk dat ik waarschijnlijk toen al wist dat zijn bescheidenheid een woeste, gapende honger camoufleerde. Maar zijn mahoniehouten stem was in de laagste registers als een cello, en in plaats van na te denken hield ik mijn adem in en gleed weg onder zijn warmte.

'Je spreekt goed Engels,' zei ik.

'Ik heb een onderzoeksbeurs gehad voor een jaar in New York. Bij het New York Hospital.'

'Indrukwekkend.'

Hij haalde zijn schouders op. 'Laat me je uit de droom helpen. Een vriend van mijn oom is hoofd chirurgie daar. Ik leerde hem skiën. Maar toen ik er eenmaal was, deed ik het briljant, weet je. Ik ontdekte in jouw land dat ik me aan bijna alles kan aanpassen.'

'Helpt je te overleven,' zei ik.

'Maar soms herken je de persoon die overleefde niet meer.'

'Hoe vond je New York?'

'Ben je er wel eens geweest?'

(*luchtig*) 'Alleen op het vliegveld.'

Hij bolde zijn wangen op en blies uit. 'Hier wil niemand dood, maar we weten dat het moet. Daar verwachten mensen dat het niet zal gebeuren. Amerikanen willen dat je ze de dood in wetenschappelijke termen uitlegt. Ze willen altijd de precieze reactieketen weten.'

Giulio zuchtte en blies een ronde schotel mist tegen zijn zijraampje. 'Het is moeilijk mensen uit te leggen waarom dingen aflopen. Omdat...'

'Omdat het gewoon gebeurt.'

'Precies. En dan zijn er natuurlijk de vrouwen. Er zijn erg weinig mooie vrouwen in New York. Ze hebben allemaal alles al gezien.'

Hij ging verzitten; ik vroeg me af of hij een erectie kreeg, of hij me beledigde, of me vertelde dat ik een van de weinigen was. Signor Perso begreep dubbelzinnige passages intuïtief; ik maakte in mijn hoofd een aantekening hem te vragen wat Giulio hier zou hebben bedoeld. Toen drong de dood weer door en ik realiseerde me wat een verraad het was om zelfs maar in deze auto te zitten.

Giulio stak zijn hand uit en greep teder mijn linkerpols. Ik wachtte op het onvermijdelijke commentaar op mijn handen, die abnormaal groot zijn. Ook was ik bang dat hij op een of andere manier zou ontdekken dat mijn twee middelvingers gevoelloos waren. Maar toen kneep hij in de brede, vlezige kussentjes aan de toppen – de vingers van mijn linkerhand zijn hoekige, eeltige hamertjes van al het oefenen.

'Of je hebt longoedeem,' zei hij, 'of je bent celliste.'

Dus uit het omgaan met misvormingen komt een zekere beleefdheid voort, dacht ik. 'Een van de twee.'

Hij pakte mijn andere hand. 'Twee trouwringen?'

Ik haalde mijn schouders op. Ik draag de trouwringen van mijn moeder en Yuri, de enige bezittingen van mijn ouders die ik nog heb.

'Aan de rechterhand?'

'Anders zitten ze in de weg,' zei ik en bespeelde met mijn linker een toets op mijn borst.

Hij knikte.

'Dus het zijn gewoon ringen.'

'Wat zouden het anders zijn?'

Giulio stak zijn hand onder mijn haar en streelde mijn nek. Van onder zijn arm rook ik zijn geur. Ik deed mijn ogen dicht en haalde diep adem. Het branden in mijn borst viel weg. Ik was thuis. In Giulio's geur was niets dat ik mis kon laten gaan. Gewikkeld in zijn geur, dacht ik, kon ik slapen zoals ik in jaren niet geslapen had.

Ik boog naar hem toe en legde mijn hoofd in zijn

schoot. Hij streelde mijn wang. Toen voelde ik iets bewegen onder de stof van zijn broek, en ik schoot overeind, geschokt over wat ik gedaan had.

'Ik kan het niet,' barstte ik uit, en wist dat ik uit moest stappen.

'Kan wat niet?'

'Vergeet het maar.'

'Kan wat niet?'

'Ik zit in een relatie.'

'Echt waar?' jammerde Giulio met een zachte glijvlucht in zijn stem als een teleurgesteld kind.

'Ik ben getrouwd,' opperde ik idioot.

Hij knikte. 'Is het serieus?'

'Stop.'

'Stop wat? Wat doe ik? Sinds ik je van de stoep heb getild kijk je naar me of je iets verschrikkelijks weet. Wat het ook is, het is waarschijnlijk waar. Maar dan nog zou je niet moeten oordelen. Mensen haten alleen de eigenschappen in anderen die ze bij zichzelf niet kunnen uitstaan.'

'Je hebt me niet van de stoep getíld,' zei ik kalm.

Hij sloeg een arm om mijn middel en trok me naar zich toe. Maar toen hij in mijn ogen keek, fronste hij zijn wenkbrauwen en zei mijn naam nog een keer, alsof hij zich iets herinnerde. Precies op dat moment sneed een sirene door de lucht, doorboorde onze luchtbel, en begreep ik wat er gebeurde: Giulio had me als kind zien optreden, legde verband tussen wie ik nu was en wie ik geweest was, en was nog maar een haarbreedte af van weten wat ik gedaan had. De brandweerwagen stormde op het huis van de Pettywards af, minderde vaart bij Giulio's auto, zijn gespannen ongeduldige gejodel zigzagde, E, Bes, E, Bes, en ik raakte afgeleid doordat ik me afvroeg waarom Europeanen met opzet twee tonen gebruikten die een dissonante kwart vormden om een alarm te produceren dat uiterst irritant was. Toen zei Giulio dat hij hier weg moest en hij startte de motor. Ik realiseerde me waarheen de brandweerwagen op weg was. Ik ben geen idioot – in wezen wist ik dat het appartment van de Pettywards niet in brand stond – maar diep van binnen wist ik dat het wel zo was. Ik greep mijn tas, sprong uit de auto, knalde het portier dicht, hees het kistje op en rende weg, stak mijn sleutel in de uitgesneden deur in de gigantische houten portone, stapte erdoor, en schopte hem achter me dicht.

Maar boven was de gang verrassend stil. Er sijpelde geen rook onder de deur van de Pettywards door. Na wat gepruts met de sleutels lukte het me de toegang tot de meidenkamer, waar ik zou logeren, te openen. Ook hier geen rook. Maar ik wist dat ik voorzichtig zou moeten zijn, om te voorkomen dat er iets zou gebeuren, nu ik hier woonde.

Meestal ben ik aan het rennen, rennen, rennen naar mijn schuilplaats, het nachtkastje uit mijn kinderkamer dat heimelijk openklapte, zodat ik erin paste, erin zou passen als ze kwamen. Waar Yuri me verstopt vond, op mijn zesde, en me weer insloot. Even later klopte hij op het deksel. Hij was teruggekomen met mijn cello en vroeg me mijn hand op het bovenblad te leggen. Yuri vertelde me dat mijn spel me zou beschermen als ik goed genoeg leerde spelen. Dat slechte mensen verpulverden als ze Beethoven of Bach hoorden. Dat we de rest van mijn leven de cello naast mijn bed zouden laten staan. Badend in tranen zei hij dat ik, als ze kwamen wanneer ik sliep, alleen maar mijn hand hoefde uit te steken om mijn cello aan te raken, en dan zouden ze veranderen in mierenhoopjes kaneelsuiker die we 's ochtends konden opscheppen en op onze toast strooien. Maar de avond dat ik Giulio ontmoette, was ik aan het rennen, rennen, en toen deed signor Perso mijn cellokist open, als een wasbleke doodgraver, stak zijn been uit en liet me struikelen. Ik viel languit op Giulio, een Giuliodwerg in minismoking, die in een roodfluwelen doodskistje lag. Met een griezelig, opgewonden lilliputstemmetje zei hij: *Guten Tag*. Toen stak hij zijn hand uit, brak signor Perso's been af bij de knie, gaf mij de bout en ik deed me eraan tegoed.

Ik probeerde mijn ogen open te krijgen, maar ik had

mezelf in slaap gehuild, en mijn oogleden waren aan elkaar gekoekt. Ik begon te kokhalzen door de walgelijke smaak van de droom in mijn mond. Om mezelf te kalmeren liet ik mijn geestesoog door onze slaapkamer in signor Perso's huis in Milwaukee dwalen – mijn hutkoffer, mijn ingelijste brief van Yo-Yo Ma, mijn gesigneerde partituur van Barber – precies zoals ik als kind mijn kamer in New Jersey opriep wanneer ik wakker werd in een of ander akelig oord tijdens een tournee met Yuri. Toen stak ik mijn hand aan mijn kant van het bed uit om mijn cello aan te raken.

Wat ik voelde was de muur. Het was voor het eerst sinds ik een cello had dat hij er niet was. Ik wrong een oog open: de druppende kraan boven de wasbak in de hoek, de ingezakte matras, het afgebladderde ijzeren ledikant, de oude zwarte telefoon met draaischijf, het zou elk van de honderd akelige oorden kunnen zijn waar Yuri ons had heengesleept, de dagen nadat ik had opgetreden, op zoek naar mensen die hij ooit had gekend. Ik probeerde me het optreden te herinneren. Ik herinnerde me dat ik al jaren niet had opgetreden. Toen begon mijn knie te kloppen, en mijn wang, en toen kwam alles langzaam terug, de val, de begrafenis, de dood, en de Savant, die ik achter in Giulio's auto had laten liggen.

(andante)

Ik moet er denk ik bij zeggen dat de Savant niet mijn cello was. De cello die ik jarenlang had bezeten was een uitstekende kopie van een Montagnana, zo'n twintigduizend dollar waard en gemaakt door een Italiaanse vioolbouwer uit Philadelphia. De reden waarom hij niet naast mijn bed stond, was dat hij in de muziekkamer van meneer Pettyward stond, verstopt in de kist van de cello die ik was kwijtgeraakt.

Ik heb de Savant mijn cello genoemd, maar eigenlijk was hij van meneer Pettyward. Zoals alle topinstrumenten die vóór de oorlog in joodse handen waren, was de Savant uit het zicht verdwenen toen Vrashkansova naar Theresienstadt werd gedeporteerd. In tegenstelling tot de meeste andere was hij nooit meer opgedoken. Het was de enige volmaakt gave Amati, de enige van de acht die Andrea Amati naar de Franse koning stuurde die per ongeluk kleiner was uitgevallen, de enige originele Cremonese cello uit die periode die nooit is ingekort. De Savant, met andere woorden, is een van de twee of drie belangrijkste cello's ter wereld. Dat hij bespeeld is door Raya Vrashkansova promoveert hem van een van de twee of drie belangrijkste cello's ter wereld naar het rijk van het onmeetbare. Het was op z'n zachtst gezegd onverstandig geweest om het instrument te lenen; en het lopend mee te nemen, met zulk weer, was waanzin geweest. Maar toen ik het die ochtend voor elkaar had gekregen de baan te krijgen zonder voor meneer Pettyward te spelen – door hem het originele etiket in de klankkast van de Savant te laten zien, de beroemde Latijnse inscriptie die Vrashkansova vijftig jaar daarvoor aan signor Perso had laten zien – werden mijn hersenen aangetast door een pervers en misleidend zelfvertrouwen. En ik verwisselde de cello's.

Tot ik meneer Pettyward ontmoette waren de enige verzamelaars die ik had gekend aardige mensen geweest, conservatoriummusici die goed waren, maar niet goed genoeg, en die verzamelden uit een liefde voor de muziek waarvan ze accepteerden dat hij onbeantwoord bleef. Maar door de combinatie van zijn naam en zijn paleiselijke onderkomen dacht ik: deze man is precies het tegenovergestelde, een van die hamsteraars die instrumenten kopen en er decennia lang op blijven zitten om de prijs op te drijven. Mijn lessen aan de zoon waren een verpletterend doorzichtige dekmantel.

Meneer Pettyward leek tegelijkertijd te formeel en te vriendelijk. Het ontbrak hem aan het sprankje verlegenheid of nieuwsgierigheid dat ik zou hebben verwacht van een getrouwde man die een vrouw half zo oud als hij inhuurde om bij hem in huis te komen wonen. Zijn linkerarm hing in een zijden, paisley mitella in hetzelfde motief als zijn halsdoek. Hij serveerde ons twee cognac op een dienblaadje en zei dat hij iemand zocht die uiterst discreet kon zijn. Ik knikte en nam aan dat hij bedoelde dat hij misschien vrouwen mee naar huis zou nemen en ik net moest doen of ik het niet merkte. Toen begon hij te vissen. Wanneer was ik in Italië aangekomen? Hoe lang was ik van plan te blijven? Was er geen familie die me zou missen? Ik had me niet voorbereid op een optreden, dus loog ik zo dicht mogelijk bij de waarheid, en vertelde dat ik was opgevoed door een tante die was gestorven, dat ik hier voor onbepaalde tijd was, dat ik de laatste van mijn familie aan beide kanten was. 'En hoe zit het in Italië?' vroeg hij, met veel vertoon van zijn grote witte tanden. Kende ik hier mensen? Ik zei dat er een leraar was met wie ik zou samenwerken. Als ik eenmaal vrienden had gemaakt, kon hij er dan op vertrouwen dat ik ze niet mee naar huis zou nemen om feestjes te bouwen?

De gedachte dat ik zou proberen mensen te leren kennen, een nieuwe persoon te construeren die ze zouden willen leren kennen, was uitputtend. Om verdere vragen te voorkomen doopte ik mijn vinger in mijn glas en draaide mijn vingerafdruk over de rand tot die een G zong. Gelukkig liet meneer Pettyward zich afleiden en hij schonk zichzelf nog eens in om het ook te proberen. Toen ging hij verder met zijn voorstel. Zodra zijn elleboog genezen was, zei hij, wilde hij les nemen op de cello samen met Clayton, vader en zoon. Tot die tijd zou ik met Clayton op de viola beginnen, zonder hem. Al moest ik zorgen dat Clayton niet te veel voorsprong kreeg, grapte hij. Meneer Pettyward zei dat hij zich verwond had tijdens het heengaan van mevrouw Pettyward. Wat natuurlijk tamelijk pijnlijk was. Ik wist niet of hij de elleboog of het ongeluk bedoelde, dus toonde ik mijn medeleven en vroeg hoe lang het zou duren voor het over was.

'Over?' vroeg hij bevreemd. Zijn vrouw was omgekomen in het ongeluk waarbij hij achter het stuur had gezeten, begreep ik opeens. Er waren geen foto's van haar om dezelfde reden waarom ik geen foto's van mijn ouders had: in zekere zin was het zijn schuld geweest.

Meneer Pettyward zei dat hij op zoek was geweest naar een Strad maar genoegen had genomen met een Amati. 'Liever de leraar dan de leerling,' zei ik om geen blunder te begaan. Nicolo Amati, Andrea's kleinzoon, was degene die Stradivarius het vak had geleerd; als zijn cello niet de Savant of de Roi was – de enige twee cello's van Andrea Amati die de moeite waard waren – dan was dit de beleefde aanpak. De Nicolo's staan bekend om hun zijdeachtige geluid, terwijl de Andrea's voornamelijk pronkstukken zijn, kleinere kamerinstrumenten die niet strak genoeg opgespannen kunnen worden om bereik te hebben. Als je een behoorlijke cello voor minder dan een miljoen zocht, zou een Nicolo de vanzelfsprekende keuze zijn. Maar meneer Pettyward glimlachte en antwoordde dat de zijne een Andrea Amati was. Dat Andrea onze eerste bekende cellobouwer was. 'Onze,' dat zei hij echt.

Meneer Pettyward zei dat de Amati – want zo noemde hij de Savant – familiebezit was. Hij liet in het midden hoe lang al. Hij maakte duidelijk dat het instrument een tijd niet bespeeld was. Tegelijkertijd maakte hij bezorgde grapjes dat de cello zijn stem kwijtraakte. Beetje bij beetje werd duidelijk dat een van de broers bij Hill and Sons hem had gebeld met het verzoek of hij de cello wilde uitlenen voor een benefietconcert. Gezien het diefstalklimaat in Italië, zei meneer Pettyward, had hij ontkend dat hij hem in zijn bezit had, zoals zijn beleid was. Maar degene met wie hij had gesproken had gekscherend gezegd dat een onbespeelde cello zijn stem kwijtraakt. Meneer Pettyward leek niet te weten dat een cello zijn stem weer terugkrijgt na een paar maanden, vooral als het niet zomaar een Amati is maar dé Amati, de Andrea Amati ex-Giardino Savant. Of die persoon had verondersteld dat meneer Pettyward het wist, of meneer Pettyward was in paniek geraakt en had niet geluisterd, want een uur nadat ik had gebeld over de baan stuurde hij zijn chauffeur om me op te halen.

Ik had nog nooit gesolliciteerd. Omdat ik wist dat mijn spel beslist in gebreke zou blijven – en omdat er niet veel cello's waren in de klasse waar meneer Pettyward koket op zinspeelde aan de telefoon, had ik het tandartsspiegeltje meegenomen dat signor Perso gebruikte om zijn zieke tandvlees te bekijken. Voor het geval dat. Het leek onmogelijk dat meneer Pettyward niet wist wat hij in huis had, maar niet één keer noemde hij de klank, of Vrashkansova. Hij dweepte met het instrument alsof het een stuk antiek was. De verbleekte schilderingen over de *f*-gaten, de doorschijnende plooien van de toga van de Gerechtigheid, de vage blauwe arm van de Vroomheid. Toen hij de onderkant omhoog hield om me de reeksen putjes te laten zien – uit de tijd van voor de steunpin, toen Napoleon had gevraagd of hij hem mocht proberen en hem op de sporen van zijn laarzen had gezet – haalde ik het tandartsspiegeltje te voorschijn en schoof het in een *f*-gat. Even vielen we allebei stil. *Arbor viva tacui. Mortua cano. Als levende boom zweeg ik. Dood zing ik.*

Meneer Pettyward trok zijn hoofd met een ruk terug en zei dat het etiket natuurlijk een kopie was die later was aangebracht. Het was een overduidelijke leugen. Ik dacht dat ik mijn kansen had vergooid door hem de loef af te steken. Maar toen vroeg hij me om hem te testen en gebeurde er een wonder. Ik zocht in de kist van de Savant naar hars. Nu zag ik wat me niet was opgevallen toen ik de cello's verwisselde, dat de verschoten paarsfluwelen voering duidelijk origineel was, maar merkwaardig maagdelijk en stofvrij. Meneer Pettyward hielp me zoeken in de kisten van zijn viola en zijn violen, maar, dat was het rare, er was geen stukje hars te vinden. 'Dit is de eerste muziekkamer die ik ooit ben tegengekomen,' grapte ik goedmoedig, 'die volkomen harsvrij is.' Meneer Pettyward voelde zich duidelijk niet op zijn gemak. Toen blafte hij me zo ongeveer het bevel toe hars te gaan kopen en het bonnetje te bewaren. De telefoon ging en hij gebaarde dat ik hem moest volgen naar zijn studeerkamer. Terwijl we door een lange marmeren gang liepen, vroeg ik me af of zijn zoon de stukken hars had weggehaald om te pesten, of dat ze achter in zijn kast in een doos lagen, en toen herinnerde ik me de bruine kartonnen doos vol gebruikte stukjes hars waar ik op gestuit was in het berghok van de Parijse vioolbouwer van Paul Tortelier, met het Duitse woord *Rosinen* in potlood op de zijkant in gotisch handschrift, herinnerde me hoe het bloed uit Yuri's gezicht wegtrok toen de vioolbouwer zei dat hij de doos goedkoop op de kop had getikt bij de zoon van een voormalige bewaker in het depot van Austerlitz-Tolbiac, het centrale Franse opslagdepot voor inbeslaggenomen goederen die moesten worden getaxeerd, aan officieren gedistribueerd, of teruggezonden naar het Reich. De nazi's hadden opdracht gegeven de stukjes hars uit de kisten met geconfisqueerde instrumenten te verwijderen, legde de vioolbouwer uit, uit hygiënische overwegingen. Toen we bijna bij het bureau van meneer Pettyward waren, nam ik een risico en liet me ontglippen dat ik naar een begrafenis moest. Het was als het improviseren van een radicale tempoverschuiving die Von Karajan moest oppikken, ja inderdaad. Hij draaide een la van het slot en gooide me een set sleutels toe.

Daardoor werd ik overmoedig. Alleen in de muziekkamer, omringd door de glanzende rozenhouten muren, was het letterlijk alsof ik in het instrument zelf stond. Ik stak mijn hand uit en plukte aan de C-snaar: de valse B die eruitkwam resoneerde zo schitterend dat ik heel even een déjà-vu had van de concertzaal in het Sydney Opera House, die bekleed is met wit Australisch berkenhout en de beste akoestiek heeft die je je maar voor kunt stellen. De toon was ongelooflijk rijk en sierlijk, als een van mijn moeders lage tonen. Wat kan er mogelijkerwijs nog meer gebeuren? dacht ik. Net als het talent, zei ik tegen mezelf, was de sores opgebrand. Toen knipten beide duimen de sluitingen van mijn kist open, ging de kopie eruit en werd hij vervangen door de ongelooflijk echte. Omdat signor Perso me het allerliefst had gehoord op de Savant, in mijn eigen bezit.

Ik draaide me om in het doorgezakte eenpersoonsbed in de bediendenkamer van de familie Pettyward. De spiralen prikten in mijn ribben en er was niet genoeg dek. Ik legde mijn jas over de deken maar had het nog steeds ijskoud. De kraan boven het fonteintje in de hoek drupte.

Mijn innerlijk oor werd geteisterd door het transcendente geluid dat uit mijn strijkstok kwam bij de begrafenis, de perversiteit van de perfectie. Het verleden is proloog, had signor Perso gezegd toen hij me de avond voor we vertrokken in zijn armen hield. Ik kon hier niet gewoon blijven liggen terwijl Giulio er met de Savant vandoor ging. Ik pakte de zware hoorn van meneer Pettywards oude zwarte draaischijftelefoon, draaide een nul en vroeg om informatie. Er was een Giulio met een geheim nummer, en een G. De G. bleek een oude dame te zijn die tegen me krijste omdat ik haar wakker had gemaakt. Ik belde nog eens om te zien of ze me het geheime nummer wilden geven en werd doorverbonden met een chef. De chef hing op.

Beneden op straat jengelde een autoalarm. Ik bedacht dat ik mijn cello uit de muziekkamer moest halen en verkopen. Ik kon er toch niet mee reizen; zodra meneer Pettyward de politie belde over de Savant zou ik direct herkend en gepakt worden. De lange gang was zo donker dat ik geen hand voor ogen zag. 's Nachts sloot meneer Pettyward de houten luiken om de warmte binnen te houden, maar toch werden mijn kousenvoeten koud van het marmer. Opeens, een halve meter voor mijn ogen, sneed een driehoek zwak licht over de vloer bij de deur van de muziekkamer. Ik verstijfde. Het flakkerde. Ik gluurde. Clayton had de kist van de Savant opengedaan en bestudeerde mijn cello met een zaklantaarn. Ik kreeg kippenvel op mijn onderarmen en toen kwam er een nies opzetten. Ik kon hem niet tegenhouden. Clayton zwiepte de straal in mijn richting.

Ik liep terug naar mijn kamer en trok mijn schoenen aan zodat ik klaar zou zijn als de carabinieri me kwamen halen. Ik had nu geen geld, en kon nergens heen; binnen een paar minuten zouden ze beneden zijn. Hier bij de Pettywards was er geen geheime klep, geen nachtkastje, geen dubbel plafond, geen verborgen ruimte. En geen manier om mijn cello naar buiten te krijgen. De mensen die in Theresienstadt geïnterneerd waren hadden juwelen gesmokkeld, om als geld te gebruiken, begraven in blikjes schoensmeer. Het enige waarin je een cello kon smokkelen was waarschijnlijk een doodskist.

Terwijl ik op het bed zat te wachten kreeg ik een idee. Anderhalve meter onder mijn vensterbank, tegen de gevel van het huis, was een richel van een meter breed, de bovenkant van de bewerkte kroonlijst van het huis. Ik pakte de deken, mijn tas en mijn schoenen bij elkaar en klom behoedzaam naar buiten. En liet het raam dichtzakken. In de deken gewikkeld gleed ik met mijn rug naar beneden langs de granieten muur tot ik zat. Ik staarde naar het donkere, leien dak van de kerk aan de overkant van de straat, de vijf verdiepingen naar de stoep. De oceaan van ruimte die me uitnodigde om te duiken. De straat beneden was verlaten. Er liep niemand langs, niemand in het hele blok, niemand wiens leven ik zou verpesten door vlak voor hem op de grond te kwakken. Er stonden geen auto's op de stoep. Er was niet eens de afwezigheid van iemand wiens auto ik zou rammen.

Mijn lichaam begon te schudden van de innerlijke strijd. Hoe ellendig onze omstandigheden ook waren, Yuri had me verboden te bidden: als er een wezen daarbuiten is dat iets begrijpt, zei hij altijd, de macht heeft om wat dan ook te doen, dan is het een ultiem slecht wezen dat toekijkt bij slachtingen en niets doet. Maar nu had ik niemand, niet eens Yuri, om me uit te schelden. Ik was als laatste overgebleven.

Hoewel ik geen idee had tot wie of wat ik bad, stuurde

ik een gebed de koude nachthemel in. Snel en stil, om Yuri of zijn slechte God niet wakker te maken, vroeg ik of ik nog één keer de klankkast van de Savant mocht aanraken. De rest van de nacht hield ik me stil, terwijl mijn geest nergens vat op kreeg en uitputting me in zijn greep hield.

Ik kwam in beweging bij de verkeersgeluiden die beneden me aanzwollen. De rand was ijzig van de natte sneeuw. Voorzichtig trok ik mezelf op mijn knieën en gluurde door mijn raam naar binnen. De kamer was leeg, de deur nog dicht. Er waren geen zwaailichten beneden. Of Clayton nam de tijd om het zijn vader te vertellen, of de carabinieri namen de tijd, zoals ze ook hadden gedaan met signor Perso. Ik wrikte het raam open, klom naar binnen en belde Marie-Antoinette, die onmiddellijk opnam.

'Wanneer komt u terug in Milaan?' vroeg ik zo nonchalant mogelijk.

'*Attends.*'

De lijn klikte dood. Toen klonk er weer een klik.

'Word jij zo vroeg wakker?' vroeg ze, alsof ik een geslachtsziekte had.

'Alleen vandaag.'

'Liefje, het is Parijs maar. Ik ga niet naar *les Maldives* of zo. Hoe gaat het met de lessen?'

'De zoon praat niet, en de vader...'

'Zegt precies de verkeerde dingen,' zei ze. 'Het gebruikelijke recept. Stel ze voor aan onze maestro.'

'Heeft u het nummer van Giulio?'

'Aha, dus je bent onder zijn charme geraakt. Het leukste vind ik hem als hij zegt dat hij dokter is geworden om Daphne te redden. Of misschien was het zijn moeder.'

'Ik heb mijn tas in zijn auto laten liggen.'

'Even mijn boekje pakken. Je boft dat je me te pakken kreeg. Ik had de telefoon afgezet. Je weet hoe ergerlijk het is als mensen bellen en dingen nodig hebben wanneer je probeert weg te gaan. Wat zei Freud ook weer over tassen?'

'Sorry.'

'Nee, nee, jij bent mijn lievelingsproject. Maar weet wel dat je niet zijn type bent. Weet je, ik wilde dat ik echt naar de Malediven ging! Dat is de enige plek waar ik me helemaal mezelf voel. Parijs kan *zo* futloos zijn. Hier! Nee, dat is het niet. In Londen kun je een kleedkamer ingaan en zoveel laagjes over elkaar aantrekken als je wilt, en wanneer je de geschikte botstructuur hebt, zijn de Britten zo heerlijk, ze laten je gewoon zo de winkel uitlopen, en dan bellen ze Lloyd's. Weet je wat de mooiste uitvinding van de westerse beschaving is? Verzekering. Ik zou niet kunnen slapen als ik dacht dat we allemaal niet gedekt waren. Misschien zit mijn boekje bij mijn ticket in mijn handtas.'

'Ik blijf wel even hangen.'

'Nee nee nee. Ik bel je terug.'

Ik hing op en ging op het bed liggen, mezelf weer vervloekend omdat ik de sneeuwlaarzen had aangenomen. Ik had me laten kennen als een behoeftig persoon, iemand om te manipuleren en aan de kant te schuiven. Ik zag voor me hoe meneer Pettyward de babbelige ansichtkaartverontschuldiging las die Marie-Antoinette me zou sturen, en zijn leesbril van de glooiing van zijn lange, dunne neus op zijn hoge, rode, glimmende voorhoofd schoof. Zag hoe hij hem in een plastic zak deed voor de politie. Na twee minuten en tien seconden realiseerde ik me dat Marie-Antoinette niet eens mijn nummer had gevraagd. Ik probeerde nog een keer te bellen, en liet de telefoon zesendertig keer overgaan. Of haar bel stond af of de oude meid was gestorven.

Ik besloot ervandoor te gaan. Er was niemand in de gang. Op de lege binnenplaats striemde de sneeuw neer en sneed natte zweepslagen door de laag ijs op de stoep. Toen ik door de houten portone stapte, reed er een politieauto in de richting van het huis. Ik stak de Corso Magenta over, en dook de Santa Maria delle Grazie in. Signor Perso had me daar mee naartoe genomen op onze eerste dag in Milaan, om *Het laatste avondmaal* te zien dat gerestaureerd werd. Nu was een priester bezig in de schemerige kerk een vroege ochtendmis te lezen in een zijkapel verlicht door zwakke elektrische kandelabers. Ik schoof in een van de achterste banken en ging eronder op de grond liggen. Hier leek het veilig om te bidden. Ik bad voor een plan om mijn paspoort te vervangen zonder geld; om een kamer te huren zonder paspoort; om geld te krijgen zonder de papieren van signor Perso. Elke cel in mijn lichaam voelde alsof hij ging sterven.

Toen ik mijn ogen weer opendeed was de kerk in duisternis gedrenkt. Achter het raster van steigers was *Het laatste avondmaal* in schaduw gehuld. Het enige dat zichtbaar was, was een glanzende schijnwerpervlek boven het hoofd van Judas waar, achter een enorm vergrootglas, een restaurateur met een mijnwerkershelm op aan het fresco schraapte. Bij het altaar legde een lerares aan haar klas uit dat *Het Laatste Avondmaal* een joodse Pascha Seider was geweest – wat volgens mij onmogelijk waar kon zijn. Achter me, achter in de kerk, stond een kring misdadig mooie schooljongens zachtjes de kansen van de voetbalelftallen van Milaan voor het komend voorjaar te bespreken. Hun stemmen wonden zich in en om elkaar als een gesproken transcriptie van het langzame deel van het *Forellenkwintet*. De overdadige akoestiek van de kerk vervormde hun dialect tot ik het niet meer kon volgen; zonder de afleiding van betekenis bleef alleen de pure verleiding van ritme en toon die in me doorwerkte en me opensneed. Ze praatten in de elegante, onderkoelde speelstijl die signor Perso me had leren waarderen.

Het was te veel, deze overdaad aan gesproken muziek overal waar je kwam. Ik haastte me door het gangpad om buiten gehoorsafstand te komen en stapte naar buiten, en een poos lang werden ze overstemd door de regen. Maar toen volgden ze me naar buiten met een priester, om te roken. Terwijl ik daar tegen de muur hing, gevangen achter het gordijn van vallend water, draaide een van hen zich om en bood me een sigaret aan. Ik nam hem aan. Sinds signor Perso was gestorven accepteerde ik de sigaretten die Italianen altijd leken aan te bieden. De zwijgende, onvoorwaardelijke gulheid, het onuitgesproken pact, het opgenomen worden, in zwakheid en verslagenheid – die kleine momenten waren nu het beste deel van mijn dag. De brandende rook verdoofde mijn longen. Ik staarde naar de regen. Zoveel honger had ik niet gehad sinds mijn reizen met Yuri. Als Clayton niets had gezegd, en ik niet voor het diner verscheen op mijn eerste avond, zou meneer Pettyward weten dat er iets mis was. Aan de andere kant zou ik direct kunnen worden opgepakt. Aan de andere kant, als er niets mis was, dan was het me niet gelukt hars te vinden. Door de stemmen van de jongens moest ik denken aan onze eerste avond in Milaan, toen signor Perso me had meegenomen naar een restaurantje bij het Brera, waar de eigenaar hem had begroet met de joviale gereserveerdheid die chique Italianen tot een kunst hebben verheven. *Maestro Perso*, zei hij, met een lichte buiging, alsof hij hem de laatste veertig jaar elke avond naar zijn tafel had geleid. Toen hij ons een tafel wees, barstte hij los in een zachtmoedige tirade dat, tijdens signor Perso's afwezigheid, alle oude trattoria's waren vervangen door opzichtige bar-restaurants, parodieën op de Italiaanse smaak met hun metalen stoelen en gelamineerde menukaarten. Signor Perso onderbrak hem. Hij zag dat ik mijn ogen had gesloten en luisterde naar de muziek. De cadans van stemmen en de volmaakte slotval van hun ritmes weefden zich in en om elkaar als instrumenten van een kamerensemble, gedirigeerd door Kleiber *fils*. Hier wil ik sterven, had ik gezegd. Signor Perso had geglimlacht: Italiaans was zijn muziek, dus hij wist, zonder dat ik het zei, wat ik bedoelde. Een tijd lang aten we zwijgend, luisterend naar het concert van spraak. Toen fluisterde hij, 'Cadenza betekent een vallen.' Want hij wist dat ik verliefd was.

Hoe was ik op het idee gekomen goed te vinden dat we naar Italië verhuisden, een land waar de spreektaal muziek was? Waarom had ik geen acht geslagen op de kramp in mijn maag toen de douanier op het vliegveld van Milaan signor Perso apart had genomen en gedesoriënteerd? Waarom was ik niet gewoon weggerend in plaats van de Mendelssohn op mijn walkman op zijn oren te zetten om hem uit zijn verwarring te halen? Omdat Yuri me had ingehamerd nooit in paniek te raken, nooit weg te rennen met mijn rug naar iemand toe. Als gevolg daarvan werd ik nu omringd door een weelderige spraak-transcriptie van de moedertaal die ik kwijt was.

Ik gooide mijn sigaret weg en liep terug naar de Pettywards in zo'n dichte regen dat huilen niet nodig was. De gigantische portone die naar de binnenplaats leidde stond open. Onder de boog gebaarde de conciërge naar me vanuit zijn hokje. Heel even had ik een fantasie dat hij een overijverige cello-fanaat was, die me zou helpen een ander onderkomen te vinden. Hij beet in een enorme chocolade-eclair; terwijl hij door de room smakte, vroeg hij of ik wist wie Isabel Masurovsky was. Die ochtend was er een man langsgekomen die vragen had gesteld. Ik knikte. De chocoladeworm op zijn snor wiegelde. Hij gaf me een ansichtkaart met een stenen standbeeld van een kleine, gezette naakte vrouw. Ik deed een stap naar achteren omdat ik dacht dat hij avances maakte.

'Doe niet zo preuts,' zei hij, met zijn lippend smakkend, 'het is maar een naakte Venus. Ik dacht wel dat jij het was. La Masurovsky, bedoel ik.'

Ik schudde mijn hoofd en keerde achteloos de ansichtkaart om, die van Marie-Antoinette zou zijn.

'Ben je Amerikaanse?'

Ik knikte. Het had geen zin om te proberen dat gedeelte van mijn identiteit te verhullen.

Hij propte de rest van de eclair in zijn mond. 'Mijn broer is in Amerika geweest. Hij zei dat er niets is.'

Signor Perso had zijn huis in Milwaukee verkocht. Er woonde een gezin in.

'Er is ook niets,' zei ik.

De kaart had geen postzegel, geen stempel, geen afzender. Langzaam ontcijferde ik het Italiaans. Nadat ik de conciërge een keer een woord had gevraagd begreep ik wat er stond. Giulio bedankte me dat ik mijn situatie aan hem had toevertrouwd. Hij verheugde zich erop mijn gulheid te beantwoorden. Het briefje was discreet genoeg voor elke omstandigheid. Ik moest bijna lachen om de ironie, dat ik Giulio had laten denken dat ik aan iemand gebonden was.

Toen ik wegliep, stak ik mijn handen in mijn zakken, waar mijn vingers een klein opgevouwen papiertje troffen. Het was een velletje uit Giulio's receptenblokje. Er stond een telefoonnummer op in een kriebelig, Europees handschrift. Ernaast had hij de Latijnse afkorting voor tweemaal daags geschreven, b.i.d., als een zwakke poging om grappig te zijn. Ik rende de binnenplaats over, glibberend over de gladde ronde keien, en naar boven naar het appartement. Pas toen ik de telefoon onder mijn kin geklemd had, zag ik het gemene slotje op het nulgat. Dat voorkwam naar buiten bellen. Tijdens mijn afwezigheid had meneer Pettyward zich aan zijn belofte gehouden om het te laten installeren. Omdat de *scatti* in Italië in één bedrag werden gefactureerd en niet, zoals hij het stelde, uitgesplitst naar individuele verantwoordelijkheid.

'*Fuck*,' zei ik in de telefoon.

Toen hoorde ik het ontbreken van een kiestoon, het lage geluid van een keel die geschraapt werd.

'Dat kan geregeld worden,' antwoordde Giulio's stem in het Italiaans. 'Kun je praten?'

Ik snakte even naar adem. Ik had Giulio het nummer van de Pettywards niet gegeven. Het leek niet waarschijnlijk dat hij het van Marie-Antoinette gekregen had.

'Heb je de cello?'

'O die,' zei hij. 'Wilde je hem terug?'

Hij wilde een geestige reactie. Ik kon niet improviseren. Op de achtergrond grauwde een ziekenhuisintercom iets dat als zijn naam klonk. 'Morgenavond, half twaalf?' vroeg hij.

'Kan het niet vanavond?'

'Ik heb het vanochtend geprobeerd,' zei hij, 'maar nu heb ik de komende vierentwintig uur dienst.'

'Ik kom naar beneden,' zei ik. 'Heeft de cello de nacht in jouw auto doorgebracht?'

'Wil je niet weten waar ik de nacht heb doorgebracht?'

Voor mijn deur hoorde ik iemand neuriën. Ik legde de hoorn weer op de haak.

In de eetkamer stond meneer Pettyward achter zijn stoel te lezen, zijn smalle, rechthoekige bril naar de punt van zijn neus geschoven. Geen spoor van Clayton. De lange tafel was gedekt met een wit linnen tafellaken en brandende kaarsen.

'Juffrouw Masurovsky,' zei hij met een gebaar dat ik mocht gaan zitten. 'Ik blijf staan tot de dames zitten. Dus doe uw best me niet te laten wachten. Ik heb platvoeten.'

Ik knikte. In de eerste schaal nestelden drie kleine aardappels; in de tweede wat verschrompelde, grijzige sperziebonen; in de derde een roze slijmerige massa die volgens meneer Pettyward Gurney-ham was die een cliënt hem uit Virginia had gestuurd. Hij schepte zichzelf op en gaf de schaal door. Het zag eruit als het hondenvoer dat Yuri en ik een keer in Hongarije hadden gegeten, toen hij een aantal verkeerde adressen had gekregen van iemand die hij zocht en ons geld op was. Toch nam ik een flinke portie. Mijn reizen met Yuri hadden me geleerd te eten wat er was.

Meneer Pettyward meldde dat hij in het Vaticaan had geluncht met een kardinaal. Ze hadden de kwestie van de Beeldenstorm nog eens doorgenomen. Meneer Pettyward was van mening dat het de hoogste tijd was dat Rome een rechtmatige schadeloosstelling kreeg van de Calvinisten voor de Duitse katholieke kerkkunst die vernietigd was tijdens het oproer na de Reformatie. Hij nam hoofdschuddend een aardappel en mompelde iets over mensen die nooit waarderen wat gratis is. Als hij maar de helft aangeboden had gekregen van wat aan Clayton was verspild, ging hij verder, dan had hij zich misschien tot een redelijke musicus ontwikkeld. Voorlopig dacht hij dat hij zich zou moeten neerleggen bij verlicht connaisseurschap. Was ik erin geslaagd onze vriend een oefenpartij te geven?

Ik had besloten luchtig over de conversatie heen te schaatsen, mijn toon een licht, levendig *vivace*. 'Clayton heeft morgen een wiskundeproefwerk,' zei ik, hoewel ik hem nog niet gesproken had.

'Hij staat onvoldoende voor wiskunde,' zei meneer Pettyward. 'In wezen is hij uitermate begaafd. Hij komt in aanmerking voor Mensa, maar hij is te koppig om zich aan te sluiten. Ik heb een abonnement op de nieuwsbrief voor hem genomen en hem zelfs door de directeur – een goede vriend van me – persoonlijk laten telegraferen. Clayton wenst het examen niet af te leggen. Maar ik heb de nieuwsbrieven laten inbinden. Vroeg of laat zien we allemaal onder ogen wie we zijn.'

Ik nieste.

'Dus, bent u erin geslaagd onze vriend een oefenpartij te geven?'

Ik realiseerde me dat hij de Savant bedoelde. 'Vanochtend, ja.'

'Gezondheid. En wat heeft u gespeeld?'

'De sonate van Franck.'

Meneer Pettyward gaf de sperziebonen door. 'Hoe spel je dat? O. Natuurlijk. Frahnk. Ik herkende het niet zoals u het uitsprak. Hoeveel bladzijden heeft u ingestudeerd?'

Ik haalde stom mijn schouders op. Ik kende het stuk uit mijn hoofd, zoals iedereen.

'Hoeveel maten dan?'

Ik had geen idee hoe ik verder moest, dus nam ik nog wat vlees.

'Ik ben blij dat u ons treurige maal waardeert,' zei hij, zijn eten prakkend met zijn vork. 'Soms zou ik willen dat mijn smaakpapillen minder ontwikkeld waren. Als je eenmaal werkelijk voortreffelijke ham hebt geproefd, zoals ik – waarmee ik niet wil beweren dat u verantwoordelijk bent voor uw gebrek aan smaak, u bent eenvoudig niet beter gewend...' Hij dreef weg, maar leek zich toen weer te herstellen. 'In vele opzichten is het een vloek op een ambassade getogen te zijn. Men is er blootgesteld aan een kwaliteit van leven die vrijwel onmogelijk te kopiëren valt in de particuliere sector.'

Ik nieste weer. Mijn hoofd voelde zwaar en opgezet. Ik realiseerde me dat ik koorts had.

Meneer Pettyward nam een hapje aardappel, kauwde er een eeuwigheid op en legde toen zijn vork neer alsof de inspanning hem te veel werd. 'Het punt is dat voedsel me sinds mijn vrouw – sinds – ach, mij tegenstaat. Eigenlijk heb ik geen afkeer van voedsel. Ik heb een afkeer van moeten eten. Hoe dan ook, ik zal er niet bij stil blijven staan. Ik zou een andere echtgenote tegen kunnen komen. Een betere echtgenote. Ik zou haar morgen tegen kunnen komen. Vertel eens over uw leven. Verveelt u zich op het ogenblik?'

Ik keek naar beneden. Zonder vork om ze bezig te houden, waren de vingers van mijn linkerhand begonnen aan de *Rococo Variaties*. Ik liet mijn handen in mijn schoot vallen en schudde mijn hoofd.

'Mooi. De kardinaal en ik kregen gezelschap van de

aartsbisschop van Mogadishu. Hij sprak over het leven van de heilige Apollonia. Ik heb Martha het voedsel in dobbelsteentjes laten snijden ter ere van haar. Apollonia werden de tanden uit de mond gerukt.'

Ik verslikte me en hoestte in mijn servet. Hij wist wat hij in handen had met de Savant, wist dat ik hem had meegenomen. Terwijl ik hoestte, legde meneer Pettyward zijn mes en vork zorgvuldig parallel. Toen ik mijn servet weer op mijn schoot kon draperen, sprak hij verder.

'Hier bij de Pettywards hebben we niet de gewoonte te leven als Egyptische potentaten. Prop uzelf niet vol. Excuseert u me een moment.'

Ik knikte en vroeg me af of ik gewoon op moest staan en proberen het appartement te verlaten. Voordat ik een besluit had genomen struinde meneer Pettyward weer binnen, Clayton aan zijn schouder sturend als een stofzuiger. Clayton neuriede de *Militaire Polonaise* van Chopin. Beslist gevoel voor humor, dacht ik.

Meneer Pettyward plantte hem stevig op zijn stoel en gaf hem een schep ham en een aardappel. 'Clayton, Isabel heeft het net over de vioolsonate van Franck, die ze beweert op de Amati te hebben gespeeld.'

'Hij is tijdens Francks leven getranscribeerd voor cello.'

Meneer Pettyward knikte. 'Dan moeten we hem horen.'

Ik depte mijn mond. 'Het spijt me van daarnet.'

'Verontschuldig u niet. Slechts weinig handelingen worden verzacht door verontschuldigingen. Ik heb ontdekt dat het leven eenvoudiger wordt als men zich niet meer bezighoudt met bedoelingen. Ik zal u een voorbeeld geven. Als klein kind ontwikkelde Clayton een voorliefde voor koekjes die voor honden zijn bestemd. Als gevolg daarvan eet hij zelden zijn bord leeg. Als ik hem tijdens willekeurig welke maaltijd vraag of hij van plan is morgen het diner te gebruiken, zegt hij dat hij het zal proberen. Maar mijn vraag is: wanneer zal het hem lukken? Waar het om gaat is dat een persoon met enige vaardigheid niet probéért om te slagen voor een wiskunde-examen. Het rapport van de geschiedenis weet te melden wie Waterloo heeft gewonnen, niet wie geprobeerd heeft Waterloo te winnen. Nu ja. Men weet nog van Napoleon, maar hij is de uitzondering die de regel bevestigt. Na het eten zult u niet probéren de Savant te bespelen, u zult de Savant bespelen.'

Clayton staarde nadrukkelijk naar de muur tegenover hem. Ik probeerde me voor te stellen dat Yuri zich bemoeide met wat ik at; het was een belachelijk idee.

'Aha,' zei meneer Pettyward met een strakke glimlach. 'Ik zie dat híj nog steeds niet praat. Isabel, zoudt u alsjeblieft de flan willen opdienen?'

Ik sneed de kleine, rechthoekige pudding in drie repen, tilde het eerste blokje eruit en gaf het aan Clayton. Het tweede blokje tilde ik eruit en gaf het aan meneer Pettyward, vervolgens serveerde ik mezelf het laatste blokje.

Meneer Pettyward boog zich vertrouwelijk naar voren en wees op een stukje pudding dat uit mijn blokje stak. 'Technisch gesproken was dat mijn stukje flan. U heeft niet helemaal door en door gesneden. Het uitsteeksel of residu aan het uwe is in werkelijkheid restflan die tot mijn portie behoorde.'

Ik keek neer op mijn bord.

'Dat,' zei hij. 'Dat brokje daar.'

Ik wees met mijn mes. 'Dat?'

'Speel die Francksonate voor me tijdens de koffie,' zei hij, 'dan zal ik het als een geschenk beschouwen.'

Er sloeg een warme golf over mijn gezicht. Ik was klaar. Ik knikte en excuseerde me. Zo langzaam als ik kon, schoof ik mijn stoel naar achteren. Stond op. Schoof hem aan. Draaide me om en liep de gang in. In plaats van een plan te bedenken begon ik mijn stappen te tellen. Toen, in de muziekkamer, had ik geen stappen meer over. Wat er was, natuurlijk, was mijn oude cello. Ik opende de kist zonder een idee hoe ik dit voor elkaar moest boksen. Ik haakte mijn strijkstok los en spande hem langzaam. En harste de haren. Er vormde zich een plan. Een instrument weer terugbrengen tot zijn volle geluid, zou ik uitleggen, na zo'n lange stilte, was een geleidelijk proces. In het begin wilde je hem niet te veel uren per dag belasten. Ik stemde de C-, de G- en de D-snaar, maar de A-schroef zat vast; hoe hard ik er ook aan draaide, hij gaf niet mee. Ik liet mijn vingers even rusten en voelde me een beetje schuldig omdat ik mijn cello zo plotseling en trouweloos in de steek had gelaten voor de Savant. Op dat moment sprong de A-snaar. Ik voelde iets zwiepen naast mijn oor toen de metalen snaar omhoogsprong en aan een streng haar rukte. Als ik mijn kin niet opzijgedraaid had om naar de boventonen te luisteren, was hij recht in mijn oog gezwiept. Over de hals stroomde bloed uit mijn wijsvinger, hoewel ik geen pijn voelde. De snaar had er een jaap in gegeven.

Na zoveel jaren van ijscompressen en warme compressen en handschoenen in de winter, jaren van nooit een autoportier of zelfs een blikje openen, kwam een fractie van een seconde de oude paniek in me op. Maar toen daagde het besef dat er een wonder was geschied. In de badkamer wikkelde ik de vinger in een prop wc-papier. Toen ik de cello weer had ingepakt, zag het verband eruit als een helderrode pruim. Ik liep terug naar de eetkamer en bleef bij de deur staan.

'Wat nu,' zei meneer Pettyward. Toen zag hij het bloed en was ontzet. Hij stak zijn linnen servet uit, bezon zich vervolgens op zijn gulheid en rukte het terug omdat hij niet wilde dat het onder het bloed zou komen te zitten. Maar Clayton gooide me het zijne toe en ik ving het onwillekeurig op. Nu sputterde meneer Pettyward. Ik pakte mijn vinger weer in, en verontschuldigde me zachtjes. Ik had een snaar te strak gespannen, zei ik, en hem gebroken. Meneer Pettyward vroeg of de Savant beschadigd was. Ik wilde hem net geruststellen toen Clayton een gigantisch merkloos blik *fruitpunch zonder franje* onder de tafel vandaan haalde en ermee schudde als lokaas.

Meneer Pettyward keek naar Clayton. Pukkels als steenpuisten bloeiden op zijn wangen. 'Ben je naar de consulaatscommissie geweest? In die kleren?' Toen liep hij naar het buffet waar een gedragskaart stond. 'Je kunt gaan,' zei hij, en plakte een rode sticker in het vakje voor die dag. Je kunt absoluut gaan. Ik denk dat ik onverflauwd – in je moeders – en jij, jij...'

Meneer Pettyward haalde diep adem. Zijn gezicht was bijna tot tranen toe vertrokken. 'Als groen te inspannend is,' zei hij zacht, 'zou je op z'n minst naar geel kunnen streven.'

De spelonkachtige woonkamer had de angstaanjagend oneindige ruimtelijkheid van een pakhuis. Onze stappen ratelden in de lege lucht. Aan de muur hing een triptiek van serene, eivormige Perugino-hoofden. Meneer Pettyward zag dat ik om me heen keek naar de merkwaardige verzameling sculpturen. 'De collectie van mijn vrouw,' zei hij. 'Ze leek voortdurend voorwerpen tegen te komen die onontbeerlijk waren voor haar bestaan. Ga zitten op mijn Bourbon-sofa. Nee nee. Dat is de Biedermeier. Deze hier.'

Meneer Pettyward zuchtte uitgeput en begon zijn voorhoofd te masseren. Ik vroeg me af of zijn vrouw minnaars had gehad. 'Ik moet weg,' zei hij. 'Dat moet. Om enige zaken van haar te regelen, ziet u. U zult aan het eind van de week voor me spelen. Ik neem aan dat u tegen die tijd genezen bent?'

Claytons servet om mijn vinger was bijna doordrenkt van het bloed. Ik kneep erin om er meer uit te laten komen.

'Zorg in godsnaam dat het niet op de sofa komt,' barstte hij uit. 'Welnu. Ik moet een paar dagen weg. U houdt een oogje op Clayton. Voorlopig heb ik liever niet dat hij aan de cello komt. Vooralsnog hebben u en ik het exclusieve gebruik.'

'Clayton mag op mijn cello oefenen,' bood ik aan.

Meneer Pettyward trok een wenkbrauw op.

'Het is een goede cello. Mijn ouders hebben een tweede hypotheek op ons huis genomen om hem te kopen,' voegde ik er imbeciel aan toe.

'Is hij oud?' vroeg meneer Pettyward weifelachtig terwijl hij zichzelf nog een cognac inschonk.

Hij dacht dat het een prul was. Dat betekende dat hij niet had gehoord wie ik vroeger was. 'Het was een rijtjeshuis,' zei ik schaapachtig, alsof mijn vergissing was uitgekomen.

'Dus niet echt het instrument waar we hem idealiter op wensen te leren spelen.'

Ik schudde mijn hoofd.

Hij hief zijn glas om te drinken op mijn scherpzinnigheid. Ik hief mijn lege glas en we klonken.

'Hoe moet ik het dan aanpakken?' vroeg ik. 'Zal ik een cello voor Clayton huren?'

'Nee nee nee. Nee nee. Tussen ons gezegd en gezwegen, ik heb nu even geen geld voor nog een instrument. U zult elke dag op de Savant spelen, niet langer dan twee uur, en u kunt Clayton trainen op een van mijn andere instrumenten. Ik heb een heel aardige viola. Die zou geschikt zijn om hem in te werken. Clayton veracht de cello sowieso, dus betwijfel ik of hij uit het raam zal springen. Mensen als jullie kunnen toch overschakelen?'

Een decennium contractarbeid, op jacht naar het volmaakte cello-glissando – voor een viola? Onder normale omstandigheden zou ik geantwoord hebben dat een viola een cellopop is, een cellopoedel. Er zijn meer viola-grappen dan er muziek voor viola is. Om het ding vast te houden moet je je in aapachtige bochten wringen. De altsleutel alleen al – die zit tussen de bassleutel en de G-sleutel; op de middelste lijn zit de C – stond garant voor mislukking. En waarom had hij dan een cellist ingehuurd? Maar signor Perso was dood; de diameter van dingen die ik mocht uiten had zich vernauwd tot een klein vlekje waar ik doorheen moest glippen om te overleven. Of Clayton ooit een instrument zou leren bespelen en zelfs of hij suïcidaal was, leek niet van belang.

'U heeft een ontvochtiger nodig,' zei ik.

Meneer Pettyward ging zijn studeerkamer in en kwam terug met een getypt vel papier. 'Dit is het standaardcontract dat ik gebruik voor mijn personeel. Twee jaar, te beëindigen en te verlengen door mij. Zoals u ziet stipuleert paragraaf twee de veiligheidsmaatregelen. Onder geen enkele voorwaarde mag de Savant het perceel verlaten. Ook zult u het bestaan op deze locatie of elders aan niemand onthullen. Italianen zijn een ras van beroepsdieven, dat kunt u zich eenvoudig niet voorstellen. De laatste paar jaar zijn verscheidene mensen in het gebouw overvallen. De conciërge is beslist corrupt. Als iemand er lucht van zou krijgen wat zich hier bevindt, zou het huis morgen geplunderd worden en zou u verantwoordelijk zijn.'

Hij vroeg hoe mijn naam gespeld werd en vulde hem in. 'Masurovsky. Wat is dat voor naam?'

'Russisch,' zei ik, hoewel ik inmiddels het gevoel had dat nationaliteit niet echt was waar hij naar vroeg.

Ik vroeg me af of dit het moment in het sollicitatiegesprek was waarop je geacht werd naar het salaris te informeren. Maar toen meende ik me te herinneren dat je nooit over geld praat met rijke mensen. Ik had nog nooit een contract gelezen of iemand om geld gevraagd, had niet eens de moed gehad om signor Perso eraan te herinneren, nadat hij bijna door een auto was aangereden, dat we op weg waren geweest naar een notaris om een testament op te stellen. Yuri had dat allemaal gedaan, had onderhandeld over de gage, gedreigd en gesjacherd om de kleinste stupiditeiten alsof gerechtigheid voor de pogroms afhing van de vraag of we broodjes kregen of niet. Nu, in plaats van me te concentreren op het juridisch jargon, op het feit dat ik ermee instemde te werken tegen kost en inwoning en helemaal geen geld – zat ik een versie van *Les Lettres et Les Chiffres* te spelen, 'cijfers en letters', een oud Frans quizprogramma voor briljante tieners waar ik van Yuri naar moest kijken toen ik bij Tortelier in Parijs studeerde: ik begon de data die meneer Pettyward in de lege plekken had ingevuld op te tellen, te vermenigvuldigen, af te trekken en te delen om uit te komen op het aantal minuten dat signor Perso dood was.

Toen verscheen meneer Pettyward weer in de deuropening. Ik gaf het op en tekende.

'Cornelius Godfrey Pettyward dat bent u?'

'Noem me maar God. Kom. Ik zal u het alarm uitleggen.'

Het vertrouwen dat ik die laatste zomer had, de blinde uitgestrektheid van mogelijkheden, verbijstert me nu. Op de avond van mijn debuut in Carnegie Hall verbaasde ik me nergens meer over. Niet eens over Lillian Fuchs – ik kende haar opname van de Bach-suites uit mijn hoofd – die de kleedkamer in kwam hobbelen met een boeket van Rostropovitsj.

Yuri probeerde me te waarschuwen. Hij wist hoe het was om niet meer te kunnen spelen. Maar op je veertiende kun je je niet voorstellen dat je talent eigenlijk dat van je moeder is; dat haar diepe amberen mezzosopraan het thuis is dat jouw eigen toon zoekt; dat de frasen die ze uit haar mouw schudt, terwijl ze het ontbijt maakt, vallende sterren zijn die jij opvangt. Jouw spel is even weids als de nachthemel, de noten even glanzend, de stilte even zwart en diep. Je kunt je niet voorstellen dat je niet weet hoe je een passage moet spelen zonder dat zij hem steeds weer zingt, het onwezenlijke wegzakken als schemering die nacht wordt. Je weet niet hoe het is om Yuri te zijn, om de voortdurende steek van een fantoomledemaat te voelen. Omdat je moeder het niet ziet. Hij laat het haar nooit zien. Het verhaal dat ze vertelt, hoe hij achter het toneel op haar wachtte en achter haar aan reed naar New Jersey in zijn vrachtauto, hoe hij de volgende dag opdook met een ring en een grammofoon – gaat niet over wanhoop.

Haar versie is als de plot van *Così*: hij duikt op met Mario del Monaco, maar zij vindt Monaco's slechte toupetje en zijn brandweersirenehoge noten vreselijk, dus gilt ze *Grotesque!* uit het raam. Hij gaat zitten en wacht. Als ze de politie belt en hem laat oppakken is Yuri verrukt. Renata heeft smáák. Hij betaalt de borg en gaat terug met leliezoete Giuseppe di Stefano. Ze rukt alle ramen dicht, maar er is een hittegolf; na vijf minuten belt ze weer de politie. Maar inmiddels laat Yuri de buurtkinderen naar Di Stefano op de grammofoon luisteren, dus als de politie komt, beweren de moeders uit de buurt dat ze hem hebben ingehuurd. Er is een verslaggever van de plaatselijke krant. Op het laatst komt Renata het grasveld oplopen en zegt, midden in Yuri's pasgevormde crèche: ik ben zevenendertig en kan geen kinderen krijgen. Yuri kijkt naar de buurtkinderen, haalt zijn schouders op en met de hand met de slechte vingers – zodat ook zij kan zien wat ze krijgt – biedt hij haar de ring aan.

Yuri huilde. Altijd op het verkeerde moment, nooit om de sentimentele scène, maar om de soepele seksualiteit die zij in het voorbijgaan uitstraalde, om haar vogellichtheid, haar losheid, om wat ze waagde. Om de manier waarop ze de miniemste kans kon benutten tijdens een optreden, de wetenschap dat haar hoge noten rafelig werden kon negeren, en een verschroeiende schreeuw van verdriet kon loslaten. Yuri was voorzichtig: toen mijn moeder op haar vierenveertigste zwanger werd, wilde hij dat ze zich liet aborteren. Mijn moeder liet me uitslapen; als Yuri wegging voor de school begon, bleven we thuis en speelden duetten. Ze ondertekende een heel blocnote zodat ik zelf een briefje kon schrijven elke keer dat ik wilde spijbelen. Maar als ze op tournee was, bracht Yuri me en haalde me op, je kon er de klok op gelijk zetten.

Met Yuri deed ik een en al arpeggio's. Met mijn moeder was er geen oefenen, alleen een leven zo doordrenkt van muziek, dat je het kon horen in de stilte als ze wegging.

Yuri probeerde me te waarschuwen. Wat zij had was een gave, zei hij. Wat ik had was een ambacht, als stoelen maken. Stoelen die los konden gaan zitten en uit elkaar vallen als ik niet oppaste. Mensen als mijn moeder konden het zich veroorloven om lui te zijn. Mensen als wij niet.

Het spreekt vanzelf: als je weet waar een partituur heen gaat, behandel je een passage dienovereenkomstig. Als Yuri mee was gekomen naar Rusland in plaats van me met mijn moeder te laten gaan, zou ik voorzichtiger zijn geweest. Tot de Tsjaikovsky had ik me aan zijn voorzorgsmaatregelen gehouden. Nooit sieraden dragen leek verstandig, nooit interviews geven wijs. Zijn zwijgende schouderophalen na elk optreden, de tirades over de lengte van een rust, de koude kamers waar we logeerden tijdens onze geheime nevenreisjes na concerten, de stilte die hij zwijgend oplegde als we thuiskwamen, zelfs het feit dat hij de kinderen van Juilliard, die probeerden vriendschap te sluiten, wegstuurde – na een Beethovenrecital zei hij tegen mijn methodische begeleidster dat hij blij was dat haar uitslag zo regelmatig was – het hoorde er allemaal bij. Het onderricht was doeltreffend en ik had opgetreden zoals nodig was. Je hoeft maar één keer achtergelaten te worden omdat je een kaart verkeerd gelezen hebt, om hem goed te leren lezen. Als je 's morgens vroeg wakker wordt gemaakt met een kan ijswater, lijkt het breken van een snaar later diezelfde dag, in het bijzijn van de koningin van Engeland, een onbelangrijk beletsel. Als je partituur wordt afgenomen vijf minuten voor het doek opgaat, krijg je een verbluffend vermogen om uit je hoofd te leren.

(andante, verder)

Ik wil maar zeggen dat Yuri probeerde me te beschermen. De eerste leraar die hij inhuurde, mepte me om de oren, maar Yuri zat in de hoek als een havik toe te kijken. Zelfs drie jaar later, toen Yuri rapporten ontdekte – ik had hem de mijne nooit laten zien – duurde de ontploffing minder dan een uur. Mijn moeder had zijn lievelingssnoep, aardbeien in chocola, achtergelaten, en die mochten we van Yuri martelend langzaam eten, nooit meer dan één per dag. Nu werd hij razend, propte er dertig in zijn mond, de een na de ander, brulde dat ik ALLES moest weten. Begon vragen af te vuren over de verklaring van de rechten van de mens. Ik zei dat ik die verklaring niet nodig had, dat ik al beroemd was. Hij klemde de slechte hand om mijn gezicht. 'Te beroemd hiervoor?' Ik hield op met worstelen om hem te laten merken dat mijn leven niets met het zijne te maken had. Want hij was timmerman, maar ik was musicus, die niet zo dom was om haar vingers te laten pletten door een stom stuk gereedschap. Er volgde even een slecht moment, toen hij zijn hoofd tegen de muur bonkte en het openschaafde, maar dan had je het wel gehad. Na middernacht kwam mijn moeder binnen van haar laatste voorstelling met champagne en bergen bloemen. Ze dronken wat. En toen ze op weg gingen naar het ziekenhuis, gaf hij toe. 'Ik goop dat jij een geel goeie tsjelliest zal worden,' zei hij. 'Want jij bent een geel domme meisje.'

De volgende ochtend maakte hij me om vijf uur wakker. Het was voor het eerst dat een van ons ooit zo vroeg was opgestaan. Het was duidelijk dat hij niet had geslapen. Yuri zei dat hij nu begreep waarom hij naar het kamp was gegaan, waarom hij deel uitmaakte van een paar honderd kinderen van de vijftienduizend uit zijn kamp die eruit waren gekomen. Dat ik, als ik cello zou gaan spelen – hetgeen níét de piano en níét de stem was en dus níét bijzonder nuttig – zou moeten leren spelen alsof mijn leven ervan afhing. Hij was de hele nacht opgebleven om de ebbenhouten toets van mijn cello te polijsten omdat hij er een groef in had ontdekt. Hij zette de cello tegen het bed. Ik deed mijn ogen open en staarde langs de hals naar beneden: het ebbenhout spon een lange streng licht tot hij inkromp als een zanger die buiten adem raakt.

Stilletjes, zonder mijn moeder wakker te maken, gingen we naar de kelder. 'Wat voor kamp,' vroeg ik terwijl ik wachtte tot hij het koordje voor het licht had gevonden. Ik wachtte tot hij Auschwitz zei, waar ik van wist: het was een soort militaire-school-conservatorium geweest waar mensen door te veel fanfaremarcheren in geraamtes veranderden. Toen werd het licht in de kelder.

Die dag was Yuri jarig. Hij kondigde aan dat we onze kaartjes voor het Bolsjoi-ballet verkochten, dat ik mijn driekwart cello begon te ontgroeien. Van nu af aan spaarden we voor een volwassen instrument. Drie jaar lang regelde hij het zo dat we weg waren op mijn verjaardag, zodat hij geen cadeautjes voor me hoefde te kopen. Niemand kreeg iets nieuws, behalve wanneer mijn moeder er was. Yuri nam het boodschappen doen over. Hij knipte kortingsbonnen uit. Zat tot laat in de avond aan de keukentafel om geld-terugbonnen te versturen. De lunch bestond uit lauwe soep die hij had verwarmd door het blik 's nachts op de kachel te laten staan, op de waakvlam. Hij kocht enorme zijden rundvlees, beende die in de kelder uit en liet me de bloederige hompen in papier en plasticfolie pakken.

In mijn moeders versie – de kunst-om-de-kunstversie – was het allemaal eenvoudig. Yuri had een zekere Russische meedogenloosheid als hij een goede zaak diende. Ze had met hem moeten trouwen, zei ze vaak, om hem uit de gevangenis te houden. Hij maakte prachtige meubels, hield zielsveel van ons, en kwam naar elk optreden. Waarom hij nooit iets aan zijn vingers had laten doen, of zelfs maar een dokter had gevonden die het probleem kon diagnostiseren was niet de moeite waard om over na te denken. Yuri was slim: hij kocht vijgen voor haar, en zalm en lakens van Egyptische katoen en speciale Braziliaanse koffie, het soort dat ze had gedronken toen ze in Manaus zong. Haar stem ging achteruit, maar ze kreeg werk bij regionale gezelschappen door heel Europa; het duurde drie jaar voordat ze merkte dat hij en ik onze tanden poetsten met zout.

Yuri dwong me het repertoire te leren. Als het aan mijn moeder had gelegen, had ik de rest van mijn leven uitmuntend de pianotranscripties van operapartituren op mijn cello gespeeld. Ik kan Yuri niet verwijten dat hij me niet voorbereidde. Het was niet dat ik niet was voorbereid. Als ik nu niet ben voorbereid, komt dat doordat ik geloofde in mijn laatste noot tijdens het Tsjaikovsky-concours, de noot die Yuri's vangnet losrafelde, toen mijn strijkstok de lucht in de zaal straktrok, toen mijn noot één lang oneindig moment de hele zaal was, mijn pols de pols van de zaal –

(zacht, minder)

De driehoek is de sterkste vorm. Ik was voldoende dagen naar school geweest om dat te leren. Ondanks verschrikkelijke momenten was mijn universum geordend. Het zag er niet naar uit dat wij drieën ooit gebrek zouden lijden. Als Yuri was meegegaan naar Rusland, zou ik mijn als een edelsteen geslepen briljantie ten beste zijn blijven geven waar en wanneer hij dat vroeg; dan wist ik nu misschien nog niet dat het ook anders kon. Ik was niet ongelukkig. Yuri was mijn manager; het vangnet waarin hij ons vastbond hield de wereld op afstand. Ik leerde omgaan met de ijzige kritieken door de technieken te ontwikkelen die ik zou gebruiken om zijn spuwende staccato te spelen, de galopperende 3/16 woede, de monotone minachting. Als Yuri bij de Tsjaikovsky was geweest, dwingend op zijn honderden manieren, zou de hele ontknoping van die zomer – mijn debuut in Carnegie Hall was de laatste gebeurtenis in de reeks – misschien nooit hebben plaatsgevonden. Maar zijn ouders waren uit Rusland geëmigreerd in '32, en Yuri was ervan overtuigd dat hij afgevoerd zou worden naar Siberië als hij terugging. Voor Yuri stond de tijd stil.

De Tsjaikovsky was de eerste keer dat ik ergens heen was gegaan zonder hem. Met mijn moeder was het een andere wereld. Voor het eerst – ik was veertien – droeg ik een van haar laaguitgesneden jurken. Ze leende me sieraden en kocht op de zwarte markt een nerts voor me. Mijn moeder ging ervan uit dat ik van blad zou spelen; onmiddellijk had ik geen kramp meer in mijn schouders. Van Yuri moest ik me concentreren als ik nerveus werd, alleen in mijn kamer; mijn moeder zei dat ik me de juryleden in hun ondergoed moest voorstellen. We gingen naar feesten. Logeerden in een hotel. Bestelden room service. Poseerden voor foto's. Ik verwachtte voortdurend dat er iets ergs zou gebeuren. Niets van dat al. Nu wilde ik dat het wel gebeurd was. In dat geval had ik het nooit voor mogelijk gehouden om in weelde te leven in het heden, nooit mijn veiligheid vanzelfsprekend gevonden. Bij de Tsjaikovsky begon ik te denken als mijn moeder. Te denken dat ik net als zij was. Toen ik het overleefde en zelfs won zonder Yuri's onophoudelijke beheersing van het kwaad, ging er een valluik open. Ik vroeg me af of Yuri het misschien mis had, of we misschien niet zo op onze hoede hoefden te zijn.

Toen we thuiskwamen, liep mijn moeder naar binnen met de nerts aan; ik droeg de trofee. Yuri zag in een oogopslag dat ik veranderd was. Toen mijn moeder naar boven ging om uit te pakken, rende ik achter haar aan naar boven, om me te verkleden, zei ik. Toen ik weer beneden kwam, was zijn gezicht paars. Was het moeilijk geweest om de idioten bij het Infame Russische Marionetten Circus te bedotten? vroeg hij. Toen loodste hij me mee naar de garage, waar een emmer sop en twee boenders lagen te wachten met een paar rubber handschoenen. Hij ging op zijn knieën zitten en gaf me er een. De juryleden hadden hun pupillen gekozen, zei hij, en alleen omdat ik bij Zara Nelsova op Juilliard had gestudeerd was ik door de eerste ronde gekomen. Ik knikte, hoewel we allebei wisten dat ze Canadese was, dat haar echte naam Sara Nelson was, en dat ik maar één masterclass had gevolgd waar ik niets had geleerd.

Theresienstadt was het *model*getto geweest, vertelde hij me, het *bevoorrechte* kamp. Het verzamelde Nobelprijswinnaars, onderscheiden veteranen uit de Eerste Wereldoorlog, en alle mogelijke gerenommeerde kunstenaars. 'Toppunt van beschaving,' mompelde ik, terwijl ik de boender over de olievlekken in het beton schuurde. Ik vroeg me af of ik ooit eerder zo sarcastisch had durven zijn. Yuri hield op met schrobben. Na hun emigratie naar Berlijn, zei hij – zijn stem bijna vulkanisch – hadden mijn grootouders Masurovsky een gok gewaagd en hun hele fortuin uitgegeven aan een exclusieve villa, garandeerde de brochure, aan een meer in het Tsjechische kuuroord Terezin. En desondanks was het zíjn vaardigheid als pianist die hen voor de transporten naar het oosten had behoed. Het Tsjaikovskyconcours had drie weken geduurd, zei Yuri, terwijl zijn spel hem in Theresienstadt had beschermd, hoe lang? 'Drie jaar,' siste hij. 'Drie jaar een *Prominenter.*' Dr. Eppstein zelf, ging Yuri verder, het hoofd van de *Altestenrat*, liet hem op zijn Steinway studeren. Dat was geen enkele andere pianist gegund, zelfs Gideon Klein niet! Wie dacht ik dat van de honderden spelers in de vier operationele orkesten van Theresienstadt, de opera's, de honderden kamer- en liederenconcerten – gespeeld door het puikje van de Praagse muzikale elite! – de enige musicus in het kamp was die ooit zowel op de beschermde lijst van de joden als op die van de nazi's voorkwam? Die een Prominenter A én een Prominenter B werd?

Toen onderbrak Yuri zich omdat mijn moeder uit het keukenraam gilde hoe lief het van me was om zo'n vies klusje aan te pakken. Op onze handen en knieën lachten we naar haar op. 'Klinkt hemels,' mopperde ik, want na Rusland, waar de oorlog in de lucht hing als de geur van verschroeid vlees, was het duidelijk dat zijn tirade nauwelijks een krasje had gemaakt op de kolossale kei van verbittering die hij altijd met zich, met ons tweeën, meesleepte als we op tournee gingen. Ik daagde hem uit haar te vertellen over het middernachtelijk ijsberen in onze kelder. Over het rijtende geschreeuw dat het donker verscheurde als we op reis waren. Haar precies te vertellen wie wij aan het opsporen waren op onze geheime reisjes na mijn concerten. Om haar goedaardige sprookjesversie, waarin het verleden het verleden was en bleef, op te blazen.

Yuri ziedde. Hij wist wat ik aan het doen was. Dat Poolse stuk plastic dat ik had gewonnen, grauwde hij, was van haar. Het was háár gave die ik leende. Ik kon ongeveer even goed voor mezelf zorgen, zei hij, als die nertsen in die jas.

'Misschien kan ik me een weg terugschrobben naar de sjetl,' stelde ik voor.

Yuri spuugde op het beton.

De maanden voor zijn dood verergerde zijn manie. Toen hij mijn roem zag groeien, de stiltes hoorde aanzwellen in steeds grotere zalen, werd Yuri wanhopig. Vroeger waren we samenzweerders, detectives op jacht. Nu was hij alleen. Meer dan eens ontdekte ik als ik 's ochtends vroeg wakker werd dat hij zijn spullen had gepakt en zonder mij op pad ging. Alsof hij wanhopig op zoek was naar een haveloze herinnering, ergens ter wereld, waarin zijn spel nog intact was. Een van onze prettige geheime rituelen – we hebben het nooit aan mijn moeder verteld – was die ene nacht elke herfst dat wij samen kampeerden, op Sukkoth, onder een afdak van takken dat we bouwden, om ons eraan te herinneren hoe gelukkig we waren dat we een dak hadden. Nu waren we de mensen die we godzijdank niet waren. Geen van de ansichtkaarten die we mijn moeder stuurden zei iets over slapen in het bos of ons afvegen met bladeren. Geen beschreef hoe ik me waste met ijskoud water in een wc op een station, terwijl Yuri de wacht hield voor de deur. In september in Wenen duurde het applaus een half uur. Een heel half uur lang donderde het in de kleedkamer. Yuri ijsbeerde heen en weer terwijl ik inpakte. De schouwburgdirecteur kwam binnen. Een keer maar, smeekte hij zacht, toen hij me vroeg om het applaus in ontvangst te nemen. Yuri stond stil tot ik weg was. We namen die ochtend om twee uur de trein, alsof het vinden van de volgende overlevende opeens een kwestie van leven en dood was geworden. Hij weigerde de buren te geloven toen ze zeiden dat de man dood was. We zwierven dagenlang van het ene donkere dorp naar het andere, diep in de spelonken tussen de Alpen, waar de zon maar een uur per dag scheen, deden navraag naar zijn naam en klauterden over de roestige hekken van joodse begraafplaatsen. Toen besloot hij te gaan liften. Het was puur geluk dat we bij een stationnetje buiten Brno belandden, puur geluk dat een treinfluit krijste midden in de nacht, puur geluk dat ik wakker werd en zag dat Yuri op appèl stond in zijn slaap, puur geluk dat hij de volgende dag wakker werd zonder zich iets te herinneren, zijn manie verschrompeld, klaar om naar huis te gaan. Natuurlijk, als ik geweten had wat de toekomst zou brengen, had ik die episode anders aangepakt. Ik had me misschien afgevraagd hoe het kwam dat de wereld de gebeurtenissen had afgeschud, alsof ze alleen toebehoorden aan degenen die ertoe veroordeeld waren ze mee te zeulen. Ik had beslist geen fluitje gekocht voor op reis, om naar hem te fluiten midden in de nacht als de toestand te erg werd. Maar die zomer was een toekomst moeilijk voor te stellen. Hij was bezig me aan zijn verleden te binden, ledemaat voor ledemaat, om te zorgen dat hij niet alleen werd gelaten in het kamp van zijn geest. Ik was bezig de banden door te snijden.

Yuri probeerde nog één keer me te beteugelen. In het lunchtrommeltje dat mijn moeder had ingepakt voor mijn debuut in Carnegie Hall had hij een cadeautje gedaan, zei hij, om me eraan te herinneren dat ik niet met verslaggevers moest praten: een gebit dat klapperde op een scharnier. Maar ik wist wat Yuri bedoelde: het was de kaak van een geraamte, dat babbelde vanuit de dood, om me eraan te herinneren wat er gebeurde met mensen die hun grote mond opendeden. Toen ik het trommeltje opendeed om mijn brood te eten, kletterden de tanden op de grond en bleven aan mijn kousen haken, en wist ik dat alles verpest was. Daarna gluurde ik van achter het gordijn naar de lege stoelen van mijn ouders, kreeg iemand me in de gaten, zwol het applaus aan, en moest ik op. Toen ik het podium op liep, voelde ik de strakke, beschermende prikkeldraadprecisie van Yuri – tot dan toe mijn speelstijl – van me afvallen als een losgeschoten cape. De naakte vrijheid, buiten zijn greep, was duizelingwekkend. Terwijl ik boog, gooide ik het met mezelf op een akkoordje om Yuri te vergeten, me deze ene keer te laten gaan, hem achter te laten, alleen.

Musici worden heel vaak *maestro* genoemd, alsof ze iets beheersen, maar wat ik me herinner was de erotische aantrekkingskracht van het lezen van blad, de steek in mijn buik als ik een partituur opensloeg, de moeilijke passages die mijn vlees naar verlangens trokken waarvan ik niet wist dat ik ze had, die me niet naar overmeestering maar naar onderwerping trokken. Naar overgave. Ik wist dat ik een stuk in mijn greep had als ik me kon voorstellen dat ik de partituur vernietigde, mijn ogen kon sluiten en me kon voorstellen dat de componist verborgen tussen het publiek zat, me kon voorstellen hoe ik op het podium zijn verlangens speelde zoals ze in zijn hoofd opkwamen. Het was geen fantasie die ik mezelf ooit had toegestaan op het podium – niet met Yuri in de zaal. Maar nu, nu hun stoelen leeg waren, deed ik het. Vanaf de eerste noot verenigde mijn lichaam zich met de muziek op een manier die ik me niet had kunnen voorstellen. De contouren van de Bachsuite die ik sinds mijn zesde had gevolgd, werden de welvingen van een lichaam dat glansde van jarenlange strelingen. Toen goot Debussy zich via mij uit als gesmolten glas. Tijdens de Carter voelde ik de tijd vertragen en tot stilstand komen, elke noot stil in een oneindige stilte. Tijdens de pauze golfde er een onweerstaanbare slaperigheid over me heen en deed ik iets wat ik nog nooit had gedaan. Ik ging op de bank in de artiestenfoyer liggen en viel in slaap. Toen kwamen Sharon en twee van mijn leraren van Juilliard op en deden we Messiaens *Quatuor pour la fin du temps.* Tegen de tijd dat mijn solo aan de beurt kwam, de Zevende Dag van Rust Zich Uitstrekkend tot in de Oneindigheid van de Genade, was ik opgehouden met mijn ledematen sturen, opgehouden met proberen, opgehouden met anticiperen, opgehouden met beslissen, en liet ik de muziek bezit van me nemen. Er was geen hout tussen mijn benen, geen krul naast mijn nek, geen twee lichamen. Alleen één stem, die naar vrijlating trok.

Yuri had me geleerd applaus te beschouwen als een grove, bijna gewelddadige uitspatting van de massa. De routine die hij voor mij had ontwikkeld was dat ik zou glimlachen, buigen en het podium af lopen. Nu zat ik daar, afgemat. Langzamerhand begon ik de strijkstok in mijn hand, het lichaam tussen mijn benen, de withete stilte te voelen. Toen de seconden aanzwollen tot uren zocht ik in mijn geest naar hoe ik had gespeeld. Mijn geest was blanco. Toen keek ik naar beneden en zag hun lege stoelen en wist dat ik het onzegbare had gedaan. Daarna explodeerde de zaal. Heel even zag ik de wit met gouden peperkoekornamenten van Carnegie afbrokkelen als de Dresden Oper onder de geallieerde bommen. Ik haastte me van het podium af. Maar toen kwam een eenvoudige gedachte in mijn lichaam op: het wilde dat gevoel nog een keer. Dus liep ik voor de allereerste keer opnieuw het podium op. Een verzengende kou-hitte overspoelde me. Hoewel ik nu weet van de subsonische golven die binnenstromen bij donder – volgens Giulio prikkelen ze de menselijke slaapkwabben tot een pseudo-religieuze verdoving terwijl ze de dieren in de buurt zenuwachtig maken – leek het op dat moment op niets dat ik ooit had gevoeld.

Giulio prutste een enorme sleutel in de gigantische deur van zijn vervallen palazzo. De bronzen panelen waren groenig uitgeslagen en besmeurd met slordige graffiti. Toen hij zijn gewicht ertegenaan gooide, krijsten de scharnieren alsof ze gewekt werden uit een droom van middeleeuwse foltering. Toen weken de onderste twee panelen, een drie meter hoge deur. De maan wierp een kille, blauwwitte gloed over de verlaten binnenplaats. Het gebouw leek door de oorlog beschadigd, de geschonden muren pokdalig van de granaatscherven, de aangevreten versiering doorzeefd met kogelgaten. Er brandde niet één lamp; de ramen, zag ik, waren geblindeerd met grijze, verweerde planken. Ik vroeg me af of het huis onbewoonbaar was verklaard. We staken een binnenplaats met kinderhoofdjes schuin over, klommen drie verdiepingen over een uitgesleten stenen trap en slingerden vervolgens rond een galerij met een verroeste ijzeren balustrade. Ik bedacht dat ik de weg moest onthouden, maar mijn hoofd was warrig van de koorts en wazig door gebrek aan slaap, en ik wist dat ik in mijn eentje nooit de weg naar buiten zou kunnen vinden.

Het smalle, ijskoude gangetje waar Giulio me doorheen leidde, kwam uit op een kleinere binnenplaats. Na weer een hoek leidde het gangetje naar een gietijzeren deur die was afgesloten met een enorm hangslot. Giulio draaide het open, tilde daarna een verroeste pinakel van de balustrade en schudde hem. Er rammelde nog een grote sleutel uit die hij in het antieke slot van de deur stak. De deur leidde naar een lange, overwelfde ruimte, geplaveid met oude, gebarsten, crèmekleurige tegels, die eindigde in een wand van ramen. Stenen zuilen priemden omhoog tot willekeurige hoogtes als een verkoold bos. Hun kroonlijsten staken uit in merkwaardige en onheilspellende hoeken. Er was geen pad. De ruimte voelde zo griezelig aan dat Giulio me naar binnen moest loodsen met een duwtje in mijn rug.

De dikke metalen deur sloeg achter ons dicht. Giulio deed geen licht aan. Terwijl hij naar de wc ging, hinkelde ik over de schaduwen die van de zuilen wegstreepten met angstwekkende parallelle precisie. Mijn ogen begonnen te wennen aan het reflecterende duister. Op het bos van zuilen na, was de woning bijna leeg. Er was geen orde, maar ook geen rommel. Rechts een enorme open kast die uitpuilde van de kleren. Een oud ijzeren bed stond tegenover de ramen, belachelijk, als een vliegend tapijt dat klaar lag om weg te zeilen in de nacht. Tegen de linkermuur stonden een tafeltje en drie verschillende stoelen ongemakkelijk bij elkaar. Wat in de duisternis had geflikkerd als beweging, bleek een barokke ovale spiegel die op een vergulde standaard bij het voeteneind van het bed stond.

Ik had mezelf voorgehouden dat ik zou begrijpen wie Giulio was als ik in de gelegenheid was zijn huis en hoe hij woonde te zien. Maar dit was een pakhuis met voorwerpen die eruitzagen alsof ze allemaal van verschillende mensen waren. Het leek bedoeld om te druipen van de seksualiteit, maar de spontaniteit leek gekunsteld, het thema ondermijnd door de orkestratie. In ieder geval leek de kans klein dat ik zou instorten.

Om de passpiegel-bij-het-bedtoestand te vermijden liep ik naar de andere kant en bleef bij de stoelen staan. Ik dacht dat ik moest gaan zitten om er ontspannen uit te zien. Maar de keuze was als de test met de inktvlekken waarbij je zegt dat je niets ziet omdat alles wat je zegt tegen je gebruikt zal worden. Ik wist dat ik niet de donkere, bewerkte, Indiaas uitziende stoel moest kiezen: er waren te veel kleine hoofdjes in de poten uitgesneden, allemaal goden van iets, die ik niet onder mijn rok wilde laten kijken. De gestroomlijnde, zwartleren stoel leek ook niet te kloppen: hij zag er koud en high-tech uit en het verchroomde frame verborg waarschijnlijk riemen of duivels gynaecologisch tuig. Ik koos de gecapitonneerde Empire troonstoel, hoewel die bekleed was in een groengele malariakleur en de poten, klauwen die bollen vastklampten, weinig goeds voorspelden.

'Dat is *Louis Dix-neuf*,' zei Giulio toen ik mezelf voorzichtig liet zakken, zijn stem zo dichtbij dat ik achter me reikte om hem aan te raken. Maar toen hoorde ik hem rondrommelen in de keuken. Het was als de keer dat mijn moeder en ik in het ene centrum van de ellips in de Independence Hall in Philadelphia hadden gestaan, op de plek waar Benjamin Franklin zijn tafel neerzette om af te luisteren, en Yuri in het andere centrum stond, ongeveer vijftien meter verderop, met zijn rug naar ons toe en zijn hoofd diep gebogen, en we hem plotseling 'Iek bin Raspjoetin' hoorden fluisteren, wat mijn moeder natuurlijk grappig vond. Ik sprong op en haastte me naar de andere muur, waar een groep naaktschetsen op een kluitje hing, en nam daarna het volume van de ruimte in me op, terwijl ik probeerde de spookachtige akoestiek te ontcijferen.

(leggero)

'Welke?' riep ik nonchalant, alsof ik al die tijd bij de schetsen had gestaan. De weergalm van mijn stem sloeg dood tegen de muren. Ik bekeek ze van dichterbij. Ze waren bedekt met zijde, de hele ruimte gecapitonneerd als een cel in een gekkenhuis.

'En, Isabel, wat vind je ervan?' zei zijn stem.

Ik stond te kijken naar een verticale reeks zwartwitte Japanse pornofoto's. Tegen de achtergrond van een bos poseerden een man en een vrouw in half opengevallen kimono's, terwijl ze tegen een boom stonden te neuken. Of met de boom. Dat kon ik niet precies zien. Het licht op de foto was zo fel en stil dat het leek of ze poseerden in een soort rituele imitatieseks. Een grappige vorm, als een stukje van een legpuzzel, bedekte hun genitaliën.

'Waar zijn de genitaliën?' was niet een vraag die ik dacht te kunnen stellen, dus ging ik verder langs de muur. Het volgende stuk in de tentoonstelling was een gestileerde schets op amberpapier van een anorectische vrouw met kousen aan en verder niets. Ze was zichzelf aan het bevredigen. Ik was alleen in het huis van een man waar nota bene een afbeelding van een masturberende vrouw aan de muur hing. Ik vroeg me af of ik met mijn jas langs de keuken en het huis uit zou kunnen komen. Ik hoorde hem de koelkast opendoen: dat zou het moment zijn om langs hem te sprinten, als zijn hoofd vreedzaam zat weggestopt in de groentela op zoek naar hapjes. Maar de Savant was nergens te zien. Toen verscheen Giulio galant met een blad waarop glazen, champagne en een fles cassis stonden.

'Zeg maar welke je het mooist vindt,' zei hij.

'Dat ik hem het mooist vind, maakt er nog geen Lodewijk de Negentiende van.'

Hij richtte de champagne boven mijn hoofd en liet de kurk ploppen. Ik weerstond de neiging om te bukken. 'Omdat er geen Lodewijk de Negentiende bestaat,' zei hij glimlachend. Hij goot een scheut cassis bij de glazen en gaf me er een.

'Dat wist ik heus wel,' zei ik terwijl ik mijn glas omhoog hield om te kijken hoe het zware spiralende paars tegen de bodem van de flute kronkelde.

'Zomaar een test,' zei hij en klonk met me. 'En?'

'Ik vind ze allemaal tamelijk op elkaar lijken.'

Hij sloeg zijn champagne in een grote slok achterover. 'Maar de inhoud staat vast, niet? De kwestie is natuurlijk niet wat te doen maar hoe het te doen.'

Ik begreep niet precies wat hij vroeg. Ik maakte me zorgen dat hij zou denken dat ik dacht dat de beelden me opwonden. Maar er was geen neutraal terrein. Ik kon niet terug naar de stoelen, en het bed was natuurlijk uitgesloten; het enige waar ik nog heen kon was een reeks Renaissance houtsneden van een man en een vrouw in verwrongen seksuele houdingen. In de spiegel staarde ik naar hem en vroeg me af of Marie-Antoinette en Fabio wisten dat hij een pornofetisjist was.

Giulio keek op, betrapte me en glimlachte. 'Je bent geschokt door de houtsneden van Giulio.'

Briljant om het zo te formuleren dat het leek of ik een soort puriteinse Amerikaanse zeloot was.

'Ze zijn eigenlijk van Raimondi,' ging hij verder. 'Naar de tekeningen van Giulio. Zoals je waarschijnlijk weet.'

Ik glimlachte superkoel. 'Dat wist ik eigenlijk niet.'

'Rustig maar,' zei hij in het Engels. 'Giulio Romano, de assistent van Raffaello. Die alle trompe l'oeils deed. Na de dood van Raffaello moest Giulio Romano zijn projecten afmaken. Een daarvan was de Sala di Constantino in het Vaticaan. Papa Clemente de Zevende weigerde Giulio te betalen omdat hij Raffaello al had betaald. Dus tekende Giulio deze op de muren. Toen kopieerde Marcantonio ze en maakte de houtsneden. Ze werden de beroemdste erotica van de Renaissance. Natuurlijk werden ze verboden. En verbrand. Maar een paar series hebben het overleefd. Dit is de enige reeks in privé-bezit. Ze zijn in slechte staat. Fabio kon ze niet verkopen voor het bedrag dat hij wilde, dus gaf hij ze aan mij voor mijn hulp bij een reconstructie die we deden aan de borsten van, van...'

'Daar hebben we de verloofde?'

'Niet Daphne. Haar borsten zijn prachtig. Ik zou niet met iemand kunnen trouwen aan wie ik zou moeten werken.'

Ik wachtte.

'Van een maîtresse van hem die ik toevallig ken.'

Het begon me te dagen dat het huis niet zomaar een decor was, dat elk voorwerp in het appartement een enorme hoeveelheid geld waard was. Ik vroeg me af hoe Marie-Antoinette het zou aanpakken. In mijn ogen waren er te weinig dingen in het appartement om er een van te stelen.

'Mijn erfdeel kun je me niet echt aanrekenen,' zei hij, en sloeg zijn arm om me heen.

Erfdeel. Ik dacht aan de jaren van nutteloze lessen van signor Perso, aan Vrashkansova, aan het erven van de Savant zonder erop te kunnen spelen. Ik liep op mijn gemak naar het grote raam en drukte mijn handpalmen tegen het glas. Een ronde schijf mistadem vertroebelde het zicht tot druppeltjes wit. Hoewel ik in een strook ijskoude lucht stond, stapte ik niet terug de kamer in. Aan weerszijden van een donkere, smalle steeg doemden gebouwen boven de kamer uit. Een serie gevlekte gevels herhaalde zich ertussen tot het *diminuendo* versmolt in een zwarte strook leegte, een lang, leeg gangpad in een concertzaal dat me als licht naar zich toetrok. De rust verdiepte zich, zoals een publiek dat langzaam stilvalt wanneer het je achter het gordijn vermoedt. Ik bekeek de rijen raampjes van de gebouwen, op zoek naar iemand die naar buiten keek, naar mij. Er daalde een intense eenzaamheid over me neer. Er was helemaal niemand, bedacht ik, die wist waar ik was. Als me hier iets overkwam, zou ik spoorloos verdwijnen. Ik schreef de letters van mijn naam op het glas, zoals Giulio had gedaan op de voorruit van zijn auto, zodat er een klein teken van me zou zijn.

Ik had niet gehoord dat Giulio achter me was komen staan. Een harde, koude ronding verzengde mijn nek en toen doopte hij mijn ene oorlel in het glas champagne en kuste de andere zodat ik me niet kon bewegen zonder op mijn jurk te morsen. Ik dacht dat zijn kus nat en slobberig zou zijn, ons zou vermengen, maar dat was niet zo. Hij was droog. Toen nam hij een slokje champagne en deed zijn lippen van elkaar. De knappende belletjes bulderden in mijn oor als de oceaan in een schelp. Weer kon ik niets horen. Hij haakte de voet van het glas op mijn schouder en kantelde het naar voren. De vloeistof vervloeide over de punt van mijn borst en bloesemde daar, een donker, indecent aureool. Een hand schoof omhoog en pakte het gewicht van mijn borst. Met de andere hield Giulio het glas tegen mijn lippen. Bessenzoete kou gleed in mijn keel. Ik wist dat ik op moest houden – ik wist niet eens of ik de man aardig vond – maar mijn tepels werden hard en verrieden me. Ik bedacht me dat mijn lichaam de hele tijd al had geweten dat dit zou moeten gebeuren.

'Sorry,' zei hij, zonder het te menen.

'Ik had hier niet moeten komen.'

'Genot kent geen had moetens,' zei hij en maakte mijn rits open.

'De jurk is verknoeid.'

'Ik heb speciale wolzeep gekregen van de vrouw van de

sultan van Brunei. Hij is gemaakt van moedermelk.'

Mijn hoofd werd licht van de inspanning niet te denken aan wat het betekende zeep te maken van de melk van een vrouw. Ik had de moed niet om te vragen of hij een grapje maakte. Giulio stond daar te glimlachen. Kennelijk was dit voor hem een gewone situatie. Als kind was ik nooit ziek geweest en nooit naar de dokter geweest. Yuri had het niet toegestaan. En zo kwam het dat ik nooit naakt voor een vreemde had gestaan. Maar ik mocht Giulio niet laten ontdekken hoeveel hij nog meer wist; dat zou het einde van elke mogelijkheid zijn. En zo trok ik, alsof het de honderdste keer was, mijn jurk uit en gaf hem aan hem om te wassen.

De houtsnede voor me kwam weer scherp in beeld. De man hield de vrouw omhoog alsof ze van voren op zijn rug zat. Hij boog zijn knieën om haar billen op zijn dijen te laten steunen; zijn ruggengraat kromde zich naar waar zij aan zijn nek hing. Haar hoofd was achterover gegooid, haar lange haar waaierde achter haar vandaan als van een medusa. Haar mond was open en haar ogen rolden in vervoering weg. Ik staarde en probeerde het beeld te plaatsen: het was de foto van mij, in de *Times* die ik op onze stoep vond toen ik eindelijk thuiskwam de ochtend na mijn debuut in Carnegie Hall. Het was een gruwelijk seksuele foto.

Was er een beter moment voor Giulio om naar me toe te komen en luid gapend te gaan liggen?

'Ik ben bekaf,' zei hij. 'Ik werk te veel.'

'Doen chirurgen dat niet altijd?' vroeg ik zonder me om te draaien.

'Jullie chirurgen werken lange uren. Hier zijn we met te veel, dus meestal werken we niet zo hard. Toen ik begon kon iedereen met een eindexamen van het *liceo scientifico* naar de medische faculteit. Dus zijn we in het openbare ziekenhuis waar ik werk allemaal onderbetaald, slijmen we allemaal bij de professoren die in chique privé-klinieken opereren, zoals Fabio – proberen we allemaal ingeroosterd te worden voor genoeg operatietijd, om de examens te halen en uiteindelijk ergens anders aangesteld te worden.'

Ik staarde nog een tijdje naar de houtsnede. Een muziekstuk dat ik haat – dat braakmiddel *Barcarole* uit *Hoffmans Erzählungen* – zette zich vast in mijn hersens. Wat ik eigenlijk wilde was versmelten met de zuilen, als een stoute leerling met mijn gezicht naar de muur gaan staan tot mijn jurk droog was. Ik ging naar de wc, voor uitstel, maar toen ik weer tevoorschijn kwam, neuriede Giulio zachtjes en geduldig. Er leek niets anders meer op te zitten dan naar hem toegaan.

'Hallo,' zei hij in het Engels toen ik ging zitten. Hij lag op zijn rug met zijn handen achter zijn hoofd, zonder aanstalten te maken om me aan te raken. Hij had helemaal geen haast. Hij had duidelijk met honderden vrouwen geslapen. Dat bleek uit al zijn woorden en gebaren. Hij glimlachte geamuseerd om mijn stijfheid. Ik denk dat hij dacht dat ik dacht dat hij me niet aantrekkelijk vond. Na een poosje stak hij zijn hand uit en legde hem op mijn dij.

'Die zijn mooi,' zei hij. In een langzaam jazzloopje dwaalden zijn vingers over mijn been omhoog langs het patroon van mijn kousen. Mijn huid kwam overeind in kippenvel. Zijn handen kenden mijn lichaam zo goed alsof hij mij was geweest in een vorig leven.

'Weet je, ik ben niet – ik bedoel, we kunnen het proberen als je wilt...'

Mijn woorden leken als noten van springende snaren

in dwaze, oncontroleerbare betekenissen te ploinken. 'Ik heb niet zoveel met mannen. Ik bedoel seks.'

'Je bedoelt mij. Of...'

Hij tilde zijn hand een centimeter boven mijn been en hield zijn vingers als een pianist, klaar om toe te slaan. 'Ben je lesbisch?'

'Ja,' zei ik, en had er onmiddellijk spijt van. 'Nou, nee. Niet echt.'

Weer gleden zijn vingers over mijn huid. Zijn handen waren dik en groot, en ik wilde dat ze me vasthielden, voelde ik.

'Het doet er niet toe.'

Ik las een keer in een horoscoop dat een kenmerk van mijn sterrenbeeld volmaakt gevormde onderarmen was. De mijne zijn gespierd, rond en stevig van het spelen, het enige deel van mijn lichaam dat ik echt mooi vind. Ik stond op en deed de lamp bij het bed uit. Toen lagen we parallel, zijn gezicht zo dichtbij dat ik zijn amandelhuid kon ruiken. Een golf claustrofobie kolkte door mijn ingewanden. Giulio keek me vragend aan. Ik was bang dat hij zou vragen wat ik wilde, dus deed ik mijn ogen dicht en kuste hem voordat hij de kans kreeg. Een van de weinige dingen die ik bij signor Perso had geleerd was vermijden over seks te praten in bed. Het is als een bestelformulier, als de notering van een passage; als hij het op die manier speelde en ik kwam niet klaar, zou hij zich bedot voelen. Dat vind ik zo heerlijk aan muziek: je kunt spreken zonder te praten, zonder te worden vastgepind op wat je hebt gezegd. Muziek is expressie; noten resoneren niet langer dan bedoeld is in de tijd en verdwijnen dan als belletjes in de lucht. Woorden zijn als pijltjes. Hun betekenissen worden vastgelegd en opgeteld, de som wordt tegen je gebruikt als je inconsequent bent.

'Ga zitten.'

Hij liet me zijn overhemd losknopen. Ik was niet voorbereid op wat eronder zat. Signor Perso had een smal middel, een ingevallen borst, de haarvaatjes in zijn huid zakten weg in broos, transparant weefsel, dat het geschenk van zijn hart koesterde. Giulio's bovenlijf zat vol kabels, zijn schouders waren ingekapseld in spierweefsel. Ik had nog nooit armen gezien die uit zoveel delen bestonden. Ze hingen onhandig uit zijn bovenlijf alsof ze wachtten tot ze een vrouwentaille konden grijpen. Het lichaam van signor Perso was een deken geweest. Dat van Giulio was een in kleren gekooid schepsel.

Hij begon me aan te raken. Ik duwde hem weg. Maar zijn handen waren onverzettelijk, ze hielden me tegen hem aan. Ik knoopte zijn broek los en nam hem in mijn mond, wat leek te werken. Hij raakte zijn concentratie kwijt. De zijne was niet besneden – prima als je probeert niet naar een kamp gestuurd te worden, maar ik had tot nu toe alleen signor Perso gezien, dus ik wist niet of je verondersteld werd iets anders te doen. Bovendien was de zijne krom. Halverwege boog hij af naar links. Ik vroeg me af of dat lekker zou voelen van binnen, of dat hij zou blijven haken en pijn doen. Ik keek weer de kamer in: in het licht van het raam zagen de zuilen eruit als een staand publiek. Ik bedacht ineens dat Giulio geen woord over de Savant had gezegd.

'Waar is de cello?'

'In een kast.'

Dat klopte niet. 'Ik dacht dat je de hele tijd in het ziekenhuis was.'

'Een kast in het ziekenhuis. Ik heb hem opgeborgen op de veiligste plek die ik kon bedenken, de narcoticakluis.

Die is bewaakt. Hij wordt maar twee keer per dag geopend. We kunnen hem morgenochtend halen.'

Ik keek naar hem op en vroeg me af of hij wel van plan was hem terug te geven.

Giulio trok me zachtjes omhoog. 'Wat is er? Wilde je voor me spelen?'

Ik keek naar beneden en wenste dat het allemaal al gebeurd was. In het donker zag mijn onderarm er bleek en lelijk uit tegen de karmozijnrode lakens.

'*Brasile*,' zei hij. 'Dat is Portugees voor rood. Ik heb twee jaar in Rio gestudeerd, bij Pitanguy – dat is de beste plastisch chirurg in de wereld – en "brasile" is het enige woord dat ik me herinner. Toen de Portugezen in Brazilië landden op weg naar India, maakten de inboorlingen bloedrode verfstof van het sap van een bepaalde boom, de – tja, ik loog niet toen ik zei dat ik maar één woord kende. Nog wat champagne?'

Hij stak me het glas toe. 'Ik vind ze prachtig. Ze zijn zo rood, niets geeft er vlekken op.'

Ik staarde naar de druppel die op het bed was gemorst. Op zijn lakens waren cassisvlekken niet te zien; dus dit ritueel speelde zich vaak af. Of bedoelde hij de vlekken van vrouwen? *Als levende boom zweeg ik. Dood zing ik.* In plaats van een champagneglas zag ik hoe Giulio me een boeket takken aanbood, de stompjes druipend van het bloed van andere vrouwen. Ik moest weg.

'Het hout is pernambuco,' zei ik, terwijl ik met moeite de toon *adagio* hield. Ik gleed uit bed. 'Dat is waar strijkstokken van gemaakt worden. Het is sterk. Maar ook licht.'

Ik liep naar de tafel. Nu kwam Giulio me achterna. Ik keek om.

'Isabel?' Hij sloeg zijn armen van achteren om me

heen, vond mijn handen, en pakte het frescofragment dat ik krampachtig vasthield.

'Isabel,' berispte hij me zachtjes, en daar ging ik.

Hij voerde me terug naar het bed. Ik ging weer liggen en begon hem te kussen. Maar toen schoof hij achteruit en keek me aan. Zijn stem kringelde omhoog als rook door de vloerplanken.

'Vertel eens wat je prettig zou vinden.'

'Niets bijzonders,' zei ik, en bad dat het opschoot voordat hij merkte dat ik gebroken was.

'En op welk deel van je lichaam zou je je bijzondere niets willen?'

Ik sloot mijn ogen, draaide me op mijn buik en begroef mijn gezicht in het kussen. Langzaam en weloverwogen begon Giulio. Hij zou beslist een meer dan competente musicus zijn geweest. Alles was vloeiend georkestreerd, het ene motief liep gladjes over in het volgende. Tegelijkertijd had elk deel zijn eigen specifieke karakter. De *adagio's* waren *adagio*. Om te zorgen dat Giulio niet zou gaan denken dat ik tot nu toe alleen met een zevenenzeventigjarige man was geweest, deed ik mee met alles wat hij verzon, bijna alsof ik het ook had bedacht, precies op hetzelfde moment. Ik was met signor Perso gewend mee te gaan en tegen te werken, zijn handen net voldoende weerstand te bieden om hem het gevoel te geven dat hij mijn lichaam nog kon leiden – en uiteindelijk vielen we bijna uit het bed. Maar gelukkig lachte Giulio en zei: '*Che comodo!*' Wat handig! En we begonnen opnieuw.

(als het opensnijden van een steenpuist)

Wat je doet is je ogen sluiten. En zacht glimlachen. En ademen. Je strijkt de gelaatstrekken glad. Schakelt de getuige uit.

Als zich warmte begint op te bouwen, laat je die los. Tijdens het wachten op signor Perso had ik geleerd muziek te spelen in mijn hoofd. Signor Perso's zachte vlees leek voldoende op het mijne, zijn liefde was niet veeleisend, hij was een gewoontedier, en als hij eenmaal op gang kwam, was het nog maar een kwestie van tijd. De Vijfde van Beethoven, met zijn eeuwige verkorting, werkt goed om je naar de overkant te varen. De Toscanini-versie. Natuurlijk zou ik het, net als ieder weldenkend mens, zonder Toscanini's metronomische strengheid, de Napoleontische aanvalsprecisie kunnen doen, maar in bepaalde gevallen is zijn nadruk op pure voorwaartse beweging noodzakelijk om de tijd te overspannen. Bij Giulio weet ik niet precies wat er mis ging. In plaats van de Vijfde stevende de begrafenismars uit de *Eroica* mijn oor binnen. Uiteindelijk marcheert Beethoven altijd, zei ik tegen mezelf, dus zal de *Eroica* de tijd ook voorbij laten gaan. Maar Giulio was geen signor Perso; hij kwam niet op gang, maar vertraagde. Ik ging over op de hortende *Sacre du printemps*-ademhaling, die altijd werkte bij signor Perso. Nog steeds wachtte Giulio. Ik doorliep het *morendo*, het *sterven*, en ging over op de sequentie van rusten. Giulio begon weer. Ik wist het niet meer: hij had toch niet kunnen horen hoe de begrafenismars zacht en droevig overging in de *Metamorphosen* van Strauss – de ontzagwekkende, veelstemmige complexiteit van de latere, grotere Strauss, het equivalent van vrijen met iemand die al een halve eeuw had gevreeen: ondanks het leeftijdsverschil dat de lucht verzuurde, en hoe ik hem in de steek liet, had het een elegantie waar zelfs muziek niet tegenop kon. Het bestond niet dat Giulio signor Perso achter zich had kunnen zien, zwevend in de hoek bij het plafond, naakt in zijn leunstoel, zijn droge ogen vol en aanwezig zoals alleen muziek kan zijn – alsof ook hij de treurzang van Strauss om zijn gebombardeerde Dresden Oper hoorde, alsof hij toekeek hoe ik wegging, toekeek hoe ik hem verraadde, terwijl de liefde in zijn ogen zwijgend herhaalde dat hij niet verwachtte dat ik ook nog maar een dag van hem zou houden. Ik wilde zijn ogen sluiten, om het feit dat Giulio me bereed te ontkennen, maar als ik mijn ogen sloot, hoorde ik zijn krakende stem echoën wat hij altijd had gezegd. 'Als je van een jongere man gaat houden, zal ik de vlag strijken voor de natuur.' Hij zei *strijken* alsof hij een cello bedoelde. Toen kromde Giulio's bovenlijf zich dichter tegen me aan, zijn vlees ondervroeg het mijne zoals signor Perso nooit had gedaan. Van ver weg voelde ik een verschrikkelijke warmte samentrekken, mijn vlees wilde weten wat het was om de vlag te strijken voor de natuur, voor Giulio, om een lange noot van *ja* te zijn, strak gespannen tegen *nee* –

Ik moest iets doen. Wat ik deed was een vijf minuten durende hoestaanval improviseren. Ik hoestte tot de tranen in mijn ogen stonden. En hoestte nog meer. Ik wilde dat Giulio naar een andere kamer ging, even in elk geval: als hij terugkwam met iets te drinken voor me, dacht ik, kon ik doen of ik sliep. Maar Giulio reikte over de rand van het bed en schonk de rest van de champagne in, en daar zaten we.

Ik deed of ik een gaap smoorde. Zei dat het pijn begon te doen. Giulio knipperde een paar keer met zijn ogen en slikte, om zijn nederlaag te verhullen. Daarna zette hij de wekker.

Toen Giulio naar de wc ging, zette ik het volume van zijn wekkerradio zachter zodat we te laat zouden zijn en geen tijd zouden hebben om te praten. Ik denk dat ik per ongeluk aan de zenderknop had gedraaid, want tijdens ons dutje hoorde ik een geluid dat geleidelijk aan harder en harder werd – een laag, continu krakend geruis. Een politieradio. De carabinieri stonden beneden te wachten om me te arresteren. Ik had een enorme kaart van Italië op schoot en volgde de kleine haarvaatjes van wegen op zoek naar een plek om heen te gaan. Maar elke stad was een plek waar ik een slecht optreden had gehad, waar ze fruit naar me zouden gooien, harde granaatappelborsten als ik terugging. Toen zag ik dat de zuidelijke laars van Italië precies op een cellokrul leek, dat wat ik voor wegen had aangezien het netwerk van haarscheurtjes was dat zich over de schilderingen in de lak van de Savant verspreidde toen we zaten te bevriezen achter in Giulio's auto.

Toen schudde Giulio zijn ledematen, keek op zijn horloge en sprong overeind. *'Porco Giuda.'* Varken Judas. We schoten in onze kleren. Mijn jurk was nog klam, mijn maag van streek, dus was ik dankbaar voor de beschutting van zwijgen. Buiten, in de bittere kou, was het een heldere dag, en de kartelige, beschadigde gevel van het gebouw kraste tegen een hard blauw email. Bij de polikliniek rende Giulio naar binnen en haalde de Savant alsof hij hem toch zou hebben gegeven, alsof dat buiten kijf stond. We reden zwijgend naar de Pettywards. Zodra we stopten sprong ik uit de auto. Maar toen ik het achterportier opendeed, deed Giulio dat ook. We trokken de Savant een poosje heen en weer. Hij keek me treurig aan. Ik liet los. Overdreven voorzichtig trok hij het instrument naar buiten, bracht het me en zette het op zijn voet zodat onze lichamen verborgen waren tussen de cello en de auto. Onder die dekking legde hij zijn hand op mijn buik.

'Vergeet je cello niet,' zei hij zacht.

Ik deed een stap naar achteren. Ik heb liever dat dingen gewoon aflopen, zonder omhaal.

'*Ahme*, Isabella,' zei hij treurig, met wegstervende stem.

Hij kuste me. Niet op mijn lippen maar erboven en een beetje ernaast. Een opzettelijke onhandigheid. Helemaal niet seksueel. Alleen maar zacht, als genegenheid.

En toen de kus langzaam daalde en de bodem peilde, zei hij: 'Dat had je allemaal niet voor me hoeven doen.'

Mijn gezicht brandde. 'Ik sterf van de kou,' zei ik en wilde zo graag wegrennen dat ik de Savant bijna voor de tweede keer achterliet. Ik duwde mijn sleutel in de deur van de enorme houten portone, sloot die zachtjes achter me en hoopte dat ik hem nooit meer zou zien.

II

(zoals een vuist zich ontvouwt)

Een trommelvlies hoeft maar een miljardste centimeter te vibreren – minder dan de diameter van een waterstofatoom – om een geluid de drempel van het gehoor te laten oversteken. In het gemiddelde oor laat dat een hoop ruimte voor toestroom en overlapping van geluiden. Voor het gelukkige wonderkind dat minuscule amplituden en hondenbereiksfrequenties opvangt, is de lucht zelf een indringer. Stel je voor dat je uit een vliegtuig stapt, net doet of je staat te wachten bij de bagageband, en vervolgens een koffer een groezelige, verlaten bus in sleurt met een cello op je rug gebonden. Stel je een neonduistere steeg vol dronkenlappen voor. De straat waar de lantaarns kapot zijn. De gammele veranda met zijn sponzige, rottende kleed en de treden die het bijna begeven. Stel je een bloedhete nacht voor in een bordkartonnen huis, op de bank in de zitkamer van een tante die je één keer heb gezien – meer een kerkhof, met de kapotte tv, de kapotte relaxfauteuil, de kapotte hi-fi (kapot gekocht om het huis een beetje standing te geven). Stel je voor dat je op een morsige sofa ligt, vastplakkend aan de bekleding, luisterend of een naad in je cello zal knallen zoals instrumenten dat doen in de tropen. Je tante snurkt; het grommen en blaffen dat uit de bar op de hoek spuugt, verzacht tot neuriën dat eindelijk toegeeft aan de nacht. Je geest vertraagt tot een sluimering. Dan sta je over Yuri gebogen en blaast op het fluitje waarop je naar hem blies in zijn slaap om hem uit zijn nachtmerries te schudden. Je schrikt wakker. Ligt stil. Stemt beter af. Het is de fluitketel van een slapeloze. Een gebrul van heavy metal vanaf de snelweg spoelt het geluid weg. Dichterbij draait een startmotor steeds opnieuw, in een vergeefse poging tot ontsteking. Er is het dreunen van een bellende radioluisteraar die moet uitleggen. Boven een uitzinnig heen en weer van stofzuigen – een wanhopige vrouw stofzuigt – klinkt het krijsen van een krolse kat. En trieste, huiselijke snikken. De stofzuiger, de fluitketel, het krijsen en snikken deinen op een viersporenoceaan van ingeblikt tv-gelach dat mijlenver wegebt en aanzwelt. Je bent zeeziek. De tante snurkt voort. Zij en de rest van de wereld leven in een gedempte doofheid die vroeger een massale domheid leek waar jij van verschoond was. Hier in Milwaukee begrijp je dat de storing bij jou ligt.

De glinsterende stilte die ooit de concerten zegende, verdwijnt. In plaats daarvan is er kuchen. Keel schrapen. Het ritselen van snoeppapiertjes. Een geslis dat de eerste noot vervormt. Nu hakt de beroemd lichte *ponticello* als een ijzerzaag op de snaren. Een maand voor de dood van mijn ouders had een pianist die mijn Zauberflöte-variaties begeleidde de piano dichtgesmeten: Of je *verbant* je emoties, riep hij, of je houdt die emoties in het lichaam *gevangen*! De veertienjarige winnares van de Tsjaikovsky had deze uitbarsting weggewuifd als een overgevoelige aanval van Weense nostalgie, een klunzige poging om Beethovens sombere variaties op te schuimen met mozarteaanse duizelingen. Nu de stilte weg is, wordt het duidelijk dat emoties inderdaad gevangen zitten, niet alleen in het lichaam, maar overal, en wachten om los te barsten. Van twaalf rijen ver klinkt de knip van een enveloptasje

– hetzelfde *ke-klik* van dat van je moeder. Dan beeft de A die je speelt als het dronken zoemen van een mug.

Yuri haatte mijn tante Carmela, de tweede vrouw van zijn stiefbroer. Lev had eenentwintig maanden Bergen-Belsen overleefd om dood te gaan op de dag dat een vliegtuigje het kantoor waar hij portier was binnenvloog – en dat allemaal omdat Carmela hem op zondag liet werken, zei Yuri. Ze hadden niet meer met elkaar gesproken sinds de scène op de bruiloft van mijn ouders, toen zij, net op het moment dat mijn ouders elkaar de taart voerden, begon te jammeren. Hoewel ze zelf dol was op opera, vond ze dat haar zwager zou moeten weten dat operazangers losbandige bohemiens waren die in groezelige hotelletjes logeerden. Bovendien kwam Renata uit het noorden. Zuid-Italianen gebruikten een woord, *ruspante*, wat betekende dat je in de aarde foerageerde op zoek naar kastanjes. Het betekende dat je een vindingrijke, boerse overlever was. Dat was Renata niet. Toen Carmela klaar was met haar aria, keerde Yuri zich naar mijn moeder met taart en zei: 'Mond open'. Het was een standaard grapje tussen mijn ouders: als Yuri tijdens het eten in een van zijn eeuwige, monumentale onvredes met de wereld wegzonk, hield mijn moeder hem een broodje voor en zei: 'Mond open'. Of als mijn moeder dacht dat ze slecht had gezongen, wees Yuri naar de achtertuin om haar op foeragetocht te sturen.

We kenden de buren bij wie ik logeerde nauwelijks; toen Carmela met haar bagage ten tonele verscheen was iedereen opgelucht dat iemand, wie dan ook, bereid was me onderdak te geven. Het bleek dat Carmela had willen zingen, en dacht dat ze talent had, dat ze zich buitengesloten voelde uit het chique glamourleven dat mijn moeder in haar verbeelding leidde. Nu zag ze haar kans schoon. Ik had griep, een infectie waardoor mijn oren dichtzaten; toen ik in bed lag vond ze het adresboek van mijn moeder, belde mensen die we nauwelijks kenden om ze uit te nodigen, kocht zakken vol etenswaren met het chequeboek van mijn ouders om te koken in de gigantische pannen die ze uit Milwaukee had meegenomen. 'Voor de gelegenheid,' zei ze voortdurend. Carmela veranderde een receptie voor een Russisch-joodse atheïst en een Italiaanse Callas-adept in een geregisseerde katholieke wake met haarzelf in de sterrol van martelaar-heilige. Wanneer er iemand was van wie ze dacht dat hij beroemd was, klemde ze me tegen haar borst. Yuri had twee gepensioneerde Griekse hulpen, beiden boven de zestig, die hij inhuurde voor losse klussen en die werkten als conciërge in de Met. Carmela rechtte haar rug, gooide haar boezem naar voren en vroeg hun advies hoe ze op moest komen. Na een half uur liep ze de drie treden naar de overloop bij de woonkamer op en barstte los in een angstaanjagende a capella vertolking van *Vincerò* die binnen een kwartier iedereen op de vlucht had gejaagd. Daarna stampte ze rond, at de overgebleven hapjes, dronk de onopgedronken drankjes en vloekte mijn ouders stijf. Ten slotte zakte ze in elkaar in een leunstoel en snikte onophoudelijk 'Mijn enige kans'. Toen dat achter de rug was, pakte ze de telefoon. Yuri liet me nooit een concert missen, hij had al tickets gekocht voor Oslo en Amsterdam waar ik geboekt was met het Concertgebouworkest, later die maand. Maar Carmela wenste niet te geloven dat ik degene was die het geld verdiende; ze maakte zichzelf wijs dat de I. op het ticket voor mijn moeder stond, dat mijn moeder een andere voornaam had, vóór Renata, die met een I begon. Ze belde de luchtvaartmaatschappijen om de tickets te verzilveren. Twee dagen later, toen ik thuiskwam van de supermarkt, zag ik haar in een taxi stappen, in de nertsjas. Het briefje daagde me uit in mijn eentje zo beroemd te blijven.

Yuri had me altijd alleen op de hoogte gehouden van ons reisschema – en zelfs van mijn programma's – voor zover dat strikt noodzakelijk was. Pas na het eerste telefoontje dat vroeg waar ik bleef, in Milwaukee, besefte ik dat ik hen niet had gevraagd in het wrak naar de harmonicamap te zoeken waar hij mijn afspraken in bewaarde. De mare deed snel de ronde. De meeste brieven die werden doorgestuurd waren nu afzeggingen. Ik nam de bus naar de stad, naar warenhuizen, en deed net of ik verdwaald was, om de interlokale telefoontjes te kunnen plegen. Bij de weinige opvoeringen waar ik wel kwam opdagen, stortte ik in. Vlak voordat ik opkwam, besloot ik bijvoorbeeld dat de notaties bij een stuk verstikkend waren, een doodvonnis, en probeerde het tegenovergestelde te spelen. Ik kwam door de eerste ronde van een concours en dan studeerde ik voor elke volgende ronde steeds minder, eerst bij de tv – *Die BOIS*, hoorde ik Yuri nog bulderen – en toen helemaal niet meer. Ik daagde ze uit het te merken. Toen ik mijn eigen cadenza bij een suite van Bach improviseerde en toch de prijs won, begreep ik dat het luisteren verdwenen was, dat mijn spel niet langer hoorbaar was, want wat die schoonheidswedstrijdjury hoorde, wat die musicologische *taxidermisten* in hun oren hadden, was mijn naam. In die tijd schreeuwden ze nog steeds om *Isabel Masurovsky*, hoe ze ook speelde. Omdat ik zo jong de Tsjaikovsky had gewonnen, *niet sinds Yehudi Menuhin*, Yehudi, wiens spel al zoveel jaar *weg* was, wiens intonatie alle kanten uitging, die zich hijgerig liet fotograferen terwijl hij *yoga* deed met Ravi Shankar. Wat mensen de adem benam bleek niet de schoonheid van het spel, maar de bizarheid van mijn leeftijd te zijn.

(*stil, flakkerend, als een vastgepinde vlinder*) Ik glimlachte onder de blitz van cameraflitsen en voelde mijn gezicht afplatten tot een kiekje. De voorzitster van het concours in Champaign-Urbana overhandigde de cheque, zo blij dat *De Isabella Masurovsky* tijd had willen vrijmaken om mee te dingen. Ze stond erop die Isabel – geromantiseerd tot een soort Prinses Isabella – complimenten te maken over haar *japon*. Isabella sprak haar niet tegen. Ze vertelde dat ze met Wanda Landowska had gespeeld in diezelfde japon, en zag vervolgens haar glimlach inzakken toen ze besefte dat Landowska al zeker vijfentwintig jaar dood was.

Alsof dat niet genoeg was, gaf ik het geld weg. Aan een of andere misleide liefdadigheid in Bloomington waarvan de directeur op de receptie was voor een fotosessie. Zijn plan hield in orkestmusici naar een school voor gehandicapten te sturen, om kinderen met degeneratieve ziektes te leren strijkinstrumenten te bespelen. Zodat op het moment dat die kinderen iets van techniek hadden ontwikkeld, hun motorische aftakeling de uitvoering heel passend weer terugbracht bij nul. Waarschijnlijk was ik bezig een bloedverwant van mijn moeder, een of andere uit het oog verloren neef of nicht, uit te dagen om zich te vertonen en me terecht te wijzen. Ik herinner me hoe voldaan ik was dat ik zo'n volmaakt stumperige zaak had gevonden om de prijs te lozen. Mijn tante mokte. Caruso kreeg met een kruiwagen uitbetaald tijdens de pauze; ik haalde dit soort stunts uit. Carmela rotte al weg van de kanker en bereidde zich voor op de dood alsof het een première was: met het geld dat ze in het bankboekje van mijn ouders vond, kocht ze een witte balletjurk, witte balletschoenen, een witgelakte doodskist met witsatijnen bekleding, alles passend bij het lichaam dat ze had laten liften en innemen en straktrekken. Die ochtend had ze een afspraak met een cosmetische tandarts voor jackets omdat ze met 'fatsoenlijke tanden' wilde sterven, zoals ze zei. Nu plunderde ze mijn koffer, vond mijn ene opname en belde de platenmaatschappij; het bleek dat Yuri afstand had gedaan van de royalty's om mijn moeder en mij in staat te stellen naar de Tsjaikovsky te reizen in de stijl die ze gewend was. Toen kwam er een brief die de executie van ons huis in New Jersey aankondigde. De rest van de dag verstopte ik me in een biechtstoel in de basiliek van St. Josaphat, en sloop pas terug naar huis toen Carmela al sliep.

Ik droomde hoe mijn moeder op het podium in haar zijden kimono een briljant cellostuk zong dat ze op een zolder in Terezin had gevonden. Ik probeerde haar te roepen, haar zover te krijgen dat ze mij vertelde hoe ik het moest spelen. Hoorde lucht naar buiten sissen in plaats van woorden. Er waren eindeloze tochten in treinen, eindeloos ontsnappen het kamp ín, onder hekken doorkruipend, om Yuri te zoeken en te vertellen dat ik zijn plaats zou innemen. Als ik wakker werd in het duister, in een kluwen zweterige lakens op Carmela's bedbank, wist ik dat ik te ver van de oprit van de snelweg waar mijn ouders verongelukten was overleden om ze te kunnen vinden. Ik draaide ons nummer in New Jersey op Carmela's oude zwarte telefoon met draaischijf, tellend tussen de getallen, tellend voordat ik de schijf terug liet schuren naar nul, tellend voordat ik ophing en opnieuw begon – alles voor een fermata van een halve seconde, terwijl de oproep zich een weg baande naar het oosten, toen mijn ouders nog hadden kunnen leven.

Mijn drie weken op de middelbare school, Bayview, waren een ramp. Ik was wel zo slim om mijn verleden of wat ik gedaan had niet te onthullen, maar ik was al jaren niet meer naar school geweest, en zonder het wonderkind-celliste-gedeelte was er een enorme leemte. Ik kon mijn rooster niet ontcijferen, of experimenten doen met chemische stoffen; kon niet gemeenschappelijk douchen na gym; kon niet luisteren naar preken over het Belang van Huiswerk Maken en de Noodzaak je Vinger Op te Steken. Ik kon mijn vingers niet verhinderen te oefenen, in hun domme paniek, onder het tafeltje. Ik kreeg de afstandelijke pseudo-concentratie die de andere kinderen professioneel beheersten niet onder de knie. Als ik een beurt kreeg, bleef ik nergens. Ik schrok me een ongeluk van de bel aan het eind van de les.

Voor ouderavond moesten we van de handenarbeidleraar houtsneden van onze familie maken. Ik deed iets met reizen: mijn cello als de Ark van Noach in de zondvloed, met mij erop. Zorgvuldig sneed ik gele vlammetjes op het bovenblad zodat mensen zouden weten dat het esdoorn was. Bayview was enorm, dus zouden er een hoop ouders zijn; wanneer ik optrad, nodigden mensen me altijd bij hen thuis uit; als ik de opdracht echt goed uitvoerde, dacht ik, zou een aantal van hen me uitnodigen bij hen te komen wonen. Ik dacht dat het feit dat er ouders rond mijn werk samendromden, dat hun kinderen me aanwezen, betekende dat het geweldig ging. Toen vroeg de jongen die achter me zat, van wie ik heimelijk dacht dat ik hem wel leuk zou vinden, waar mijn ouders waren. Ik gaf geen antwoord. Hij vroeg waardoor ik altijd zo van de wereld was. Ik zei: 'kamermuziek'. Het was het enige dat ik van mezelf prijsgaf, maar op een of andere manier keek hij dwars door me heen. 'Als in martelkamer?' vroeg hij met een glimlach. 'Als in gaskamer,' zei ik, want het had geen zin meer om te doen alsof. Toen liet hij me een foto zien van een rockband op de achterkant van zijn schrift, mannen in strakke luipaardpakken met lange, psychedelische tongen. Een deel van mij snapte zijn heavy metal, snapte hoe het aanbidden van lelijkheid een manier zou kunnen zijn om zo'n lelijk leven draaglijk te maken. Snapte dat Yuri's idee dat je je altijd een pad naar veiligheid kon hakken, als wat je hakte maar mooi genoeg was, nooit zou werken. Ik liep naar mijn tafeltje, schreef een nepbrief van mijn tante dat ik verhuisd was, propte hem in een envelop van de sociale zorg die ik als boekenlegger gebruikte, en liet hem in de brievenbus van de directeur glijden. Op weg naar huis scheurde ik de houtsnede in kleine snippers en verstrooide hem vanaf het viaduct over de snelweg door de mazen in het hek.

In september waren mijn derde en vierde vinger nooit meer niet gevoelloos. Na de Tsjaikovsky had Georg Solti me mee uit eten genomen in New York om me te vragen het herfstseizoen in Chicago met de Sjostakovitsj te openen. Natuurlijk hadden ze tegen die tijd over me gehoord, dus toen ik verscheen voor de repetities hadden ze een vervanger. Solti was nergens te zien. Ze lieten een fluitiste van het orkest mij naar de laatste stoel van de cello-sectie leiden. Ze zette onhandig mijn muziekstandaard op en haalde een blikje fris voor me, alsof ik iets kwetsbaars was, iets kapots, wat niet zo verwonderlijk was, neem ik aan, omdat zij en het halve orkest achter me hadden gespeeld in Madison, als gretige bijna-afgestudeerden, toen ik op mijn tiende de Elgar deed. Ik ging niet in discussie. Ik had al dagen krampen; de dag daarvoor was ik gaan bloeden. Het bloed bevestigde dat mijn jeugd een vergissing was geweest, dat mijn toekomst weglekte. Toen we begonnen te repeteren wenste ik dat ik mee kon weglekken, wenste ik dat mijn geest een oplosmiddel kon uitvinden om mijn lichaam op te lossen, stelde ik me voor hoe mijn ingewanden uit de top van mijn vinger sijpelden, langs een snaar en langs de steunpin, en een plasje vormden op de grond tot ik plat en hard en onzichtbaar als vernis was. Toen begonnen we en hoorde ik mezelf weer. De meeste musici die de mist ingaan horen alleen hun bedoeling. Maar hoewel mijn ledematen me hadden bedrogen, bleven mijn oren trouw. Van mijn gehoor heb ik nooit rust gekregen, zal ik nooit rust krijgen. Dus midden in de uitvoering, waarbij ik *noot* na *noot* na *noot* verdroeg, nam ik het voor de hand liggende besluit.

Clayton was ondoordringbaar. Hij had geneuried tijdens mijn sollicitatie, tijdens het eten, en elke keer tussendoor als ik hem zag. 's Ochtends kwam het er dromerig uit, een zachte, hese deken die uit de slaap was gesleept; 's middags was het geluid een wazige, hypnotiserende wolk zonder melodie. Tijdens het avondeten met zijn vader zat zijn keel dicht en was het neuriën een dichte muur van noten; 's avonds tijdens de lessen een bad van pentatonische melancholie. Soms bleef hij eindeloos op een noot hangen, met alleen een pauze om adem te halen. Ik wist dat ik helder moest denken om het lichaam van signor Perso te kunnen vinden. Ik wist ook dat mijn geest niet helder zou zijn tot ik hem gevonden had. Maar het neuriën etterde in mijn oor als een infectie. Waar ik ook naar signor Perso zocht, overal hoorde ik het. Op het laatst sloop ik af en toe de achteringang van de Scala binnen tijdens repetities en ging tussen de rijen stoelen liggen om het te verdrijven. Gelijdelijk aan sloot ik vriendschap met een priester in de basiliek, in de hoop dat hij me zou vertellen waar ze het lichaam heen hadden gestuurd na de dienst, door te doen of ik joods was en overwoog me te bekeren, hoewel ik maar halfjoods was, van Yuri's kant, en joodsheid bovendien via de moeder door werd gegeven, zodat ik het dubbel niet was. Ik had achterhaald bij welk bureau de rechercheurs hoorden. Ik staarde in de etalageruit van de kantoorboekhandel aan de overkant, waar de ingang van het politiebureau in weerspiegeld werd, en repeteerde een verhaal dat ik had voorbereid voor het geval degene die niet de neef van de begrafenisondernemer was naar buiten kwam. Ik hing rond in vioolbouwersateliers, waar ik me opmaakte om een stukje hars te jatten, en half en half hoopte een flard gesprek over hem op te vangen, omdat ik mezelf voorhield dat hij tenslotte uit Milaan kwam. Signor Perso was klaargemaakt voor een begrafenis, dus normaal gesproken zou hij rechtstreeks naar het armenkerkhof zijn gestuurd. Maar toen ik naar het gemeentelijke kerkhof sjokte, vertelde de opzichter me dat hij alleen de grafdelvers organiseerde, dat het lijkenhuis het register van de percelen bijhield. Bij het lijkenhuis kreeg ik geen gehoor.

Altijd als ik een deel van mijn verdiensten wilde gebruiken om ons weg te krijgen van een desolate plek waar we gestrand waren, zei Yuri dat er overal uitwegen waren, dat ik ze moest leren kennen. Hij had een doorgang gevonden in de holle ruimtes in de muren van Theresienstadt, waardoor hij ontsnapt zou zijn als dat niet had betekend dat hij zijn ouders moest achterlaten. Maar een doorgang is alleen een optie als je een beeld hebt van waar die naartoe leidt. Waarschijnlijk had ik het lichaam van signor Perso niet gevonden om dezelfde reden dat ik het kwijt was geraakt, namelijk dat ik me niet kon voorstellen wat ik zou doen als ik het eenmaal had. Om signor Perso te begraven zou ik zijn geld moeten vinden. Maar zonder zijn paspoort zou geen van de banken onthullen of hij een rekening had. Toen ik terugsloop naar ons oude pension om het te halen was het Joegoslavische meisje weg uit de kelder en zat het berghok van de portier op slot. Ik wist niet of meneer Pettyward echt op het

Amerikaanse consulaat had gewerkt, maar hij leek een hoop contacten te hebben; iedereen met wie ik daar te maken kreeg zou hem misschien kennen. Ik belde op onder een valse naam. Om een vervangend paspoort te krijgen, zei de ambtenaar, had je geld nodig. Bovendien, als ik het duplicaat zonder hem wilde krijgen, zouden de Italianen een huwelijkscertificaat eisen. De *Anagrafe* overtuigen dat we een burgerlijk huwelijk hadden, zei hij, was een transactie die buiten Amerikaanse jurisdictie viel. Daar bedoelde hij smeergeld mee, begreep ik.

Ik ging elke ochtend vastbesloten op pad. Maar wanneer ik op Clayton wachtte in het wegstervende avondlicht leken mijn omzwervingen de absurde cirkels van een geest die vertroebeld was door verdriet. Ik maakte fouten. Ik onderbrak Clayons geneurie om hem zover te krijgen dat hij ging praten. Toen hij zijn moeder verloor, was Clayton ongeveer even oud als ik op de avond van mijn debuut, dus toen we op een ochtend met de lift naar beneden gingen, kwam ik op het idee hem te vertellen wat we gemeenschappelijk hadden, dat mijn ouders bij een ongeluk waren omgekomen. Als je geen rust in je geest hebt, maak je fouten. Hoewel ik hem over het ongeluk vertelde alsof het niets te maken had met mij, met hoe ik in Carnegie Hall speelde, werd zijn geneurie gespannen, als een geknevelde schreeuw. Normaal liet hij zwijgend toe dat ik hem naar school bracht. Nu stapte hij uit de lift en rende alleen de binnenplaats over.

Het begon me toen te dagen dat dit de overeenkomst was die hij met mij gesloten had, die eerste avond, door me niet te verraden. Clayton zou nooit vragen waar ik vandaan kwam, waarom mijn ogen altijd opgezwollen waren, of waarom ik cello speelde zonder geluid. In ruil daarvoor mocht ik me nergens mee bemoeien. Hij mocht komen opdagen voor lessen wanneer hij maar wilde, mocht urenlang uit het raam dirigeren, mocht neuriën in plaats van praten, mocht gewoon weigeren te spreken. Dat was waarschijnlijk de manier waarop hij zich op school en tegenover zijn vader handhaafde: hij vond ergens een zwak punt in het systeem en wrikte zich in de barst. De geluidsapparaten van meneer Pettyward – die waren een fort, gebouwd als bescherming tegen zijn zoon.

Avond na avond zwoegde ik in de muziekkamer op de viola. Clayton speelde niet en hield zich niet stil, aanvaardde geen onderricht en wees het niet af. Wanneer hij kwam opdagen, was zijn ritueel altijd hetzelfde: hij sjokte binnen in zijn gewatteerde parka, liep ijskoud langs me heen en schoof het raam rammelend open. Met een bezem leunde hij naar buiten en veegde de richel. Hij opende een leren koffertje dat vol leek te zitten met prullen en stukken gereedschap waar hij een tijdje mee rommelde. Zodra hij tevreden was, nam hij zijn dirigeerstok, friemelde ermee, stak hem uit het raam en dirigeerde zichzelf onder oneindig geneurie.

Het was als een krant lezen naast een brandend braambos: daar stond hij, omringd door kostbare muziekinstrumenten, en toch voelde hij geen drang, geen behoefte te leren spelen – zelfs geen nieuwsgierigheid. Het leek niet te bevatten. Maar aan de andere kant neem ik aan dat mijn gestumper op de viola niet echt veel inspiratie bood. Het was mijn taak om de leraar te zijn, maar waar ik goed in was, was luisteren, en tussen de oneindige noten die hij neuriede was geen weg naar binnen. Ondergedompeld in zijn akelige valse tonen verlangde ik naar een stel notaties om te volgen, naar een uitbarsting van Yuri die ons tot de orde schold. Ik begreep niet hoe hij zich zo gemakkelijk kon afkeren, zo weinig belangstelling kon hebben voor een vaardigheid die van pas zou kunnen komen als al het andere mis liep. Clayton leek zich geen wereld voor te stellen waar al het andere mis zou kunnen lopen.

Op een dag liep ik de hele middag rond, door hagel en sneeuw, op zoek naar de basiliek waar de herdenkingsdienst was gehouden. Hij was maar tien minuten rijden van het appartement van de Pettywards; als ik in steeds grotere cirkels rond het appartement liep, dacht ik, zou ik hem zeker vinden. Aan het eind van de dag ging ik terug naar het appartement, overdekt met natte sneeuw, bevroren, net op tijd voor het avondeten. Meneer Pettyward was er niet; Clayton zat al, en las een stripboek. We aten de ovenschotel die Marta had gemaakt in stilte. En na die stilte – ik weet niet hoe lang die duurde – was het tot me doorgedrongen dat ik nooit meer een spoor van signor Perso zou vinden. En die avond in de muziekkamer kon ik niet langer de maten die ik speelde onder controle houden tegen de zijne in. Toen hij zijn ellebogen hief, zette ik de viola onder mijn kin, telde tot ik een opening vond, en deed waar ik goed in was.

Maar het was als stotteren: ik ging van het ene stuk naar het andere, stotend naar zijn bewegingen, versnellend, vertragend met de onnavolgbare rukken van zijn hand. De hortende, grillige partituur in zijn geest leek een beetje op Schönberg met epilepsie. Toen wees Clayton met zijn stokje naar rechts, ik veronderstelde om de houtblazers een teken te geven, en ik dacht dat ik wist wat hij bedoelde. Ik viel in bij het tweede deel van de Haydn. Hij leunde naar buiten om de nacht in te kijken en bracht zijn handen weer bij elkaar. Omdat ik dacht dat hij een overgang bedoelde, hield ik mijn strijkstok midden in een streek stil. De hars die ik had – ik had uiteindelijk een stukje gestolen – was veel te kleverig. De lichte ruk van zijn hoofd zag ik aan voor een nieuwe aanwijzing. Zijn stokje hobbelde, ik viel weer in op de neerslag. De spieren in zijn rug verstijfden, bewegingloos. Mijn strijkstok haperde weer. Clayton ramde het raam dicht op zijn stokje, draaide zich om, liep de kamer door en ging tegenover me zitten. Hij keek me aan met de verachtende blik die hij vaak op zijn vader richtte. Ik voelde hoe ik bloosde. Doordat ik wist dat ik bloosde ging ik nog harder blozen. Hij begreep dat ik hem niets te leren had op de viola, dat het spelletje dat ik met zijn vader was overeengekomen een volslagen, complete zwendel was. Ik reikte onder mijn stoel en ging verzitten. Clayton reikte onder zijn stoel net als ik en ging op de zijne verzitten. Ik sloeg mijn benen over elkaar. Hij sloeg de zijne over elkaar. Ik durfde me niet meer te bewegen. Hij dreigde mijn publiek te worden, als ik keek. Er leek geen andere keuze dan de les af te maken zonder hem, dan hem demonstratief alleen te laten.

Ik pakte de viola, staarde naar de vloer, en ragde er een passage uit.

'Zo?' fluisterde ik zachtjes, als een leerling.

'Het is *adagio*, niet *andante*,' zei ik met mijn krachtige lerarenstem.

Ik herhaalde de passage, weer als beginner, deze keer dichter bij het juiste tempo. 'Zo goed?'

'Beter,' meldde ik.

Ik acteerde de les, heen en weer, met bonzend hart. Ten slotte draaide Clayton zich om en ging terug naar het raam. Maar daarna hield ik mijn hoofd gebogen. Een tijdje later ging Claytons telefoon en liep hij weg. Plotseling werd ik bevangen door enorme jaloezie: belachelijk genoeg wilde ik weten met wie hij praatte. Om mijn drang om af te luisteren te beheersen ging ik naar het raam en deed zijn koffertje open. En hoorde hem niet aankomen. Toen Clayton zijn keel schraapte, stond ik te staren naar de dwarrelende sneeuw in zijn presse-papier van de Bastille en na te denken over hoe Yuri had overleefd hoewel dat niet de bedoeling was geweest, hoe ik geboren was, hoewel mijn moeder geen kinderen kon krijgen – hoe ik was opgevlogen toen ik mijn moeder hoorde zingen en naar de kelder was gegaan om te leren spelen, hoe ik tot de luchter van het theater omhoog was geschoten toen ik mijn naam bij de Tsjaikovsky hoorde, en vervolgens was neergetuimeld in de achterbuurt van tante Carmela. Net als de sneeuw in Claytons presse-papier leek mijn leven gevangen in het universum van iemand anders, verstoord door een grotere hand. In dat ene ogenblik begreep ik dat het fout zou zijn te denken dat ik geland was, dat mijn val het laagste was dat ik kon bereiken. Op dat ogenblik schraapte Clayton zijn keel achter mijn hoofd. Het geluid was eenvoudig, als iemand die de haan van een pistool spant, en de presse-papier viel uit mijn hand. Ik had me moeten gedragen als een leraar, als een *meester*, en mijn rug recht moeten houden. In plaats daarvan hurkte ik en raapte hem op als een gevangene.

De beslissing om de kam te veranderen was absoluut geen voorbereiding om de Savant hardop te bespelen. Een nieuwe kam plaatsen is een bespiegeling over spanning, een oefening in evenwicht, niet een voorbereiding om vrij te laten. Het is een klus voor een vioolbouwer, een klus die een musicus uit ongeduld of arrogantie doet, en verknoeit, waarna hij een vioolbouwer zoekt om het over te doen. Het idee was gewoon om onze stagnatie te polijsten met een patina van vooruitgang, om tijd te winnen.

Ik had de gesneden vinger zo lang mogelijk verbonden gehouden – hij was ontstoken, zei ik tegen meneer Pettyward, en geen aangename aanblik – tot we elkaar op een ochtend in de keuken tegenkwamen. Meneer Pettyward zei dat hij een afspraak had gemaakt met de dokter om naar mijn vinger te laten kijken. Dat was de dag dat de infectie definitief ten goede keerde. De volgende avond was hij op wondere wijze genezen; tijdens het eten vertelde ik meneer Pettyward dat ik de A-snaar zou vervangen. De avond daarop betrapte hij me, toen ik gedempt zat te spelen. Hij liep de kamer in, hurkte naast de klankkast van de Savant en vroeg of ik het vernis niet in gevaar bracht. Ik zei dat ze deze zijden sjaals speciaal voor dit doel maakten. Hij knikte en liet me mijn gang gaan. De volgende avond was hij er weer. Ik legde uit dat ik een van de subtielere punten van het stuk uitwerkte, dat het een manier was om je spieren te trainen, net als een schaatser die figuren draait, voordat je op vol volume speelt. Hierop stak meneer Pettyward zijn hand uit en trok de sjaal uit de *f*-gaten.

Ik spoelde de enige begeleidingstape die ik in mijn tas had door naar het langzame deel van de derde sonate voor viola da gamba van Bach, een stuk waarvan ik hoopte dat het, ondanks de opname van Rose-Gould, zo esoterisch was dat hij het niet goed zou kennen. Mijn plan was de donkere openingsfrase binnen te glijden, te pauzeren bij de cesuur, en achteloos over toon te babbelen. Ik dacht dat het een opname van mij op de piano was. Maar het was signor Perso die speelde, en net toen ik begon, zag ik hem, naakt en verschrompeld over het toetsenbord gebogen. Op hetzelfde moment kwam er een bizar geluid uit mijn strijkstok. Ik was vergeten het instrument te stemmen.

Er verzamelde zich een cholerisch netwerk van rimpels op het voorhoofd van meneer Pettyward. Ik probeerde een grapje te maken over Leonardo da Vinci die een briljant militair strateeg was, dat het aanleggen van kanalen in een vochtige stad als Milaan zijn manier was geweest om de waarheid van zijn essay 'Verdediging van de schilderkunst tegen de muziek' – of tenminste tegen snaarinstrumenten – vast te leggen. Het spreekt vanzelf dat het niet aansloeg. Ik boog me om te stemmen. Meneer Pettyward probeerde te helpen door een C te doinken op zijn belachelijk valse Bösendorfer. Om hem te laten ophouden moest ik het absolute gehoor ter sprake brengen.

Meneer Pettyward vroeg of ik überhaupt geluid uit de Savant had gekregen. Mijn reactie was de schroef van de C-snaar los te draaien en de opening van de sonate van

Kodaly eruit te knallen. Hij fronste zijn wenkbrauwen. Ik zei dat ik een absoluut gehoor had – kon ik niet horen hoe ongelooflijk ik ernaast zat? Ik legde de *scordatura* uit, dat in de partituur van Kodaly de C-snaar lager wordt gestemd, op een B. 'Natuurlijk,' zei hij plechtig. '*Scordatura.*' Ik herhaalde de openingsmaten zo hard mogelijk. Hij vroeg of het de hele tijd zo verder ging. Ik was niet in staat geweest veel verder te komen, zei ik, omdat de hoge kam de snaarlengte te kort maakte. Bovendien was de snaarspanning te laag.

Meneer Pettyward liep naar het raam en opende het plotseling, stak zijn hoofd naar buiten, keek beide kanten uit over de richel, kwam weer overeind en sloot het. Hij kwam net van een recital, zei hij, in de Libreria Ambrosiana. De pianist was een zoon van zijn vriend Nelson, die zich op het Busoni Concours had *geplaatst*. Hij was onder andere onder de indruk geweest van de *precisie* van de jongen. Echt het soort joch dat concoursen wint, dacht ik – een luide, snelle, volmaakte rammer. Meneer Pettyward zei dat het hem op een idee had gebracht. Met het oog op zijn verjaardag en de komende feestdagen zou ik me in een lastig parket bevinden, wat cadeaus betreft, begreep hij. Om de druk op mij te verlichten had hij gedacht: Waarom niet twee vliegen in één klap.

Hij hurkte naast mijn stoel en legde zijn hand op mijn onderarm. Wat we wilden, zei hij zacht, was dat Clayton een klein recital gaf. Iets dat impromptu leek. Hij zou het programma aan mij overlaten, hoewel, omdat er sprake zou zijn van gasten, en omdat het na het diner zou plaatsvinden, tja, de Kodaly was prima als ik hem zuiver kon spelen, maar – zijn adamsappel hupte op en neer – in het belang van een goede spijsvertering vroeg hij zich af of ik met iets charmanters kon komen.

Ik glimlachte en overwoog de mogelijkheden. In Theresienstadt hadden de gevangenen vaak hun miezerige rantsoenen soep geruild voor staanplaatsen bij de concerten, maar sommigen hadden Mozart geweigerd omdat Mozart Duits sprak, terwijl anderen alleen *Die Fledermaus* boycotten omdat die te charmant had geleken om de passende hoeveelheid leed te bevatten. Yuri had zich nooit iets aangetrokken van het droeve, tot fetisj verheven onderscheid dat andere gevangenen bedachten om zich minder hulpeloos te voelen: in onze kelder had hij geluisterd naar Strauss, huilend – Strauss, die toen hem gevraagd werd waarom hij niet had geprotesteerd toen de joodse leden van zijn orkest werden verbannen en gedeporteerd, antwoordde dat het zijn inkomen in gevaar zou hebben gebracht. Maar Yuri had geluisterd omdat Strauss Strauss was, omdat de muziek onvervangbaar was. Ik moest een lach onderdrukken, omdat ik me voorstelde hoe Yuri's lippen zouden krullen van minachting bij het vooruitzicht muziek uit te kiezen voor meneer Pettyward, terwijl er geen sprake van was dat er iets schappelijks te horen zou zijn. Op het niveau waar meneer Pettyward van droomde, zou lang voor de salon duidelijk worden dat Clayton tekortschoot, zo duidelijk dat de salon nooit plaats zou vinden. Een normaal programma zou Clayton verknoeien, en dat zou meneer Pettyward vernederen, en mij waarschijnlijk op straat zou doen belanden. Het enige dat overbleef was een programma van lachwekkend makkelijke melodieën die Clayton zou weigeren te spelen.

'Waarom niet het *Requiem* van Verdi?' vroeg ik. Het stuk vroeg om een koor van een man of honderd, plus een orkest; het was het stuk dat de musici van Theresienstadt kozen, toen de gevangenen aan het eind van de oorlog gedwongen werden om een schijnconcert in te studeren voor de inspecteurs van het Rode Kruis die het kamp kwamen bekijken. Maar net als bij de muziekkeuze van de Theresienstadters – bedoeld als requiem voor het Reich – bleef mijn kleine ironie onopgemerkt. Dit was het moment dat ik de noodzaak van een kam aankondigde.

Tijdens het eten de volgende avond ging meneer Pettyward met zichzelf in debat. Natuurlijk moest het instrument worden onderhouden, en dat betekende spelen. Natuurlijk was ik de aangewezen persoon om dat te doen. Toch was hij niet van plan meer kapitaal te investeren. Zorgvuldig leidde ik het paard naar het water. Een vioolbouwer zou de kostbare cello zien en een fortuin rekenen, terwijl een kam en een paar stukken gereedschap een relatief goedkoop experiment waren. We kwamen overeen dat ik de economische weg zou bewandelen. Wat natuurlijk complicaties meebracht. Vioolbouwers selecteren hun voorraad, drogen hun kammen zelf en hangen ze minstens tien jaar in frisse, droge lucht. Een atelier vinden met een kam op voorraad die de Savant waardig was, was vrijwel onmogelijk; een vioolbouwer overhalen zijn oudste stuk te verkopen was op zijn minst onwaarschijnlijk. Dan was er het feit dat de Savant moest worden thuisgelaten tijdens het onderzoek. Dit alles betekende meer tijd.

Elke grotere muziekstad heeft een vioolbouwer wiens reputatie als een stralenkrans boven hem hangt. Die van Milaan was de familie Leopardo geweest, sinds de tijd van het Oostenrijks-Hongaarse rijk, toen Emil Leopardo, de vioolbouwer van de aartshertog, een atelier opende in Milaan, nadat hij verbannen was van het Habsburgse hof vanwege zijn onbedwingbare gewoonte om vrouwenschoenen te stelen. In de Scala gaf een cellist die ik ernaar vroeg het adres. Hier zul je de maestro vinden, zei hij, en het woord luidde weer de doodsklok. Ik haastte me door de koude, grijze mist naar het atelier.

Er is nauwelijks een troostrijker plek te vinden dan een vioolbouwerswerkplaats. Een balsem van volmaakte vochtigheid brengt de geest in evenwicht en doet droefheid verdampen. De oude voorwerpen vormen een tempel van verering voor het duurzame. De handen houden eeuwen van kalme arbeid vast; het zijn helende handen. De woorden die gesproken worden zijn behulpzaam en tactvol. De sloten op de deuren zijn veilig. Op de eerste verdieping waren de winkelruiten donker. Toch rende ik de trap op en belde aan. Ten slotte hoorde ik langzaam een grendel draaien. Na een pauze gingen er nog twee los. De deur kierde open, de ketting er nog op en strak getrokken. Daarachter verscheen een grijsharige vrouw gewikkeld in een zwarte omslagdoek. Haar ogen stonden glazig.

'Drie dagen geleden is hij overleden,' zei ze.

Ik knikte. We stonden elkaar aan te kijken.

'De voorraad gaat naar Luhrman in Wenen.'

Ik knikte en stopte een haarlok die voor mijn gezicht was gegleden terug in mijn knot.

'*Non si può*,' zei ze hoofdschuddend.

Ik knikte weer. Haar rauwe verdriet was als hete balsem op de pijn van het mijne en ik stond voor haar, dacht aan signor Perso en absorbeerde de warmte ervan. Ze haalde de ketting los, deed de deur weer open, draaide zich toen om en schuifelde terug door een doolhof van kratten. Het atelier stond op het punt te verdwijnen. Het enige dat over was van het meubilair was een lege glazen toonbank, een klein gecapitonneerd stoeltje en een kruk.

Houten kratten, volgestopt met vloeipapier en houtwol, stonden op de grond gestapeld en tegen de muren opgetast. Het rek stond er nog, zonder dat er een enkel instrument aan hing. Ze liep naar de gootsteen, vulde een kopje met water, goot het in een gebutste metalen ketel die stond te warmen op een ouderwets elektrisch plaatje, en zakte in het gecapitonneerde stoeltje, plukkend aan het vulsel dat uit een van de armleuningen stak waar de verschoten gebloemde bekleding was versleten. Buiten begon het te regenen.

'Zestig jaar huwelijk,' zei ze, en dan sta je alleen nog dozen in te pakken.

Het water begon te zieden. Haar man moest signor Perso gekend hebben. Ik zette het af, legde een houten deksel op de krat tussen onze stoelen, pakte een kopje uit de gootsteen en waste de koffiekring uit de bodem. Ze stak een kaars aan en schonk thee in. Het donkergrijs van de kamer maakte plaats voor een warme gloed terwijl de etalageruit besloeg van de stoom. Er kwam een vermoeide glimlach op haar gezicht.

'En wat heeft hij je beloofd?'

Ik keek naar de muur tussen de twee achterramen, waar een kam, een notenbruine Belgische schoonheid midden tussen een keurig rijtje gereedschap hing. De lange, elegante poten zouden volmaakt zijn om het verstikte geluid van de Savant naar buiten te brengen. Ik had nog nooit zo'n donkere gezien behalve een keer, op de 'King', het andere overlevende meesterwerk van Amati. Signor Perso had me ooit helemaal naar Zuid-Dakota gereden om hem te bekijken. Ik popelde om signor Perso de kam te laten zien.

We dronken zwijgend onze thee. Haar hol van ellende leek de volmaakte troost te bieden en ik begon me beter te voelen. Na een tijdje merkte ze dat ik steeds naar de muur keek.

'Die had ik met hem moeten begraven. Niemand wil ze hebben. Je weet wat ze zeggen: gereedschap haat nieuwe handen. Maar ik kan ze niet weggooien.'

'Ik zou ze precies zo op een rijtje hangen,' zei ik.

'Grappig,' zei ze, 'aan de manier waarop je je handen houdt zou ik gedacht hebben dat je musicus was.'

Ze hees zich weer uit de stoel en begon het gereedschap in kranten te rollen. Ik nam een plastic tas van een stapel in de hoek en pakte in. Toen we klaar waren, haalde ze hem van de muur, stopte hem in een plastic zak en deed hem erbij. 'Die hing hier al toen hij de werkplaats van zijn vader overnam. Waarschijnlijk is hij te oud om te verkopen.'

Mijn hart begon te bonzen. Zo veel geluk paste niet bij mijn leven. Ik wilde haar vragen hem in te pakken maar natuurlijk kon ik dat niet. Ze keek me na toen ik de trap af liep en wuifde, blij dat ik haar van een last had bevrijd. Op straat deed ik een stap opzij en leunde tegen het gebouw om te verhullen hoe ik hem in mijn zak liet glijden. Toen dwong ik mezelf kalm terug te lopen naar de Pettywards, zei tegen mezelf dat hij waarschijnlijk gebarsten was. Maar in de dienstbodenkamer onderzocht ik hem. Er was geen barst. De nerf van het hout was even fijn als het hout dat Stradivarius uit Joegoslavië had geïmporteerd. De datum die in potlood op de voet stond was 1913. Wat ik in mijn hand hield was het kroonjuweel van Leopardo; hij had het nooit over zijn hart kunnen krijgen om hem te verkopen. Het was een onmogelijke mazzel.

Er zijn maar twee soorten kammen. Franse en Belgische. Die avond legde ik meneer Pettyward tijdens het eten uit hoe ik de keuze had teruggebracht tot deze twee. Terwijl ik uitweidde over de verschillende voordelen werden zijn ogen wonderlijk glazig. Eindelijk stond hij op, rekte zich uit en sloot zich op in zijn studeerkamer. In de muziekkamer pakte ik mijn schat uit zijn vloeipapier. Toen ik hem weer betastte, werd ik bijna misselijk. Of ik zou de volmaakte kam voor de Savant snijden, of ik zou hem vernielen.

Ik wachtte tot het ochtendgloren met de voorbereiding, want het laatste dat ik meneer Pettyward wilde aandoen, was mij betrappen terwijl ik een naald in het bovenblad van de Savant stak als een voodoo-beoefenaar. Toen het licht werd begon ik met meten, om aan te geven waar het verticale middelpunt van de kam zou komen. Ik stond op het punt een piepklein markeergaatje te prikken met een naald, toen ik net iets lager een piepklein wit puntje zag, precies als het teken dat ik wilde gaan maken door het gaatje te vullen met krijtstof. De oude verweerde kam, merkte ik nu, stond net boven het niveau van de inkepingen in de *f*-gaten. Mijn hart sloeg een slag over. Wat ik weghaalde, was natuurlijk de laatste kam van Vrashkansova. Haar vioolbouwer had hem hoger op de cello geplaatst, en de lengte van de snaren ingekort, om ze aan te passen aan haar kleine handen.

Ik bestudeerde de klankkast. De wrijving van de voeten van een kam schuurt de rechthoekjes lak eronder tot poeder. Onder de kam van Vrashkansova verrieden twee smalle, kale strookjes hout de plaats waar een lagere, oudere kam had gestaan. De nieuwe kam lager terugzetten, op de plek van de oorspronkelijke, zou de snaren verlengen, zoals paste bij mijn grotere handen. Tegelijkertijd bracht het een enorm risico met zich mee, want het verlagen van de kam zou betekenen dat twee kale strookjes boven de kam aan het licht kwamen, zichtbaar voor meneer Pettyward die kon besluiten dat ik iets verkeerd had gedaan. Ik borg de Savant op en ging naar bed. Het was absurd. De aanblik van een plek die altijd voor een kam was bewaard, twee vierkantjes die kaal waren blijven wachten, ontroerde me bijna tot tranen toe. Die kleine kam weer op zijn rechtmatige plek terugzetten leek een missie die ik moest vervullen, tegen elke prijs.

Vanaf de volgende dag hing ik rond bij de vioolbouwers, klagend over de dood van Leopardo. En gedroeg me bij hen alsof ze familie waren. Binnen een paar dagen was signor Perso weliswaar dichter bij me dan ooit, maar was de noodzaak om hem te vinden vervaagd. De vioolbouwers begonnen op me te rekenen. Ik gaf hen mijn tweede naam, Maria, en vertelde dat ik Masha werd genoemd. Ik trakteerde op koekjes en chocolaatjes die ik bij de Pettywards uit de kast pikte. Ze leerden hoe ik mijn thee dronk. Masha was een middelmatige musicus die overwoog in de leer te gaan bij een vioolbouwer. Het was treurig; geen van hen had ooit een vrouw ontmoet die vioolbouwer wilde worden.

Vrouwen zijn de instrumenten, verkondigde een van hen. Maar hij leerde het me toch. In de kalme rust van de donkere winter, in ruil voor het dochterlijke geflirt dat ik bood, leerde ik schaven en vormen, snijden en schuren. Tijdens het eten bij meneer Pettyward ontspon zich een langzamer verhaal. Ik bespotte de rommelige werkplaatsen die ik bezocht, de ontoereikende specimens die ze boden. Ik vertelde hem van een aanwijzing die ik had over ene Leopardo, van wie mensen zeiden dat hij de vioolbouwer der vioolbouwers was. Hoe de cellist in de Scala had gehuild toen hij me vertelde dat de maestro dood was. Terwijl ik, als ik alleen was, mijn project uitwerkte als een partituur, door het in kleine, oplosbare onderdelen te verdelen, bleef ik meneer Pettyward aan het lijntje houden. We keken samen naar het witte puntje op de klankkast van de Savant. Ik liet hem toekijken hoe ik de kale rechthoekjes op de klankkast van de Savant donker maakte met grafiet, de voetjes van de kam op één lijn zette met het puntje, en hem neerdrukte. Hij keek toe hoe ik de zwartgeworden plekken die te hoog waren afschaafde, en hem weer neerdrukte. Meneer Pettyward leek bijna gehypnotiseerd door het proces, wanneer hij de te hoge plekken zag en toekeek hoe ze werden weggesneden.

Op een avond, toen ik bijna klaar was, vroeg meneer Pettyward me zonder enige aanleiding hoe mijn Italiaans vorderde. De vraag was een normale vraag, gesteld boven een normaal bord pasta primavera. Het bloed steeg naar mijn hoofd. Toen vroeg hij of ik in het Italiaans een mop zou willen horen die René bij Jacques Français hem had verteld. 'Waarom niet,' zei ik. Hij glimlachte en depte zorgvuldig zijn mond. 'Toen de Savant uit Italië aankwam,' zei hij, 'stond de Franse hofcellist voor wie hij was gemaakt erop dat hij en zijn vrouw aparte bedden kregen. Jaar in jaar uit sliep hij ermee. Ten slotte vroeg iemand hem waarom hij niet in het bed van zijn vrouw sliep. En hij zei, "Vind een vrouw voor me die even mooi is, met twee *f*-gaten, dan zal ik mijn gewoonte opgeven".'

Hierop lachte meneer Pettyward zo hard dat zijn ogen begonnen te tranen. Ik gniffelde mee, terwijl mijn maag samentrok voor de klap.

Hij keek me recht aan. 'René zegt dat het vervangen van een kam een dag duurt.'

'Als je vioolbouwer bent.'

'Hoe lang als je jij bent?'

'Nog een dag, zei ik.'

Wat de volgende avond gebeurde, gebeurde niet omdat ik van plan was te spelen. Zoals iedereen die zijn werk goed beheerst, werd ik één met mijn werkende lichaam. De volgende avond, voor het eerst sinds ik signor Perso kwijt was, lieten mijn twee gargouilles, herinnering en verwachting, hun greep varen en vlogen weg. Mijn warreling van snode plannen kwam tot rust. Ik schaafde en raspte en schuurde en was gezegend. Zelfs toen ik me realiseerde dat ik geen sjabloon had om de curve boven op de kam te snijden, trok ik de curve van die van Vrashkansova over en ging verder. Pas toen ik de A-snaar had gespannen en de fijnstemschroef aandraaide, herinnerde ik me waar ik was. Ik keek op en zag Clayton. Zijn lichaam balanceerde horizontaal op de vensterbank. Het was alsof hij halverwege bevroren was toen hij zijn orkest in dook. Waarschijnlijk had hij besloten te springen, toen heroverwogen, en aarzelde hij nu welke kant hij op zou vallen.

Natuurlijk zou de viola de verantwoordelijke keuze zijn geweest. Als ik de kleine dwerg bij de hand had gehad, had ik hem misschien gebruikt. Aan de andere kant, wie luistert naar een viola? Gespeeld door een aanfluiting van een lerares die niet verder komt dan gepiep? Zal ik hier zeggen dat ik inmiddels wist waarom meneer Pettyward me had ingehuurd? Dat ik de laatste persoon ter wereld was die zijn zoon kon beschermen? De conclusie was dat ik in paniek raakte, de Savant oppakte, en er een enorme, bloedstollende krijs aan ontlokte. Clayton verloor zijn evenwicht. Plotseling duikelde hij naar voren het raam uit. Ik rende naar hem toe en probeerde zijn benen te grijpen, maar hij was groter, compacter dan ik dacht, zijn lichaam zwaarder dan mijn idee ervan. Totaal onverwacht had hij een mannenlichaam. Hij liet een doordringende gil horen. Onmiddellijk wist ik waar ik hem pijn deed. Ik liet los. Clayton klapte dubbel in de foetushouding en balanceerde op zijn zij – belachelijk genoeg vroeg ik me op dat moment af of Giulio's penis krom was geworden bij een ongeluk met een van de gouvernantes – en toen gleden zijn benen door mijn greep tot hij, in weerwil van de zwaartekracht, stopte. Clayton stond in een handstand op de richel.

Ik leunde in zijn kruis en legde zijn benen om mijn borst.

'Klem je enkels vast,' zei ik. 'Dan leun ik naar binnen en trek je omhoog.'

Zijn handen verschoven. Munten vielen uit zijn zak, kwamen samen en verdwenen.

'Fuck you.'

'Baby's eerste woordjes.'

Hij klemde zijn benen om me heen. Ik kreeg nauwelijks lucht. Ik leunde weg van het raam, trok met al mijn kracht, maar het leek of ik probeerde een gebouw te verslepen. Zijn benen begonnen mij van de vloer te tillen. Een seconde lang hingen we in evenwicht. In de verte hoorde ik mijn telefoon overgaan. Toen brak de greep van zijn benen en hij viel en ik bonkte als ballast tegen de vloer.

Vanaf de vloer hield ik mijn adem in. Het raam omlijstte een ordelijk raster van stadshemel. Ik leunde naar buiten om te kijken. Het enige dat ik kon zien was een sleepwagen die een auto een zijstraat in sleurde voor het schoonmaken van de straat. Ergens beneden lag Clayton verfrommeld op de stoep; de nacht had hem opgeslokt. Als het appartement van meneer Pettyward in hetzelfde district lag als het pension waar signor Perso en ik gelogeerd hadden, dacht ik, dan zou ik op geen enkele manier kunnen verhinderen dat de rechercheurs de twee doden met elkaar in verband brachten, zodra ze zagen dat ik het element was dat ze gemeen hadden.

Toen hoorde ik boven de straatsymfonie een zacht spoortje geneurie. Kennelijk had Clayton het in mijn hersens geprint, en zou het neuriën er eeuwig zijn, *van binnen*. Ik hees me overeind, ging schrijlings op de vensterbank zitten en klom uit het raam. Zelfs de buitenlucht rook naar Clayton. Toen mijn voeten de richel raakten, voelde ik voor de tweede keer het bemoedigende absolute van de ruimte voor me. Ik staarde over de donkere, woelige zee van daken, de horizontale halo van licht aan de horizon, de streep straat beneden. Wat met signor Perso jarenlang omzeild had kunnen worden, viel niet meer te omzeilen. Ik was de laatste van mijn familie, de enige overlevende Masurovksy, en leefde in plaats van de kinderen van degenen die in de kampen waren omgekomen, gadegeslagen door hun schimmen. Zelfs als Clayton dood was, en zijn *geneurie* levenslang in mijn oor bleef zitten, zou Yuri zeggen dat zelfmoord geen optie was. Maar zou springen echt een voortzetting zijn van wat

Hitler begonnen was? Zou springen dat monster in staat stellen mijn lot van over het graf te beheersen? Kon iemand echt verplicht zijn te leven voor anderen die verloren waren? En wat zou dat in het geval van mijn kapotte leven ooit kunnen betekenen?

Terwijl ik piekerde, vervaagde de drang. Toen – een kras, een vlam, een oranje vonk die gloeide. Rechts van mij zat Clayton tegen de muur, met zijn armen om zijn knieën. Ik liet mijn rug langs de muur naar beneden glijden en verborg mijn gezicht in mijn hand. Toen rook ik de rook dichterbij. Ik hield twee vingers op in een V. Hij stopte de sigaret ertussen. De rook raakte mijn bloed, vertroebelde het. Hij raapte zijn dirigeerstokje op en legde de punt ervan in mijn schoot. Er zaten een touw en een haakje aan.

'Ik was aan het víssen,' zei hij zacht.

'Waarnaar?'

Hij tilde de hengel op en liet hem voor mijn gezicht bungelen. Ik sloot mijn hand om een paar staccato trosjes. Het was een damesbroche, in de vorm van een sterrenexplosie. Ik keek hem aan. Hij was aan het vissen naar de juwelen van zijn moeder. Hij haalde zijn schouders op. Het was een kinderspelletje, en dat wist hij.

We rookten de sigaret in stilte op. Ik bedacht dat de nieuwe kam die ik gesneden had geen complete mislukking kon zijn, als de schreeuw die ik gespeeld had zo luid was. Toen een angstaanjagende schaduw van schrik dat ik zelfs maar overwoog weer te spelen, in het licht van wat één noot had teweeggebracht. Ik wierp de sigaret de nacht in en keek hoe het gloeiende puntje verdween. Clayton krabbelde overeind, nam me toen bij de elleboog en hielp me voorzichtig overeind. Hij vouwde zijn handen samen. Ik stapte erop en klom naar binnen. Hij volgde me.

'Als ik besluit te springen,' zei hij, stilstaand in de deuropening, 'zal ik je hulp niet nodig hebben.'

'Dat zal ik in gedachten houden.'

Toen Clayton weg was, sloot ik mezelf op in de badkamer. De schreeuw die ik had losgelaten op de Savant echode in mijn oor. Ik draaide alle kranen open om hem te verdrinken. Maar ik kon me er niet voor verstoppen: vanaf het moment dat meneer Pettyward voor het eerst de kist van de Savant had geopend, voelde ik het flakkeren van een gemis. Deze keer had ik geluk gehad. Maar het kon alleen een dwaas ontgaan wat ik teweeg kon brengen, als ik zelfs maar een toon losliet.

Tegen de tijd dat de decemberstraten volstroomden met winkelende mensen, hield ik op naar signor Perso te zoeken. Hun gestage hartenklop van willen en krijgen, hun fraaie pakjes, de hoop die ze bevatten – het was allemaal te veel. Mijn favoriete vioolbouwer leek inmiddels altijd het krukje nodig te hebben waar ik nu en dan een kwartiertje op had gezeten. Meneer Pettyward had de regel ingesteld dat Clayton geacht werd naar mijn kamer te telefoneren, zoals hij zichzelf ook had aangewend. Maar toen Clayton aanklopte en 'Doe open' zei, twee dagen voor Kerstmis, was ik zo dankbaar voor het gebabbel van een menselijk wezen dat ik de deur open had kunnen gooien en hem omhelzen. In plaats daarvan zei ik dat ik hem in de keuken zou treffen. Ik droeg een pyjama die ik uit zijn la had gehaald.

'Hij if thuif,' sliste hij dringend. Het slissen waar meneer Pettyward het over had gehad leek op te treden wanneer meneer Pettyward in de buurt was. Ik trok de deken om me heen en deed de deur open. Clayton hield zijn ogen dichtgeknepen. Op zijn schouder droeg hij een blad met een doek erover.

'Ik draag vandaag paarse sokken,' fluisterde hij. 'Voor het eerst.'

Hij kwam binnen, bleef naast het bed staan en stak zijn schoen voor zich uit.

'Leuk.'

'Ze zijn niet leuk. Ze zijn mooi. Je hebt het volledige effect niet gezien.' Hij zette het blad neer, deed zijn schoen uit, en wriemelde zijn voet weer onder mijn gezicht. 'Zo, wat gaan we doen?'

Zijn gezicht bezorgde me een brok in de keel: de eerste dag van zijn kerstvakantie en daar was hij met ontbijt, om zeven uur 's ochtends, terwijl hij zijn best deed niet eenzaam te lijken. 'Ta-da!' zei hij, toen hij de doek opensloeg en over mijn schoot drapeerde. Hij had koffie meegebracht en chocoladecroissants en aardbeien. Er was zelfs een radiootje dat Kerstvreugde uitzweette.

'Wat gebeurt er als je vader...'

'Met ingang van deze maand ben ik groter.' Clayton gaf me koffie. Mijn pyjamamouw piepte onder de deken vandaan en ik zag dat hij het merkwaardig onvolwassen patroon van duikende vliegtuigen op het flanel opmerkte.

'Ik heb precies dezelfde,' zei hij.

'Van mijn broertje,' zei ik.

Clayton knikte, stond op, haalde twee rubber balletjes uit zijn zak en begon ze op te gooien en te vangen, een in elke hand, op verschillende snelheden. Het was een oefening die ik hem had voorgedaan, op een avond toen hij nog niet praatte, om zijn handen te desynchroniseren.

'Heb je een broertje?' zei hij.

Ik propte de rest van de croissant in mijn mond. Er sneeuwde een deken van gebakkruimels op mijn schoot. Ik veegde ze weg, en draaide toen aan de radio. Ik houd alleen in juli van kerstliederen, wanneer je niets verwacht. Op een andere golflengte vond ik Villa-Lobos, een weelderig, tropisch stuk dat ik als kind op Juilliard had gespeeld.

Een van Claytons ballen viel op de grond. Hij wees naar de radio.

'*Bachianas Brasileiras*,' zei ik, doorslikkend. 'Hector Villa-Lobos. Braziliaanse cellist, deze eeuw. Hij herschreef Bach, in Braziliaanse stijl. Het is voor acht cello's.'

'*Trés schwa*,' zei hij. *Schwa* was zijn woord voor cool.

'Je mag de cello best haten.'

'Heeft God je dat verteld?'

Ik knikte.

'Hij is een leugenaar,' zei hij.

'Hij is diplomatiek.'

'Diplomatie is de kunst je eigen belangen valselijk voor te stellen als hun belangen. Kissinger. Ik wilde cello spelen, drie jaar geleden. Hij vond het niet goed. Nu moet hij er ineens voor zorgen dat de kostbare cello aardig blijft klinken.'

Plotseling, zonder te kloppen, zwaaide meneer Pettyward de deur open. Zijn ogen dwaalden over de deken die ik om me heen had geslagen, toen naar beneden naar een aardbei die op de grond was gevallen.

'Ik heb ze van mijn eigen geld gekocht,' zei Clayton verdedigend en raapte hem op.

'Hetgeen voorzover ik kan nagaan een deelverzameling van mijn eigen geld is. Dus zou je denken dat ik tenminste iets van de leuke dingen heb gekocht. Een deelverzameling is een wiskundig begrip, overigens.'

'We dachten dat je ons mee uit schaatsen zou kunnen nemen,' zei Clayton, met zo'n iele stem dat ik hem nauwelijks hoorde.

'Schaatsen.' Meneer Pettyward betastte zenuwachtig zijn mitella.

Claytons schouders zakten.

Meneer Pettyward glimlachte zijn plastic glimlach en woelde door Claytons haar. 'Ik stel voor dat je je tijd verstandiger besteedt. In elk geval moet ik over een half uur weg. Alleen vandaag en morgen. En misschien het weekend. Ik ben uiterlijk midden volgende week terug. Heb geen medelijden met me. Kerstmis was de geboortedag van Jezus. Ik geef om de geboortedag van God. Isabel weet wat ik wil.'

De stem van meneer Pettyward begon te haperen. Het leek of hij Kerstmis met Clayton niet kon verdragen, alsof hij de feestdagen zonder zijn vrouw niet kon verdragen. Maar voor Clayton deed de reden er nauwelijks toe. Zijn schouders hingen verslagen, en zijn gezicht verschrompelde. Ik zag hoe hij zich dwong stand te houden tegen de pijn. Roerloos staarde hij naar de deuropening waar zijn vader had gestaan. Ten slotte hoorden we meneer Pettyward zichzelf in zijn slaapkamer opsluiten.

'Hoeveel gewicht zou die deuropening houden?' vroeg Clayton zacht.

'Waarom?'

'Weet je wat een stormeg is?'

Ik schudde mijn hoofd.

'Het is het hek met punten dat je in de muur van een kasteel laat vallen,' zei hij. 'Als je het juiste moment kiest kun je een vent in zijn borst doorspietsen.'

Mijn telefoon ging. Hij had voortdurend gerinkeld tijdens mijn weken bij meneer Pettyward, hoewel er nooit iemand was als ik opnam. Clayton keek naar me.

'Ik heb geen idee,' zei ik, en nam de telefoon op.

'Joyeux Noel!' tjilpte Marie-Antoinette. Met Anna-Maria. Ik ben in Brazilië geweest.

'Bent u terug?'

'Ik ben in Lech. In Oostenrijk. Fabio en ik zijn in een of andere zotte skihut *à l'Americaine* met horens aan de muur. En die lemmingen, die altijd in je ploegen terwijl ze hun nek verrekken op zoek naar Zijne Koninklijke Anus. Fabio en ik waren op een veiling waar een ingelegd pistool werd aangeboden; ik bood tot hij beloofde om iets echt excessiefs voor me te kopen. Maar vertel eens over jezelf. Gaat het goed met *le chargé*?'

'Hij is hier,' zei ik. 'Eerste dag van de vakantie. We staan op het punt te gaan oefenen voor een recital.'

Clayton staarde me geschokt aan. Natuurlijk had meneer Pettyward het aan mij overgelaten dat aan hem te vertellen.

'En de vader?' vroeg Marie-Antoinette.

'Gaat net op zakenreis.'

'Weg, met de vakantie van zijn zoon. *Bon*,' sputterde ze. 'Ik haat mannen. Ze irriteren me. Wie heeft dat gezegd?'

'En hoe gaat het met Giulio?' zei ik na een tijdje.

'Hij was met een van zijn gebruikelijke *types*,' zei ze. 'Een van die verveelde rijke vrouwen die niets meer te kopen weten.'

'Ja, natuurlijk,' zei ik. Buiten beierden de kerkklokken een luide heldere A, de toonhoogte van mijn telefoon. Plotseling werd duidelijk dat Giulio degene was geweest die voortdurend gebeld had. Maar waarom wist ik niet. Hij zou vast niet denken dat ik geld had.

'Overigens,' zei ze, 'ik hoop niet dat je de nacht met hem hebt doorgebracht.'

'Met uw vriend Giulio?' vroeg ik ten slotte, alsof het een belachelijk idee was.

'*Bon*. Want toen die vrouw naar het toilet was, ondervroeg Giulio me over jou. Heb je hem verteld dat je getrouwd bent?'

'Daar kwam hij zelf mee.'

'Mooi,' zei ze. 'In elk geval heb ik je een dienst bewezen en je als heel saai afgeschilderd.'

Clayton boog zich naar me toe en liet een aardbei voor mijn lippen bengelen. Ik mepte hem weg.

'Hoe bedoelt u?'

'Giulio is het soort man – tja. Een voorbeeld. Fabio heeft ooit een *petite histoire* met Daphne gehad. Ze heeft een kleine Corot die hij wilde hebben. Elke keer dat ze samen uit waren, bespioneerde Giulio Daphne en belde haar de volgende ochtend om haar te vertellen waar ze waren geweest, wat ze aanhad, zelfs hoeveel minuten ze in de auto hadden gezeten.'

'Ik dacht dat zijn fiancée in Genève was.'

'Daphne wérkt,' zuchtte ze. 'Vraag mij niet waarom. Maar haar moeder woont in Milaan.'

'Is Giulio hen gevolgd?'

'Toen hij ontdekte dat ze operakaartjes hadden voor de Fenice tijdens *Carnavale*, is hij naar Venetië gereden en trok hij tijdens de pauze mensen hun masker van het gezicht. Fabio heeft het opgegeven. Hij zei dat hij het zich niet kon veroorloven een suite in het Bonaparte te nemen, elke keer dat hij een beetje privacy wilde.

Begrijp me niet verkeerd,' ging ze verder. 'Ik ben dol op hem, de man heeft wonderen voor mijn jukbeenderen gedaan, hij is tweeëndertig en doet al dingen die Fabio niet kan en Fabio weet het. Maar jaloezie is zijn *bête noire*.' Ze giechelde. 'Ironisch, omdat je nooit weet waar hij heeft uitgehangen.'

'Wanneer komt u terug?' vroeg ik, Clayton wegmeppend.

'Ten gevolge van enige saaie wettelijke complicaties,' zei ze, 'zal ik weg blijven.'

Op dat moment klikte de lijn. Een telefoniste onderbrak om te zeggen dat er een dringende oproep van Giulio Salvagente was.

'Dat doet hij nou altijd,' zei Marie-Antoinette. 'Als er iemand doodging, zou ik het nooit weten.'

De telefoniste vroeg of de *signora* de oproep aannam.

Marie-Antoinette zei: 'Dat moet dan maar.'

De telefoniste zei dat de oproep voor het Italiaanse nummer was, niet het Oostenrijkse.

Er volgde een pauze.

'Zeg tegen hem dat ik hem onmiddellijk moet spreken,' zei Marie-Antoinette. 'Zeg dat het een medische noodzaak is.'

'Krijgt u nog meer operaties?'

'Binnenkort ben ik helemaal nieuw,' zei ze en hing op.

Clayton staarde me nu aan. 'Wil hij dat we een recital geven?'

'Ik heb je *The wind and the rain* al geleerd,' zei ik verdedigend. Hij had zo agressief geneuried tijdens die les dat ik merkte dat hij het haatte.

'Kunnen we dat Villa-Lobos ding niet doen?'

Ik keek hem aan. Hij leunde naar me toe. Als ik mijn gezicht een klein stukje had gedraaid zouden onze lippen langs elkaar gestreken hebben. Ik bleef stil zitten. Clayton pakte nog een aardbei en rolde hem over mijn lippen. Bijten was de prijs voor zijn medewerking.

'Dan ben ik één cello,' zei hij, 'en jij de andere zeven.'

Ik slikte haastig door. 'Ik kan geen zeven cello's spelen.'

'O nee?' zei hij zacht.

Ik bloosde. Kennelijk had hij door dat er meer achter mijn spel zat, dan wat hij op het poedeltje hoorde. Ik wilde dat ik hem gekend had toen ik veertien was, dat ik terug kon gaan en samen met hem even oud kon zijn, dat ik de tijd tussen ons kon uitwissen. Als ik de laatste tien jaar opnieuwd geleefd kon hebben in de glans van zijn vertrouwen in mij, zou alles nu eenvoudiger zijn. Ik zei tegen Clayton dat hij zijn ogen dicht moest doen zodat ik mijn jurk kon aantrekken. Toen die boven mijn hoofd zat ging de telefoon weer. Clayton nam op; deze keer was het een van zijn vrienden. Hij stak van wal in een razendsnel Italiaans dat ik niet kon volgen; het leek bijna of hij echt een vriend had. Op het moment dat hij ophing ging de telefoon weer.

'Je lijn was bezet,' zei Giulio. 'Die is nooit bezet. Ik dacht dat er iets gebeurd was. Weet je wat voor dag het is? Het is precies een maand geleden dat je je aan mijn voeten legde en je onbeheersbare hartstocht voor mijn semikalende hoofd uitte. Ik dacht dat we dat moesten vieren.'

'Ik heb een afspraak.'

'Wat dacht je van kerstavond? Ik moet in een beeldschone herberg zijn, een ontwijd klooster, bij Bolzano. Je zou mee kunnen gaan. Ik weet dat je van basilieken houdt, maar dit is waarschijnlijk bijna even goed.'

Als ik meeging, zou Giulio natuurlijk weten dat ik niemand had. 'Dan heb ik ook een afspraak.'

'*Va bene.* Dat is mijn pieper. Ik moet weg. Ik heb de komende vierentwintig uur dienst.'

'Waarom vroeg je me dan vanavond mee uit?'

'Voor jou zou ik hebben geruild.'

'Kun je gewoon ruilen?'

'Ik heb elke nacht gewerkt sinds we elkaar ontmoet hebben.'

'Om een oogje te houden op de fiancée?'

'Wie? O, *Daphne*,' zei hij na een minuut. 'Ik heb nooit geprobeerd haar voor jou verborgen te houden. Ik lieg tegen niemand behalve tegen Daphne. Daar ben ik trouw in.'

Ik zat de stilte uit.

'Dus Marie-Antoinette heeft geroddeld. We waren verleden week op een veiling in Genève. Ze zal niet binnen afzienbare tijd terug zijn. Je weet natuurlijk dat ze het voor elkaar heeft gekregen betrapt te worden toen ze probeerde een gestolen stuk aan de vrouw van een hooggeplaatste christendemocraat te verkopen. De man kreeg haar vrij. Hij sloot een deal met de officier van justitie – ook zo'n cretin van een christen-democraat – dat ze niet voor hoefde te komen als ze Italië verliet. Ze vindt het niet erg. Parijs bevalt haar wel. En waarom niet? Het is wat Milaan was voordat de Amerikanen ons met een berg puin achterlieten. Wat me eraan herinnert. Ik moet de wereld mooier gaan maken.'

Clayton:

Op een dag als vandaag en inderdaad tijdens al die zogenaamde 'feestdagen' vraag je je misschien af wat het woord 'vrolijk' of zelfs 'gelukkig' inhoudt. Terwijl bezigheden als het rituele uitwisselen van snuisterijen, godsdienstbeoefening, de bovenmatige inname van voedingsmiddelen, of het aanleren van talen van mindere volkeren elk tot strekking kunnen hebben hun eigen vorm van bevrediging te bieden, is het cruciaal, met name op jouw leeftijd, niet misleid te worden ten aanzien hiervan. De enige betrouwbare vreugde is die welke kan worden verworven uit het bezitten en uitgeven van grote sommen geld. Geld is de enige fatsoenlijke zaak in een wereld die door vrouwen is besmet.

CGP

Boven aan het blaadje stond een notenbalk met een paar noten afgedrukt – stomme atonale nepmuziek. De cadeaus waren al even bijzonder. Het mijne was een doos chocolaatjes in de vorm van gloeilampen die een of andere Litouwse gloeilampenman, die door meneer Pettyward was meegetroond, tijdens het diner had aangeboden, nog met hetzelfde gouden lint eromheen. Dat van Clayton was een geschenkabonnement op de *Wall Street Journal Europe*. Op dat moment besloot ik dat ik hem koste wat kost een cadeau zou geven. Clayton werd beter, zei ik tegen mezelf; ik zou het risico nemen en hem een les op de Savant geven. Maar meneer Pettyward had niet gelogen over Claytons klunzigheid: de hele ochtend hadden zijn vingers als klauwen over de snaren gehaspeld, tot hij vlak voor de lunch, toen hij zijn wang schaafde met zijn strijkstok en zichzelf bijna een oog uitstak, de viola liet vallen zodat die kletterend op de vloer belandde. De hals had een haarscheurtje waar hij was losgekomen van de romp. Ik probeerde een pleister op zijn wang te plakken, simpele medische bijstand, maar hoe meer ik met de leukoplast stuntelde, hoe harder Clayton zat te wiebelen. Toen trok hij de pleister eraf, zodat het weer ging bloeden. Ten slotte gaf ik het op en zakte weer achterover, mijn hart loodzwaar, omdat ik wist dat ik mezelf er niet toe kon brengen de Savant in gevaar te brengen. Ik tikte met mijn voet weer de maat op de grond, en het was of Clayton mijn gedachten had gelezen. Hij stond op, duwde zijn vuisten in zijn zakken, zei dat hij lucht nodig had en liep de kamer uit. Ik keek weer naar de viola. Ik zou hem moeten laten repareren voordat meneer Pettyward terug was. Even later hoorde ik Claytons soepele slenterpas naar de muziekkamer komen. Hij had zijn jas aan en hield de mijne over zijn arm.

'We gaan winkelen.'

Ik staarde naar de vloer.

'Wat?' zei Clayton. 'Maak je geen zorgen. Ik ga geen cadeau voor je kopen.'

Mijn gezicht brandde. Hij wist dat ik niet betaald werd, dat ik geen geld had. Hij vergaf me.

'Heb je geld?'

Hij glimlachte zuur. 'Hij geeft het aan mij. Ik koop geen cadeau voor hem, hij krijgt niks.'

Ik knikte. Hij vergaf zijn vader zelfs de dood van zijn moeder. Ik staarde naar hem en wenste dat ik geld had om een enorm cadeau voor hem te kopen, zo groot als de kamer, verpakt in goudpapier, en voelde zelfs een golf medelijden met meneer Pettyward.

'Het moet een voortdurende last zijn,' zei ik. 'Dat hij achter het stuur zat.'

'Huh?'

'Bij het ongeluk. Met je moeder.'

Hij fronste zijn wenkbrauwen. 'Toen was ze al weg. En bovendien was het geen ongeluk. Hij heeft zijn elleboog verrekt toen hij geld in een tolwegmandje gooide.'

'Je moeder leeft nog?' vroeg ik dwaas.

Hij keek naar de grond. Schokschouderde. 'Op een dag ging ze weg,' zei hij met een vlakke, hese stem waar een meer van ellende achter schuilde.

Ik legde mijn hand op zijn schouders.

'Laten we gaan,' zei hij, en hield mijn jas op.

Buiten op straat liep Clayton recht op een grote marineblauwe Alfa Sedan af, die voor ons gebouw stationair stond te draaien. Giulio zat erin, en schreef een recept voor over de telefoon. Ze hadden iets geregeld, realiseerde ik me, toen Clayton die ochtend de telefoon opnam.

'Vrolijk Kerstfeest,' riep Clayton toen hij het voorportier opende. Op de stoel stond een enorme doos verpakt in aluminiumfolie. Ik had geen cadeautje meer gekregen sinds signor Perso het contact met zijn dagen kwijt was. Ik fronste en probeerde niet te huilen, ik wilde het dolgraag openmaken, maar wist dat ik niet weer bij hem in bed moest belanden.

Ik liep naar de bestuurderskant. Hij liet zijn raampje zakken.

'Misschien moeten jullie met z'n tweeën gaan.'

'Alleen schaatsen, ik beloof het,' zei Giulio. 'Het hoeft de Super Bowl niet te zijn. Doe nou niet net alsof,' zei hij toen ik niet bewoog. 'Je vindt het leuk me te zien.'

'Nu je me ontvoerd hebt,' mopperde ik zacht terwijl ik in de auto stapte.

'Dit is geen ontvoeren. Ik ben ontvoerd geweest,' zei Giulio.

'Nietes.'

'Welles. Door de Rode Brigades. Toen ik negen was.'

'Tof,' zei Clayton.

'Leugenaar.'

'Wat is er met je gebeurd?' vroeg Giulio en wees op de pleister op Claytons wang.

'In gevecht geraakt,' zei Clayton.

Giulio knikte.

We baanden ons langzaam een weg door de donkere, smalle kinderhoofdjesstraten van Milaan. We sloegen een hoek om. Buiten mijn raampje lag een enorme uitgegraven honingraat van lage, ongelijke bakstenen muren.

'Wat is dat?'

'*Ruine Romane.*'

'Waarvan?'

'Romeinse gebouwen. In Italië bouw je niets zonder eerst twee milennia verleden op te graven. Het gaat vervelen.'

'Maak je cadeau open,' zei Clayton.

Ik deed het deksel van de doos. In een nest van vloeipapier lag een nieuw paar witte leren schaatsen en een paar blauwe wollen sokken. 'Ze passen,' verkondigde Clayton. 'Ik heb je laars genomen en op een stuk papier afgetekend.'

'Gekocht met je eigen geld?'

'Ik weet waar het huishoudgeld om de kok te betalen wordt bewaard,' zei hij.

'Dief,' zei ik.

'Mijn grootvader Granco noemde dat herverdeling van eigendom,' zei Giulio.

'Als de vader van je vader Granco heette, waarom heet jij dan Salvagente?'

'Hij was een anarchist. Om mijn vader te beschermen vertelde hij hem alleen dat anarchisten aten wat de pot schafte, waardoor je nooit lekker at. Maar op zijn begrafenis vertelden de vakbondsleiders die zijn kist naar het hoofdkwartier droegen dat hij op zijn negentiende in Parijs was geweest en Emma Goldman had geneukt. Toen hij terugkwam in Bologna weigerde hij zich bij de fascisten aan te sluiten. Ze namen hem mee naar het bos en goten motorolie in zijn keel. Dat deden ze als je je niet aansloot. Tijdens de oorlog hoefde hij niet te vechten, omdat hij platvoeten had, dus gaven de fascisten hem de verantwoording over de bevoorrading. Wat ideaal was voor de *resistenza*. Wanneer een van de partizanen in de heuvels eten nodig had, deed hij aan herverdeling. Dat is waarom ze hem *Salvagente* begonnen te noemen. Dat is de reddingsboei die je van een boot gooit.'

We ploeterden aan de noordkant de stad uit, door treurige groepjes fabrieken, door het ene plaatsje na het andere, tot we eindelijk een landweggetje insloegen. Na een tijdje kwam onze auto van achter een brede strook bomen aan de rand van een meer waar verweerde, kruipende bosjes in een doolhof van wilde bogen groeiden. Toen gleed de auto een stenige strook weg die erlangs liep op. Aan het einde stond een grijze hut waar misschien een kluizenaar of een bochelaar woonde, een kartonnen schoenendoos aan de horizon geniet, half tegen de aarde, half tegen de hemel.

Het leek op een hut in de Jura waar Yuri me hartje winter naartoe had laten sluipen, terwijl hij zich verstopte in het struikgewas, en waar de oude man binnen voorover was gezakt op zijn ontbijt. Ik vroeg me af of het een plek voor mij zou zijn om te wonen nadat meneer Pettyward me eruit had gegooid. Ik zou Giulio zover moeten krijgen om te vertellen welke weg we hadden genomen.

Clayton bond zijn schaatsen onder en spurtte weg, zijn lichaam kringelde als hete lucht die van asfalt opstijgt. Toen waren er alleen Giulio en ik. Giulio schaatste naar me toe en knielde voor me, hielp me mijn schaatsen vast te maken tot ze goed zaten. Ik zette me schrap tegen een handvat van een autoportier, en greep toen hem vast. Samen stommelden we het ijs op.

'Probeer vaart te maken,' zei hij.

'Weet ik,' zei ik, hoewel ik nog nooit had geschaatst.

Giulio pakte mijn handen en begon te trekken.

'Sorry dat we je in een hinderlaag lieten lopen. Maar anders was je niet gekomen. Ik heb eerder gebeld.'

'Ik ben de stad uit geweest.'

Hij glimlachte. 'O, ik ook, ik ook. In wezen is het boffen dat je niet opnam. Bespaarde me geld.'

Hij pakte mijn handen beet en schaatste achterwaarts in een soepele, slangachtige beweging, terwijl hij me voorttrok, zodat ik zachtjes van de ene kant naar de andere zwierde. Op een of andere manier was hij in staat te sturen zonder te kijken. Sneller krulden we nu tussen en rond de groene bogen van de enorme donkere struiken die door het ijs heen groeiden. Elke keer dat we een lage tak naderden, dacht ik dat hij zijn hoofd zou stoten, maar hij dook altijd op het laatste moment weg.

'Hoe weet je dat er iets komt?'

Giulio trok me naar zich toe en ademde warme stoom over mijn neus en gezicht. 'Ik stuur weg van de paniek in je ogen,' zei hij kalm.

De stilte was overweldigend. Ik keek uit naar Clayton. Ik zag hem nergens.

'Stel dat we verdwalen?'

We rondden de zijkant van een heg. Giulio vertraagde ons tot stilstand.

'Dat gebeurt niet.'

Plotseling zoefde Clayton onder onze uitgestrekte handen door. Hij zat op zijn hielen.

'Hé, sufkonten,' riep hij uit.

'Ik vind mijn schaatsen prachtig,' riep ik hem na.

Giulio lachte en duwde ons weer af. 'Hij is op zijn gat gekukeld van vreugde.'

Ik probeerde me uit zijn handen los te wurmen. 'Heeft hij zich pijn gedaan?'

Giulio hield mijn polsen vast. 'Hij is jaloers. Wat is ook al weer precies de relatie tussen jullie?'

'Hé,' schreeuwde Clayton, toen hij weer voorbij schaatste.

'Ik weet zeker dat hij jaloers is,' zei Giulio weer.

'Mischien ben jij jaloers. Mensen verdenken anderen alleen van eigenschappen die ze in zichzelf vinden.'

'*Ik*!' lachte hij. 'Ik ben nooit jaloers. Van alle emoties moet jaloezie de stomste zijn. Want waar het om gaat is dat je geliefde niet iemand anders wil. Als ze iemand anders willen, moeten ze die maar nemen. Dat is het enige punt dat ik de kerk zal nageven, dat de grens tussen denken en doen irrelevant is. Maar hoe dan ook, ik vertrouw mezelf. Over het algemeen geldt, hoe meer geliefden een vrouw heeft, hoe meer ze waardeert wat ik te bieden heb.'

'Ik zal mijn stal aanhouden.'

Hij tastte naar mijn twee trouwringen, onder de handschoen. 'Moet ik ervan uitgaan dat iemand met twee huwelijken maar één minnaar heeft?'

'Niet vissen.'

Plotseling sprintte Clayton weer voor ons, recht op de bosjes af. 'Kijk uit,' schreeuwde ik, toen hij over de kop sloeg en plat op zijn rug belandde.

'Is hij klunzig of doet hij alleen maar klunzig?'

'*Ik* ben klunzig,' zei ik.

'Mensen die van elkaar houden vanwege een tekort zijn altijd sterker verbonden dan degenen die een kracht delen.'

Clayton ploegde van achteren op me in, schaatste me omver.

'Kijk uit waar je rijdt,' zei hij en stoof weg.

Een lange, uitgerekte pauze lag ik op het ijs, terwijl ik me doelloos afvroeg of ik zou moeten wegsluipen om de hut te inspecteren. Toen hoorde ik de gestaag glijdende sneden van schaatsen. Giulio's hoofd en parka dreven mijn blikveld binnen.

'*Buon giorno*,' zei ik.

Giulio verbeterde mijn uitspraak. We herhaalden hem over en weer.

'*Perfetto*,' zei hij, dicht naar mijn hoofd schaatsend. 'Behalve dat het *Buona sera* is. Het is even over vieren. Met wie je verder ook omgaat, ik denk dat ik je een keer in de week moet bellen om je Italiaans te controleren.'

'Wie zegt dat ik dan Italiaans spreek?'

'Tja, wie hij ook is, je moet hem vragen je te genezen van dat Amerikaanse *accento*. Zelfs als het een Amerikaan is.'

'Boven aan mijn lijst,' zei ik.

Giulio ging stilhangen boven mijn hoofd, ondersteboven. '*Contessa comatosa*,' zei hij, 'heb je nog plannen om op te staan? Ik weet niet hoe ik je dit moet vertellen,' zei hij, 'maar het is mijn plicht als arts om je mede te delen dat de vijver uiteindelijk zal smelten.'

De kou begon de achterkant van mijn hoofd af te koelen. '*Sono fredda*,' zei ik. Maar ik wist dat ik het niet goed had.

Giulio hurkte neer boven mijn hoofd, met zijn schaatsen aan weerszijden.

'Je bedoelt *ho freddo*,' zei hij. 'We zeggen niet *Ik ben* koud, maar *ik heb* koud. Net als *ho fame*. Ik heb honger. In Italië hébben we de verlangens in plaats van ze te worden. Natuurlijk staan we in Europa over het algemeen objectiever tegenover onze wensen.'

'Geloof je die onzinnige theorieën?'

Hij haalde zijn schouders op. 'Niet belachelijker dan die van ieder ander. Nee echt, wij Europeanen verliezen ons niet in grootse wensen zoals Amerikanen. Onze wereldrijken zijn voorbij. Alles doet er iets minder toe.'

Ik knikte. 'En wie heeft wie elke dag gebeld de afgelopen maand?'

Giulio haalde zijn schouders op. '*Ho fame*,' fluisterde hij.

'Denk je dat Amerikanen hun verlangens worden?'

'Het maakt deel uit van Amerikaans spreken. Je gedachten komen eruit als Amerikaanse *cookie-cutters*. Ben je niet trots op *cookie-cutters*? In New York had ik een verrukkelijke advocaat-vriendin die bakte. Ik moest altijd lachen in Amerika wanneer mensen *I'm hungry* zeiden. Alsof het hun naam was. Het deed me denken aan de zeven dwergen van Sneeuwwitje. In ieder geval betekent *sono fredda* iets heel anders.'

'*Freddo* voor jou, niet waar?'

'Nee,' zei hij. Alsof hij mijn gedachten had gelezen knielde hij neer, ging boven op me liggen en keek me in de ogen. 'Er bestaat geen *sono freddo.* Alleen *sei fredda.* De uitdrukking wordt alleen voor vrouwen gebruikt.'

'Dat hoefde je niet te zeggen.'

'Ik heb het niet gezegd,' zei hij en blies een mist warme adem over mijn gezicht. 'Jij hebt het gezegd.'

Hij had me klem. Ik kreeg een beeld voor ogen van een verhaal dat signor Perso me verteld had, van Houdini onder het ijs, nadat hij zichzelf bevrijd had uit zijn kettingen en gesloten koffer, zoekend met zijn handen naar het gat dat in het oppervlak was gehakt. Ik vroeg me af of het ijs dik genoeg was om ons te houden, boven op elkaar.

'We zijn te veel gewicht op één plek,' zei ik. 'Het ijs kan scheuren.'

'Weet je wat de dichter Horatius zei?'

'Nou?' vroeg ik.

'Dompel het in diep water, en het komt mooier boven.'

Ik sloot mijn ogen en zag het koude, gezwollen albasten vlees van Houdini's opgedregde lichaam. Op een bepaalde manier zal het natuurlijk mooier zijn geweest dan de man. Ondanks de gruwelijkheid zat er een poëtische logica in Houdini's verdrinken tijdens een ontsnapping. Net als een volmaakte coda gaf zo'n einde betekenis en afronding. Maar net als Yuri had ik het rommeligere probleem hoe te leven met een verlies dat zich voortsleepte. Als ik samen met mijn ouders was gestorven, zou het enige dat er van me over was het briljante wonderkind zijn, een vallende ster die in zijn zenit verbrandde. Zoals het er nu voor stond, was ik een niet ingeloste belofte zonder enig idee hoe ik van de ene maat naar de volgende moest komen.

Ik duwde Giulio niet langer weg. Of we er door zakten leek er niet meer toe te doen.

'Hoe wist je het?'

'Ik wist het niet,' zei hij. 'Zeker. Tot zonet.'

Ik staarde hem aan.

'Die nacht wist ik het niet zeker,' zei hij. 'Ik bleef denken dat je misschien zou komen. Bovendien kende ik je niet goed genoeg om je verlegen te maken.'

'En nu wel?'

Giulio rolde van me af, hurkte op zijn hielen en bood me een hand. 'Ik had niets moeten zeggen.'

Hij zette de voorkant van mijn schaatsen klem tegen de zijne en begon me overeind te trekken. 'Nog iets,' zei hij. 'Die maestro met wie je naar Italië bent gekomen. Treed je op die manier voor hem op?'

'Hij leerde me *muziek*.'

'Maar dat is het voedsel der liefde,' zei hij. 'Volgens Shakespeare.'

'Ik ben zijn assistente.'

Giulio knikte.

Clayton riep iets, wenkte ons naar de auto.

'Waarom hamster je dan?' vroeg hij.

Ik keek hem strak aan. 'Waarom verkwist jij?'

Giulio smeekte de hemel om hulp. Snoof. 'Ik ga de kluizenaar opzoeken die in die hut woont. En hem wat geld geven. Daarna gaan we oesters eten. Mijn grootvader zei altijd dat oesters hem het dichtst bij een spirituele ervaring brachten.'

'Ken je de kerel die daar woont?' vroeg Clayton die aan kwam schaatsen.

'Het is een voormalige partizaan,' zei Giulio, 'een vriend van mijn grootvader, die zich nog steeds verstopt.'

Het leek zo gemakkelijk voor hem, mensen redden; de

reddingsboei voor anderen zijn zat bijna in zijn genen gebakken. In de mijne zat gebakken dat ik geen ziel had gered.

'Dus je gaat mee oesters eten?'

'We moeten eigenlijk naar huis,' zei ik, omdat ik me op een of andere manier verbeeldde dat ik me kon verstoppen voor wat hij van me wist.

Giulio knikte. 'Wat dacht je van oudejaarsavond?'

Clayton keek naar me. 'Ik heb een afspraak.'

'Carnaval?' grapte Giulio.

Ik schudde mijn hoofd.

'Dus dan ook. Vertel eens. Wat moet ik doen om je zover te krijgen dat je met me uit eten gaat?'

Ik wilde dat ik de warmte die zich tegen de muren van mijn hart opbouwde kon uitspelen. Maar woorden zouden betekenen dat ik ging uitleggen hoe ik op het podium in Carnegie Hall mijn vaders reddingsboei had gepakt en teruggegooid in zee; en hoe weinig notie ik had hoe ik mezelf moest redden. Ik wilde dat hij weer boven op me lag. Maar tegelijkertijd voelde ik dat ik hem niet dichterbij kon laten komen.

'Goed,' zei hij. 'Ik geef het op.'

'Dat is niet jouw stijl,' zei ik, in stilte smekend dat hij het niet zou doen.

Maar Giulio liet zijn blik zakken, zijn glimlach een dun glazuur over bitterheid. 'Hoe dan ook, feestdagen zouden moeten worden afgeschaft. Wie je ook bent, ze snijden een stuk uit je normale leven. Het duurt dagen om de wond te hechten.'

Giulio schaatste naar de hut. Ik trok mijn schaatsen uit, stapte in de auto en zag zijn lichaam van de ene naar de andere kant glijden, kleiner en kleiner. Op de achterbank lag Clayton in diep gesnurk. Dus de hut was bewoond. Toen Giulio rond mijn hoofd schaatste had ik gefantaseerd over de weg terugvinden, over bedenken hoe ik boomschors en ijsvis zou eten – het was allemaal tamelijk dwaas geweest, zag ik nu. Ik keek naar de hut in de verte. Dat was de ruil: als een wonderkind zijn betekent dat je een orkestpartituur voor zesendertig partijen kunt lezen, betekent een ex-wonderkind zijn dat je geen flauw benul hebt hoe je het leven van blad moet lezen.

'Oesters zain eel raik an zienk,' zei Giulio. 'Wist je dat Casanova er vijftig per dag at?'

Onverwacht was Giulio gestopt voor een rustiek wegrestaurant dat bij een zoetwateroesterkwekerij hoorde. We hadden aan Clayton geschud en hem vervolgens slapend in de auto achtergelaten. Uit de bovenmaatse kom had Giulio galant twee borden linguine opgeschept. Toen spieste hij een oester van de schaal, gooide zijn hoofd achterover, en liet de schat erin vallen. Zijn ogen gesloten in een moment van persoonlijk, ondeelbaar genot.

'Is hij daaraan doodgegaan?'

'Hij is behoorlijk oud geworden. Ik denk zelfs dat de oesters de sleutel voor zijn succes waren. Zink is namelijk een belangrijk bestanddeel van wat ik uitstort wanneer we –'

Ik legde mijn vork neer.

'*Dio. Mi scusa.* Ik eet al te lang met artsen. Hoewel het interessant is. Meestal zijn vrouwen niet teergevoelig. Op de medische faculteit waren het altijd de mannen die flauwvielen als ze bloed zagen.'

Giulio depte zijn mond en hield toen zijn pink omhoog. 'Maar het is waar. Zinkgebrek doet slechte dingen met mannen.'

'Dus je legt een voorraad aan.'

'Ik heb regelmatige aanvoer nodig.'

Mijn vingers op het tafelkleed ploegden zich door het dubbelconcert van Brahms. Ik hield ze stil. 'Voor de nabije toekomst?'

Met zijn servet depte hij wat rode saus van mijn sleutelbeen weg en streelde mijn hals met zijn vingers. 'Misschien.'

'Je zei dat dit niet de Super Bowl hoefde te zijn.'

Giulio glimlachte, nam mijn hand en trok hem naar zijn lippen. 'Dat heb ik gezegd. Om te zorgen dat je meekwam. Maar je zou toch niet willen dat ik alle hoop liet varen? Mijn enorme, gezwollen, overmaatse hoop?'

Hij spieste nog een oester en liet de lange, grijze spier voor mijn gezicht bungelen. Het zag eruit als een deel van een ontleed hart dat hij in formaldehyde had geconserveerd. Ik schudde mijn hoofd. 'Niet eentje?' Giulio haalde zijn schouders op en slobberde hem naar binnen. 'Er is eigenlijk geen bewijs dat extra zink eten iets uithaalt. Maar ik doe graag alsof.'

'Omdat je er zoveel van nodig hebt.'

Hij verorberde nog een oester. 'Vertel eens. Jij en je maestro. Hoe lang hebben jullie...'

Hij dreef weg. Ik had signor Perso vergeten, had hem vier uur achter elkaar vergeten, terwijl Giulio me had overgehaald mee te komen, me had overgehaald om te schaatsen, me had overgehaald oesters te gaan eten. Voor hem was het als pasta om een vork wikkelen, dacht ik, een sliert uit het verleden trekken en me steeds maar ronddraaien tot ik helemaal in hem vast zat. Doen alsof leek zinloos. Ik hield twee vingers omhoog.

'En deze, laten we zeggen, *gerijpte* minnaar, is hoe oud?'

'Zevenenzeventig.'

Giulio liet een laag gefluit horen. 'Moeilijk voor te stellen.'

'Niemand vroeg je om je in te spannen.'

'En krijgt hij het nog steeds voor elkaar –'

Ik deed mijn ogen dicht, greep naar de rand van de tafel en stootte mijn mes en lepel op de grond.

'Dus hij kan nog steeds bevredigend zijn,' zei hij en dook van zijn stoel achter me aan. We ontmoetten elkaar grabbelend in het donker onder de tafel.

'Niet alles is terug te brengen tot een orgasme,' zei ik rustig.

'Ik weet het niet,' zei hij zacht. 'Een van mijn voorouders van moederskant – ze bekeerden zich in de jaren dertig – was een beroemde achttiende-eeuwse joodse mysticus, een maffe rabbijn uit Padua die Luzzatto heette. Hij interpreteerde een passage in de Zohar over het Hooglied. "Wat is hij?" staat er. Wat is de mens op wie het hele scheppingswerk steunt? En het antwoord is: "Zoals hij geschapen is." De Padovaanse rabbijn denkt dat je dat maar op één manier kunt lezen: neuken. Dan vraagt de *Zohar*: "Wat is hij daarna?" En antwoordt: "Zoals het lichaam volmaakt is." Voor de rabbijn is het lichaam de vector van goddelijke kennis, volmaakt in het moment van gelukzaligheid. Zijn geschiedenis als een ononderbroken keten van orgasmes.'

Op dat moment hield hij de lepel omhoog. We stonden op, klopten onze kleren af en gingen weer zitten. 'Hoe is het nu met hem?'

'Hij heeft lichte afasie,' zei ik.

'Afasielijders doen me altijd denken aan jonge hondjes, zoals ze alles en niets begrijpen.'

Hij pakte zijn portefeuille en gooide een creditcard op de rekening. Ik staarde over het parkeerterrein. Clayton kwam naar de deur van het restaurant gelopen.

'Maar, als ik vragen mag, waar was je familie? Ik bedoel was er niemand die er bezwaar tegen maakte dat jij naar Europa verhuisde met een zevenenzeventigjare afasielijder?'

'Ik had een tante.'

'Een bloedverwant?'

'De tweede vrouw van een broer van mijn vader. We konden niet met elkaar opschieten. Ik verdiende geen kruiwagens geld in de pauze, zoals Caruso.'

Giulio lachte.

'Ze is al jaren dood,' zei ik.

'En de anderen?'

Clayton was het restaurant binnengekomen. Giulio stak zijn hand op naar de ober voor een extra bord.

'Dus jij bent de laatst overgeblevene,' zei hij zacht.

'Diarree,' zei Clayton.

Het was eind februari, de eerste warme lentemist zweefde door het raam naar binnen. We hadden kans gezien de hele vakantie te oefenen, en zelfs de hele maand januari, in afwachting van het moment dat meneer Pettyward terugkwam en zijn recital zou opeisen. Tijdens het eten had ik Clayton elke avond vermaakt met een verzonnen verhaal over waar zijn vader was, een duizend-en-een-nacht over meneer Pettyward die de wereld afstroopte op zoek naar het volmaakte kerstgeschenk voor zijn geliefde zoon, zwervend over de markten in Hong Kong, op speurtocht naar een handelaar in zeldzame boeken in Buenos Aires, op trektocht over een of andere berg in de Himalaya om advies te vragen aan de Dalai Lama. Ook Clayton ontwikkelde een dagelijks nummer met imitaties van zijn vader; zijn favoriete verhaal was hoe zijn vader een glassplinter, die hij volgens Clayton in een pillendoosje bewaarde, in zijn mond schoof om zijn lip mee te snijden, zodat hij gratis maaltijden kon krijgen in dure restaurants. Maar elke dag dat meneer Pettyward niet op kwam dagen zag ik Claytons energie verder oplossen in een mist van verbittering en angst. Nu schrok hij op bij elk verdwaald geluid, zijn hoofd schuin van hoopvolle verwachting die na een stilte terugsijpelde in zijn gebogen, verslagen schouders.

Onze lessen waren een krachtmeting tussen twee onmogelijkheden. Claytons lichaam botste met zichzelf op moleculair niveau: als ik zijn vingers steeds weer over dezelfde frase zag struikelen, wilde ik ophouden met aandringen, wilde ik hem de viola geven om kapot te slaan. Maar mezelf toestaan van iemand te houden, zou beslist mijn einde betekenen. Ik had één taak gekregen en als ik faalde, zou meneer Pettyward me er zonder zich te bedenken uitgooien. Clayton wist, zonder dat ik het zei, wat ik vond van zijn vaders wens een recital te krijgen. Maar dat toegeven zou mijn ondergang betekenen. En dus speelde ik, om Clayton tijdens de lessen aan het werk te krijgen, Yuri's spel van ingehouden onverschilligheid, en liet hem oefenen tot hij bijna huilde van frustratie. Wanneer ik er niet meer tegen kon en hem zijn fouten vergaf, hing hij de clown uit en maakte er een potje van, en dan viel ik tegen hem uit, omdat hij het probleem niet begreep. Wanneer ik het wel voor elkaar kreeg, en we vorderingen maakten, haatte ik mezelf. Dan was ik Yuri op zijn ergst.

'Di-ar-REE,' teemde hij weer. In de achttiende eeuw vonden ze diarree het mooiste woord in de Engelse taal.

Het was de eerste avond van carnaval, de vrijdag voor de Vasten. Drie avonden achtereen hadden we geoefend op *Hail to the Chief*, dat naar mijn idee meneer Pettyward gunstig zou stemmen; maar zoals alles kreeg Clayton het gewoon niet onder de knie. Om de spanning te verminderen stelde ik een wandeling voor, maar na een paar minuten hadden de feestvierders op de stoep ons op ons eiland van ellende geïsoleerd. Toen riep een van de vioolbouwers die had geprobeerd met me te flirten, de gedrongen Cristoforo, vanaf het einde van de straat *Masha!* Ik moest Clayton wegloodsen. Gelukkig was hij klein en plomp – hij was gekleed als de gebochelde van de Notre Dame – en kon hij ons door de massa heen niet inhalen. We liepen snel en zwijgend door. Clayton koos dat moment om te gaan fluiten. Waarom een mens het een goed idee zou vinden andere mensen zijn valse labiale winden aan te doen, gaat mijn verstand te boven. Tegen die tijd stonden we allebei al op scherp; ik denk dat ik onnodig kattig tegen hem was. Toen we thuiskwamen gaf ik hem, om het goed te maken, een transcriptie die ik voor de lol van *Eine kleine Nachtmusik* had gemaakt: de viola droeg de melodie terwijl ik de rest op de piano invulde. Maar drie keer achtereen draaide hij op het punt waar de melodie de begeleiding wordt, de delen om en sprong meteen over naar het einde.

Clayton zuchtte luid. 'Ik ben geen musicus.'

'Doe alsof.'

Ik was wekenlang geduldig en vastberaden geweest; waarom ik nu geïrriteerd was, wist ik niet. Ik tikte de maat en we begonnen. Maar weer jachtte hij als een trein en ploegde al het leven uit het stuk, gewoon om erdoorheen te komen, het einde te bereiken. Hij keek verwachtingsvol op, nog voor hij de laatste frase had gespeeld, en snoof het snot in zijn neus op om niet te hoeven snuiten. Ik kon me niet inhouden.

'Moet je iedere keer dat je twee snaren speelt met je elleboog flapperen?'

'JA'.

'Waarom?'

'Omdat ik daar zín in heb.'

Ik greep zijn elleboog. Hij rukte hem uit mijn hand.

'Waarom mag ik niet linkshandig spelen?'

'Dan zou je met iedereen in het orkest in botsing komen.'

'Dus iedereen moet rechtshandig zijn. Dat is volkomen fascistisch.'

Mijn hoofd voelde opgeblazen. Ik zag Claytons scène voor me in Hitlers propagandafilm, de onvoltooide klassieker die de gelukkige joden in Theresienstadt liet zien, *Der Führer schenkt den Juden eine Stadt*. Zag voor me hoe Clayton linkshandig speelde in het gevangenenorkest, elleboogstootte met het hele uitgemergelde zootje dat in zijn buurt zat, en weggesleept werd door een bewaker om gedeporteerd te worden, samen met alle andere sterren van het witte doek. Hij zou uit de film geknipt moeten worden.

Ik voelde een tinteling in de V's tussen mijn duimen en vingers. Onafhankelijk van mijn geest groeide er in mijn handen een behoefte om te wurgen. Clayton kon de kilometers afstand tussen waar ik was en zijn beschermde leventje niet zien. De lichtvaardige manier waarop hij de placering in een orkest *fascistisch* kon noemen – zijn onschuld zelf – leek een soort wreedheid. Ik wist dat ik me moest inhouden; in gedachten zag ik Yuri zijn eenvingerige gymnastiek doen op mijn partituur, om te voorkomen dat hij me sloeg. Maar het stuk waar we aan werkten was het eenvoudigste dat we hadden; als ik Clayton hier niet doorheen kon krijgen, zou hij nooit iets leren.

'We doen het nog een keer.'

Clayton stond op. 'Ik heb er genoeg van.'

'Zomaar.'

Hij knikte. Ik rende naar de deur om die voor zijn neus dicht te slaan. Tijdens onze worsteling was daar ineens meneer Pettyward die ongemerkt langs probeerde te sluipen. Hij droeg een smoking en drukte een bebloed zakdoekje tegen zijn lip.

'Waar genoeg van?' vroeg hij, zijn mond deppend.

'U bent terug.'

Hij knikte. 'En ik heb mijn lip gesneden,' zei hij verontwaardigd, alsof dat de prijs was die betaald moest worden om thuis te komen. 'Maar vertel eens, hoe gaat het ermee? De viola is een amusant instrument, niet?'

'Geweldig,' zei Clayton, die ter plekke verstijfd was.

Meneer Pettyward stapte langs hem de kamer in en trok een deel van de *Grove Dictionary* uit de kast. 'Het punt is dat ik bijna voortdurend aan jullie heb gedacht,' zei hij bladerend door de muziekencyclopedie. 'Jullie en jullie repertoire. Ik hoorde laatst een schitterend stuk van Berlioz, *Harold en Italie.* Wat vinden jullie daarvan?'

'Dat is voor Paganini geschreven,' zei ik. 'Die een virtuoos was.'

'Wat denk je van Satan in Siberië,' mompelde Clayton.

'Als dat niet gaat, heb ik andere ideeën. Jullie zouden Telemann kunnen doen. Hier staat dat Telemann de grenzen tussen wereldse en gewijde muziek slechtte, waar werelds staat voor de opera die in die tijd uit Italië kwam en gewijd voor de kerkmuziek, met name Bahkh, die zijn tijdgenoot was. Bahkh gebruikte fugatische, complexe lijnen, terwijl Telemann eenvoudige melodielijnen gebruikte.'

Clayton trok zijn wenkbrauwen op.

'Hij vermeed het lastige gedoe dat nodig is om Bach te spelen,' zei ik.

'Onze onbevreesde lerares,' zei meneer Pettyward hikkend.

'Hij populariseerde ook de periodieke zinsbouw,' zei ik zacht, 'die uiteindelijk synoniem werd aan Mozart en Haydn.'

Meneer Pettyward knikte. 'Dus zelfs al speelt ze niet metterdaad, ze weet best iets. Waar het om gaat, Clayton, is dat Telemann in zijn tijd beroemder was dan Bach.'

Clayton plofte in een stoel neer. '*Sic transit gloria mundi*,' zei hij. 'Wereldse roem is vergankelijk.'

'Doe niet zo stompzinnig,' zei meneer Pettyward.

'Dat zit in mijn genen,' zei Clayton.

Ik gebaarde naar Clayton om me te komen helpen met de muziekstandaard. Toen we hem probeerden open te klappen ging ik hard op zijn voet staan om te zorgen dat hij ophield met dwars zijn.

'Weet je, Clayton,' zei meneer Pettyward, 'voordat wereldse roem vergankelijk kan worden, moet je hem eerst verdienen. Ik hoorde jouw interpretatie van *Hail to the Chief*, een van de eenvoudigste melodieën ooit geschreven. Als dat het niveau is, bedoel ik, wat hebben jullie dan in godsnaam uitgevoerd?'

'Onze kerstliedjes opgepoetst,' zei Clayton spijkerhard.

Meneer Pettyward kwam tot bezinning. 'Was je blij met je cadeau? Ik zag de stapels kranten in de gang.'

Clayton rolde met zijn ogen. Hij had gewoon steeds op weg naar school de *Wall Street Journal* uit de gang meegenomen, uitgerold en op de stapel gegooid. Meneer Pettyward ging de kamer uit. Ik tikte de maat met metronomische regelmaat. Zat het briefje dat meneer Pettyward had achtergelaten nog in mijn jaszak? Zou meneer Pettyward daar kijken? Had Clayton niet één stuk kunnen leren? Waarom had ik niet aangedrongen?

Clayton plukte aan de snaren van de Savant. 'We zitten in een nodus,' zei hij. 'Dat is Latijn voor knoop. Maar mag ik je wat vragen? Ik bedoel, één cellostuk?'

'Ga zitten en speel.'

'En als ik het niet doe? Schiet je me dan dood?'

Ik kon geen woorden vinden. Misschien was het gevoel van veiligheid alleen maar een gebrek aan fantasie: omdat niemand die hij kende ooit bijna was doodgeschoten wegens slecht spel, kon hij grapjes maken alsof dat niet tot de mogelijkheden behoorde. Een deel van me wilde hem ergens op de stoep gooien, alleen in een vreemde stad, met niets anders dan een instrument. Dan zou hij wel leren spelen.

'Ik begrijp waarom je moeder is weggegaan,' zei ik, terwijl de echo van Yuri's minachting opgloeide in de stilte.

Ik denk niet dat ik ooit het beeld van Claytons verschrompelende gezicht zal kunnen uitwissen. Ik wilde alleen maar dat hij een idee kreeg van mijn leven, dat mijn situatie tot hem doordrong. Maar waarschijnlijk was ervaring altijd de uiterste grens van voelen en denken. Hoe treurig zijn leven ook was, Clayton had een vader, een huis, de vrijheid om te knoeien. Hij kon het zich permitteren om de fout in te gaan, ik niet.

Een woeste herrieschopper loeide op vanaf de straat. Meneer Pettyward verscheen nijdig weer in de deuropening. 'Jezus. Ik moet morgenochtend om zes uur in Modena zijn. Deze recital was het enige dat ik dit jaar van je heb verlangd. Het enige. En als jullie me dat niet kunnen geven – nou, dan weet ik zeker dat Isabel wel een andere baan vindt.'

Ik stond op, liep de kamer door en sloot mezelf op in de badkamer. Het betegelde hok was een echokamer die niets absorbeerde, elk geluid stuiterde terug de lucht in. Ik ging op de rand van het bad zitten en dacht aan mijn vader, gevangen in zijn isoleercel die ik de laatste zomer moet hebben vergrendeld door hem te tergen met mijn veiligheid. Dat zijn verleden verborgen moest blijven voor mijn moeder was een premisse die zij nooit ter discussie stelde. Hoe moet hij dat hebben ervaren, vroeg ik me af, om te leven in de liefdesbelofte van gezelschap terwijl hij gevangen zat in een verleden dat hem tot eenzame opsluiting veroordeelde? Als Claytons onschuld nu in mijn ogen wreed was, hoeveel erger moet de mijne dan voor Yuri geweest zijn?

Ik gooide water in mijn gezicht. Elke poging om Clayton mijn leven te laten begrijpen, zou inhouden dat ik hem dwong het te leven. Clayton zou me niet redden van zijn vader. Hem haten omdat hij weigerde getuigenis af te leggen kwam op hetzelfde neer als hem kwellen om het uitwissen van de tijd, om de onschuld zelf.

Toen ik de deur opendeed, sneed een onvoorstelbare krijs, als nagels die over een schoolbord schrapen, door de stilte. Buiten zaagde Clayton de strijkstok over de Savant als een psychiatrische patiënt.

'Wat voor de duivel?' riep meneer Pettyward van de andere kant van het appartement toen ik de deur opendeed.

'We oefenen voor jouw feest,' riep Clayton, zijn hele lichaam in woeste beweging. Losgetrokken strijkstokharen flapperden wild in het rond.

'Dit is mijn huis,' riep meneer Pettyward.

'Het is Ftravinsky'f meefterwerk!'

'Isabel!' riep meneer Pettyward. 'Het instrument!'

'Zij woont bij mij!' schreeuwde Clayton. Hij sloeg de deur zo hard dicht dat hij weer opensprong. En toen, zo hard als hij kon, 'CULTUURBARBAAR!'

Bij het verlaten van de badkamer pakte ik een van de drie handdoekjes met een weefsel waaraan ik gehecht was geraakt, en stopte hem in mijn tailleband onder mijn trui. Na een nacht slapen in een station kan je leven gered worden door een linnen handdoek. Toen ik naar buiten kwam, klonk er een onheilspellende dreun uit de gang.

De ruisapparaten stonden op vol volume. Hier in de muziekkamer tilde Clayton een urn van de boekenkast. Uit de manier waarop hij hem behoedzaam naar beneden bracht, zo voorzichtig en onklunzig, maakte ik op dat zijn moeders as erin zat. Maar toen deed hij het deksel open, haalde er een koekje uit in de vorm van een kluif en stak het me toe. Voor hem was dit kennelijk een uitstekend moment voor een hondenkoekje. Ik schudde mijn hoofd. Hij zette de urn terug op de plank en haalde zijn schouders op.

'Des te meer heb ik er,' zei hij.

In de verte hoorde ik mijn telefoon overgaan. Dat zou meneer Pettyward zijn die belde om me te ontslaan. Ik stond op om weg te gaan en liep naar de plek waar Clayton zat. Clayton weigerde op te kijken, me afscheid te laten nemen. Ik nam zijn kruin in mijn handen en gaf er een kus op. Clayton nam de strijkstok, begon een metrum te tikken en pakte de viola. Ik zakte neer op de pianokruk. Maar voordat we konden beginnen, werd zijn tellen overgenomen door de kracht van een andere metronoom, de metalen plaatjes onder meneer Pettywards instappers die over het marmer klikten. Ik dwong mezelf door te gaan, niet om te keren of om te kijken, niet in een zoutpilaar te verstenen. Het tikken hield op. Papier scheurde, een paar keer. Het gefladder van de stukken van mijn contract die op de grond vielen. Toen weer het tikken tot de voordeur dichtsloeg als een donderslag.

De stilte werd onderstreept door het geloei van de feestvierders dat door het raam klonk.

Een paar tellen later viel Clayton in.

Ik had dit soort momenten vaak gezien op Juilliard, de gebroken kinderen die hun wil concentreerden en alles wat ze in zich hadden aan een briljante laatste poging besteedden. De tonen die Clayton speelde waren helder, en simpel, en triest. Het was alsof zijn maanden van geknoei komedie waren geweest. Toen hij klaar was, legde hij zijn strijkstok neer, stond zacht op en liep weg. Ik wist dat hij nooit meer zou spelen. Een poosje later vond ik hem in zijn kamer waar hij voor het open raam naar de binnenplaats zat te staren. Wat ik had gezegd over zijn moeder die hem had verlaten, hoe wreed dat was, drong steeds verder door.

Zijn zoete, melkachtige geur mengde zich met de frisse lentelucht die binnendreef. De onhandigheid van zijn lichaam, zoals het altijd over zichzelf struikelde, ontroerde me. Clayton, de armoe van zijn leven, het feit dat hij zo hard zijn best deed lief te hebben, ontroerden me bijna tot tranen toe. Hij bleef falen, zoals ik bij Yuri had gedaan. Hij was evenmin in staat mijn doodsangst te begrijpen als ik die van mijn vader, evenmin in staat zich voor te stellen hoe je languit op de stoep ligt in de winter zonder dat je ergens heen kunt, als ik in staat was me voor te stellen dat ik voor mijn leven zou moeten spelen in een kamp, op een vleugelpiano, tussen vuiligheid en ellende en hongersnood. Een verleden was niet iets dat iemand met liefde uit kon wissen. Het leek eigenlijk zinloos iemand anders dichtbij te laten komen. Toen ik Clayton naar zijn aquarium zag staren, begreep ik mijn vader beter dan ik ooit had gedaan.

Clayton stond bij zijn aquarium, zijn gezicht gloeide in het golvende licht. Zijn kamer rook anders, compacter, niet naar die van een jongen. Terwijl ik stond te kijken balde een prop pijn zich samen in mijn borst. Ik bewonderde zijn verzet, zijn uitbarsting, zijn onvermogen om zich te schikken. Dat was wat ik bijna elke keer dat ik op het podium zat had willen doen.

'Ga nou maar,' zei Clayton. 'Veel plezier op je afspraakje.'

'Afspraakje?'

'Je zei tegen Giulio dat je een afspraakje had op Vastenavond.'

'Mensen zeggen dingen die niet waar zijn,' zei ik, 'om de ander de waarheid te laten begrijpen. Het is net als wanneer je *lontano* speelt op de hoorn en je hand in de beker steekt om hem ver weg te laten klinken, dan moet je een B spelen om een C te horen.'

Clayton maakte een hoofdbeweging in de richting van zijn vaders studeerkamer. 'Vind je hem niet aardig?'

Ik begreep dat Clayton dacht dat zijn vader en ik iets met elkaar hadden, dat zijn vader voor mij was teruggekomen, voor ons Vastenavondafspraakje. Dat hij jaloers was.

'Eigenlijk is mijn afspraakje hier,' zei ik zacht en legde mijn hand tussen zijn schouderbladen om hem te laten weten dat mijn afspraakje met hem was. Maar hij schudde hem weg.

Een van Claytons vissen zoog met zijn lippen aan het glas, steeds weer opnieuw, op zoek naar onzichtbare stukjes alg. 'Hoe heet die?' vroeg ik.

Clayton veegde zijn ogen af met zijn shirt.

'Hé,' zei ik. 'Vertel eens hoe je vissen heten.'

'Dat wisselt.'

'Hoe heten ze nu?'

Hij stak zijn hand in zijn zak, haalde de andere helft van het hondenkoekje eruit en begon erop te kauwen. Zijn troosteloze, mechanische gekauw maakte dat ik mijn armen om hem heen wilde slaan.

'Ze zijn gegarandeerd tegen tandplak,' zei hij. 'Degene die ze maakt is geen oplichter. Je zou denken dat het een leugen was dat de nieuwe beter smaken, maar het is echt zo.'

Na een poosje wees ik op een blauwe vis met een bochel en vroeg of die een naam had. Er kwam geen antwoord.

'Je vader zei dat een van hen Beethoven was,' zei ik.

'Zo heeft hij hem genoemd,' zei hij stuurs.

'En hoe heb jij hem genoemd?'

'Eerst was het Boris. Van Boris Karloff. Toen was het Boris van Boris Pasternak. Omdat ik *Dokter Zjivago* aan het lezen was. Toen was het Morris, van Desmond Morris. Ik was *De naakte aap* aan het lezen.'

'Hoe heet hij nu?'

Hij pakte een ruitenwissertje en schraapte er lusteloos mee langs de binnenkant van het glas.

'Spel,' mompelde hij.

'Dat rijmt niet op Boris en Morris.'

'Dat was niet expres,' gromde hij.

'Wie is dat?'

'Isabel.'

'Hè?'

'Zo heet hij.'

'Niet de blauwe. De oranje met die franje.'

'Isabel,' zei hij weer.

'Prima,' zei ik. 'Ik vraag al niets meer.'

'Oké,' barstte hij los. 'Ze heten allemaal Isabel. Nou goed? Dat was mijn kerstcadeau.'

'Ik weet niet wat ik moet zeggen.'

'Niet voor jou,' zei hij. 'Voor hen.'

Ik schraapte mijn keel. 'Ze heten allemaal Isabel?'

'Kan veranderen,' zei hij.

'Vinden ze dat niet vervelend?'

'Ze vinden het prettig allemaal familie te zijn,' zei hij zacht.

We stonden in de betovering van het waterige licht, het constante gegorgel van belletjes, het draaien en glijden van het stille vissenballet. Onze adem maakte oplossende wasemwolkjes tegen het glas. Wat ik wilde was gewoon naast hem op zijn bed liggen, met dichte ogen, en niets meer zeggen. Maar het onuitgesprokene was te dichtbij, de lucht te zwaar, onze verlangens gleden langs elkaar maar schoten dan terug alsof ze samen gevangen zaten in een aquarium. Geluid reist vier keer zo snel door water. Net toen ik mezelf vertelde dat ik tegelijkertijd wel en niet kon liefhebben, dat ik me kon openstellen en hem kon liefhebben, terwijl ik voor hem verborgen hield wie ik was, kreeg ik opeens het idee dat hij mijn gedachten hoorde door de stilte heen. Ik probeerde achteruit te stappen, maar ik was het spoor van mijn lichaam bijster en botste tegen hem aan. Toen viel ik in vertraagde tijd achterover, raakte de grond en zag hoe Clayton een poot van de standaard van het aquarium greep. En te laat losliet. Hij smakte op mijn borst en benam me de adem. Toen voelde ik water spatten en hoorde ik het versplinterende gekraak van het aquarium.

Ik lag op mijn rug, mijn hoofd in een plas nat, met Claytons lichaam bewegingloos op me, zijn gewicht dat rees en daalde met mijn ademhaling. Onder het verwoede vissengeflap tegen de grond daalde een immense en gruwelijke stilte neer over de kamer. Er spoelde een verschrikkelijke opluchting door me heen dat ik de schade die ik kon aanrichten had aangericht, dat het ergste al gebeurd was, dat er niets ergers meer kon komen.

Toen voelde het midden van Claytons lichaam het mijne. Even verdween zijn gewicht en was er alleen de plek waar zijn erectie tegen me aandrukte. Er ging een schok door ons allebei. Clayton rolde weg en ging overeind zitten. De huid om zijn rechteroog zat vol glassplinters. Een klein straaltje bloed gutste langs een glassplinter die horizontaal uit zijn slaap stak. Toen leidde het klappen van flappend vlees zijn aandacht af. Ik weet niet waarom, maar in plaats van Clayton te helpen kroop ik rond en greep handenvol vissen waarmee ik naar de wc rende. Waarschijnlijk leken de Isabels makkelijker te redden. Toen keek ik weer en stond Clayton rechtop, het bloed druppelde uit zijn slaap. 'Niet bewegen,' zei ik. Ik rende de kamer uit en haalde onze jassen. Ik zocht in zijn zakken – hij was de grens over geweest naar Zwitserland op een kunstgeschiedenisreis van school, en zijn paspoort zat nog in zijn zak, samen met wat Zwitserse francs. Ik verzamelde het weinige wat we hadden.

Na de opmerkingen van meneer Pettyward over de wachttijd bij de openbare policlinico wist ik dat ik hem het beste naar de dure privé-kliniek kon brengen waar ze Clayton kenden en zijn status hadden. Maar Niguarda lag buiten de stadsgrenzen van Milaan. Zelfs als we er binnenkwamen zonder zijn vader zou het weinige geld dat ik bezat ons er nooit heen kunnen brengen, en Clayton had vrijwel geen contant geld. De policlinico waar Giulio werkte, was nog geen kilometer weg. Ik nam de Savant mee voor het geval ik iemand moest omkopen om hem snel te behandelen: ik wist niet hoe lang Clayton het uit zou houden, zoals hij bloedde. In de taxi deed ik lippenstift op. Tijdens het zoeken naar signor Perso had ik ontdekt dat alles in Italië minder tijd kostte als je dat op had.

De taxichauffeur kon de eerste-hulpingang van de policlinico niet vinden. Terwijl we rondjes reden om het doolhof van gebouwen bedacht ik dat ik misschien niet bij Clayton mocht blijven omdat ik geen familie was. Clayton zag mijn gezicht en greep mijn hand in de zijne. Uiteindelijk vond de chauffeur de eerste hulp. Die was waar we binnen waren gekomen. Ik gaf hem het geld dat ik had. Hij vloekte zacht maar maakte geen bezwaar. Inmiddels was Clayton duizelig. Ik greep hem onder zijn schouder en loodste hem door de schuifdeuren naar de balie.

De eerste hulp was een chaotisch circus van carnavalsvierders. Een Sophia Lorentravestiet in een mottige suède jurk en hoge hakken hield een ijscompres tegen de zijkant van zijn paarse, opgezwollen neus. Twee parachutisten, in volledige uitrusting, bleven maar op en neer springen. Zeven dronken pausen met hoge, witte puntmutsen zaten in kleermakerszit op de grond en klokten wijn uit een fles die ze aan elkaar doorgaven onder het zingen van een drinklied. Een Charlie Chaplin prikte lusteloos met zijn stok naar een elf in een rolstoel. Schrille stemmen vermengden zich met gehuil in een onstoffelijke kakofonie.

Ik baande me een weg naar een non met een badge die voor de balie stond. Ze keek naar Clayton, vervolgens beschuldigend naar mij en vroeg hoe dit gebeurd was, alsof ik een soort kindermishandelaar was. Ik vroeg haar om Giulio te zoeken. Ze fronste haar wenkbrauwen. We zijn vrienden, zei ik. Ze lachte. Kennelijk had Giulio heel veel vrienden; kennelijk was zij er niet een van. Mijn Italiaans begon het te begeven. Ik vroeg Clayton zijn hoofd nog een keer aan haar te laten zien en te vragen of ze hem kon laten oproepen. Clayton draaide zijn hoofd zo dat hij de glassplinter die uit zijn slaap stak kon vertonen en ze babbelden even. Toen liep ze de bedompte groene gang in.

'Ze zegt dat de Heer me niet zal laten doodgaan.'

Halverwege de gang zat een man met donkere zweren op zijn gezicht op een gammele bank. We slalomden erheen en ploften naast hem neer. Claytons hoofd zakte naar beneden. Ik legde het op mijn schoot. Mijn mouwen waren doorweekt van inktdonker bloed. Een ziekelijke zoete geur, als van rottende bladeren, doordrenkte de lucht. Ik stelde me voor hoe Yuri's lippen zouden krullen bij het idee van haar 'Heer', als iemand op wie je moest vertrouwen. Toen vervlakte mijn ademhaling en leek de tijd een tunnel te worden; opeens voelde ik niet meer de verre toekomst maar de diepte van het heden, van wat op het punt stond te gebeuren. Er was nu geen notatie, geen manier om de passage te beheersen, geen passage heen, geen passage terug. Toen herinnerde ik me het verhaal dat Yuri me had verteld over Rabbi Zusha; die huilde op zijn sterfbed omdat hij vreesde dat hem op de dag des oordeels niet gevraagd zou worden: 'Was je als Abraham of Mozes?' maar: 'Was je als Zusha? Heb je alles gedaan waar Zusha toe in staat was?' En ik wist dat ik niet alles had gedaan waartoe ik in staat was om voor Clayton te zorgen, dat ik zelfs geen idee had waar ik moest beginnen. Buiten mijn wil om barstte er een onmenselijk gejank uit mijn buik. Ik zag hoe ik een metalen wagentje tegen de muur ramde. Twee ziekenbroeders in het groen – hoe esthetisch en Italiaans dat de mannen in witte jassen hier groen droegen, passend bij de muren – kwamen door de gang aanrennen en grepen me bij mijn bovenarmen. Clayton kwam bij en sprong een van hen op zijn rug. Ze wankelden samen rond, het bloed spoot uit Claytons slaap als een tuinsproeier, en ze stortten neer. Het werd stil in de gang. Toen stormde aan het andere eind van de gang Giulio naar binnen, in smoking. Hij keek rond, zag ons en rende op ons af.

'*Ecco mi*,' schreeuwde hij, bijna in paniek. De ziekenbroeders lieten los. 'Er stond een Fiat op mijn plek.' Zijn blik verstrakte toen hij mijn bebloede wang zag. 'Wat is er gebeurd?'

Ik wees naar het glas in Claytons hoofd. Giulio keek naar me, zijn trekken verzachtten zich toen het tot hem doordrong dat ik niet degene was die gewond was. Clayton hield zijn hoofd schuin en liet zijn slaap zien. Het leek of er een glasstomp uit groeide. Ik gaf Claytons kaart aan Giulio. Tijdens het lezen viel de emotie van zijn gezicht om plaats te maken voor een koel vernisje van deskundigheid.

'Pettyward,' zei hij. 'Dus dat is je achternaam? Je bent de zoon van die Amerikaanse diplomaat. Drukdoenerig, gemaniëreerd, solliciteert naar een pak slaag?'

'Kent u hem?'

Giulio haalde zijn schouders op. 'Iemand heeft ons op een feestje aan elkaar voorgesteld.'

'Hebben ze je opgepiept?'

Giulio aarzelde even en knikte toen, hoewel dat niet logisch leek. Kennelijk had hij geweten dat we in het ziekenhuis waren, maar hoe? Als hij buiten bezig was geweest zijn auto te parkeren, had hij nooit de ziekenhuisintercom kunnen horen; als hij ergens anders was, op een of andere chique partij, had hij nooit zo snel in het ziekenhuis kunnen zijn.

'Dus als ik vragen mag – is hij de grote afspraak voor Carnavale waar je het over had?'

Giulio had in zijn auto voor het appartement van meneer Pettyward zitten wachten, realiseerde ik me, tot ik naar mijn belangrijke afspraak ging. Hij had onze taxi hierheen gevolgd.

'Ik kan niets *zien*,' zei Clayton, met een stem die bijna huilde.

Een half uur later, in de operatiekamer, spoot een verpleegster vloeistof over Claytons slaap en zoog die vervolgens schoon. Ik deed mijn ogen dicht, concentreerde me op het holle gegorgel van het apparaat en wenste dat het de cycloon uit mijn borst kon zuigen. Na enige tijd werd het rustig in de kamer, het heen en weer geloop elegant, de stemmen gedempt en getemperd. Een eerbiedige stilte daalde neer. Ik deed mijn ogen open. Giulio, met masker op en jas aan, hing boven Clayton, zijn gehandschoende handen klaar om te beginnen. Boven ons, op een zwak verlichte galerij, hadden zich een man of zes verzameld om hem te zien opereren. Signor Perso had geprobeerd me te leren muziek te benaderen zoals slimme musici muziek benaderen, als een denkprobleem; de waarheid die ik nooit had durven zeggen, die ik op mijn achtste had geweten, was dat het al te laat was als je nog bezig was na te denken over wat je moest doen. Op mijn beste momenten hadden mijn ledematen het beter en eerder dan mijn geest geweten, hadden ze de noten gevonden als vruchten aan een boom, in een paradijstijd waarin verlangen en weten één waren, toen er geen kloof was tussen een geluid willen en een geluid krijgen. Giulio's handen waren nu ook in die tijd. Iedereen in de kamer voelde het. Fysieke genialiteit is dominant en absoluut, en in die uitstraling kun je alleen maar toekijken.

'Hoe is dit gebeurd?' vroeg Giulio.

'Ik ben gestruikeld over mijn aquarium,' zei Clayton toen ik geen antwoord gaf. 'Het viel van anderhalve meter hoogte.'

'Zomaar opeens?' Giulio nam een injectiespuit en pakte een lange naald uit. Mijn adem bleef in mijn keel steken.

'*Calma*,' beval hij en spoot een boog vloeistof boven mijn hoofd. Hij mompelde iets tegen een verpleeghulp. De kolossale, hijgende vrouw denderde naar buiten.

'Dat meen je toch niet serieus?' vroeg Clayton toen Giulio de naald richtte.

'Het heet gedeeltelijke narcose,' zei Giulio. Je moet bij bewustzijn blijven. Toen hij de naald in Claytons slaap stak, kromp Clayton ineen. Ik dacht aan zijn vissen die op de vloer lagen te klapperen en pakte zijn hand. Maar Giulio zei dat ik in het licht stond, dus moest ik een stap naar achteren doen.

'Speel je voor me?' vroeg Clayton.

'Dat kan niet hier,' zei Giulio als een generaal. Hij begon glassplinters te plukken met een pincet, zijn gebogen vingers dansten uitbundig als die van een harpist, de splinters tinkelden als belletjes in de metalen bak die de verpleegster ophield.

'Vertel me nog eens wat jullie relatie is,' zei Giulio.

'We spelen samen Bach,' zei Clayton toen ik geen antwoord gaf.

Giulio staarde naar me en hield zijn duim en wijsvinger naar voren. Ik wees naar Claytons oog. 'Kun je alsjeblieft even –'

De verpleegster legde woordeloos een klein tangetje in zijn hand.

'Het is gewoon naaien,' zei hij. 'Ik ben een goede kleermaker. Toen ik in dienst zat had mijn eenheid al een dokter, dus werd ik hun kleermaker. Zo heb ik trouwens Fabio ontmoet. Ik werd op een avond opgeroepen om de japon van zijn vrouw passend te maken toen alle twaalf kleedsters van de Scala in bed lagen met de A-griep.'

'Caballé was een engerd,' zei Clayton.

'Zo moet je niet praten,' zei Giulio. 'Irrigeren. Je moet zelfs helemaal niet praten. Caballé is een prachtige zangeres. Heb ik je ooit verteld hoe ik ontvoerd ben?'

Giulio trok een microscoop naar zich toe en ging verder met splinters plukken. Zijn handen bewogen met radde, onbewuste gratie. Ik merkte dat de mijne beefden: Giulio's handen, hun bravoure, waren ooit van mij geweest. Gelukkig kwam de verpleeghulp weer binnenstampen en gaf me een kartonnen bekertje met twee vrolijke rode pillen gevolgd door een bekertje water. Ik gooide ze in mijn keel.

'Tijdens de recessie van 1973 werd er verschrikkelijk gestaakt,' begon Giulio. 'Er waren wetten die verboden mensen te ontslaan, zelfs als ze niets deden. Mijn vader had een kledingfabriek die open bleef ook al maakte hij geen winst en zou hij meer verdiend hebben als kleermaker – vanwege zijn arbeiders. Hij was loyaal aan de partij.'

'De communistische partij?' wilde Clayton weten.

'Niet praten. Als je arm bent, wil je het tegenovergestelde van wat je hebt. We hebben een lange traditie van politieke bandieten onder de boeren.' Hij hield het driehoekje glas op naar het licht, liet het op een blad vallen en vroeg om een klem. Alle kleuren in de operatiekamer begonnen wazig te worden, merkte ik. De opluchting dat ik Clayton had overgeheveld in Giulio's handen versmolt met het ongemak van het staan in de glans van hun genialiteit. Het kwam me voor dat zijn handen te zelfverzekerd waren, te zeker, dat hij niets kon hebben meegemaakt.

Bij de scepsis op mijn gezicht wierp Giulio zijn handen in de lucht.

'Zoek het op in *La Repubblica.* Heerlijk toch hoe Amerikanen altijd denken dat politiek iets is wat andere mensen overkomt.'

Giulio zei dat zijn vader op het liceo had gezeten met een paar van de eerste *brigatisti.* Amerikanen kenden de Rode Brigade van de gewelddadige ontvoering van die Amerikaanse generaal, Dozier, maar toen ze begonnen, waren ze niet zo. Ze deden onvoorspelbare dingen, ontvoerden een maffia-pornokoning en stuurden foto's van hem waarop hij naakt aan een boom was gebonden naar de kranten. Mensen sympathiseerden met hen, want toen Pinochet in Chili de macht greep waren ze bang dat er ook in Italië een rechtse coup kon komen. Hij zei iets over twee christen-democratische partijen, allebei vol exfascisten. Ergens ver weg hoorde ik het schrapende geluid van zijn scalpel. Ik nam aan dat de pillen begonnen te werken.

'Zie je?' zei Giulio en hield weer een stukje glas omhoog.

'Waar was uw moeder?' vroeg Clayton.

'Niet praten. Op een cruiseschip met een rijke industrieel die BoBo heette.'

Giulio bond een ader in Claytons slaap af. Hij zei dat het huwelijk van zijn ouders een typisch hoog-laag geval was geweest, dat de familie van zijn moeder zijn vader had gehaat, maar hem had gedwongen met haar te trouwen toen ze zwanger werd. Dat zijn vader, omdat ze zo snobistisch was geweest, veel te lang bij de communisten was blijven hangen. Dat zijn vader, toen de brigatisti mensen in de knieën begonnen te schieten, tijdens een partijbijeenkomst was opgestaan en had bepleit dat de communisten hun handen van hen aftrokken. Toen hij wegliep, gingen een heleboel mensen met hem mee. Giulio's handen hingen een tel stil; de verpleegster schoot toe om iets af te klemmen. Toen zei hij dat de brigatisti de massa niet hadden willen provoceren, dus ontvoerden ze hem, om zijn vader van gedachten te doen veranderen.

Het verhaal was zo fraai van ritme en orkestratie dat ik me afvroeg of het waar zou kunnen zijn. Giulio zei dat hij op vakantie was met zijn vader en de vriendin en boekhoudster van zijn vader, Laura. Op de terugweg, nadat ze wat stoffenmakers in Como hadden bezocht, gingen ze lunchen in de heuvels tussen Florence en Grosseto. Toen Giulio's vader naar de wc was, kwamen een paar vrienden van Laura aanrijden in een sportwagen. Een van hen stapte uit en toen duwden ze hem in de auto.

'En sinds die tijd,' zuchtte Giulio, 'heeft mijn vader vrouwen nooit meer vertrouwd. Altijd als ik een vriendin heb, volgt hij haar op de voet.'

Ik knikte. Hij liegt als een acteur, dacht ik, vertelt zijn verhalen net zo vaak tot ze waar zijn.

'En hebben ze je vermoord?' vroeg ik.

Giulio stak zijn pink omhoog, de pink die was afgehakt bij het kootje, en toen wist ik niet meer wat ik moest denken.

Woordeloos wendde de verpleegster haar blik van Clayton af en keek naar hem op.

'Ik zie het,' zei Giulio zacht. 'Open?'

Clayton deed zijn oog open. Giulio bedekte het goede en zwaaide zijn hand heen en weer voor zijn gezicht. 'Wat zie je precies?'

'Een soort schaduw,' zei Clayton.

Giulio schoof zijn kruk naar achteren en mompelde iets tegen zijn verpleegster, die heftig uitviel tegen een andere verpleegster, die snel wegliep. 'Dus de brigatisti namen me mee naar een grot in de heuvels,' zei hij toen de andere verpleegster weer binnenstormde met een pakje objectglaasjes. Met een spateltje schraapte Giulio wat rotzooi op een ervan. 'Een cultuur voor schimmels,' zei hij. 'De herders kennen die grotten als de binnenkant van hun mond. Ze bewaakten me de hele tijd. Ik mocht alleen na het donker naar buiten. Ik leerde om maar twee keer per dag naar de wc te gaan, 's ochtends en 's avonds. Dat was een goede training voor chirurgie.'

'Kreeg je te eten?' vroeg Clayton met dubbele tong.

'Een keer per dag. Ook een goede oefening voor chirurgie. Elke avond kwam er een herder met boerenvoedsel. Ik heb nooit meer zulke lekkere pecorino gegeten.'

De verpleegster kwam terug en zei dat degene om wie Giulio had gevraagd op Korfoe zat.

Giulio wendde zich tot mij. 'Er zit een stuk glas vast in het bot. Het brak af terwijl ik het eruittrok. Ik kan niet zo diep gaan – ik heb een tijd ogen gedaan, maar ik ben er helemaal uit. Iedereen die het zou kunnen is of iemand anders aan het opereren of onbereikbaar. De enige vent die aanwezig is, is net begonnen aan een hij-en-zij motorramp. Hij zal hier niet snel genoeg kunnen zijn zonder dat ik eerst moet dichtmaken en weer openmaken. Dus kunnen we net zo goed dichtmaken en afwachten wat er gebeurt. Glas is inert. Tenzij het besmet is, zou het er theoretisch voor altijd kunnen blijven zitten. Hoe schoon houd jij je aquarium?'

'Schoon,' zei Clayton.

Giulio leek mij aan te kijken voor toestemming. Maar

de pillen die ik had genomen leken zijn woorden in lagen watten te verpakken, en ik had geen idee hoe ik moest reageren.

'Goed dan,' zei hij. 'Ik ga hechten en dan hopen we er maar het beste van.'

Voordat ik begreep wat er gebeurde, begonnen Giulio's handen weer met virtuoze snelheid en hij was snel klaar. Toen hij Claytons ogen in verband wikkelde, sloot hij af met een korte verhandeling over het rijpen van kaas.

'Een centimeter lager,' zei hij tegen Clayton, 'en je was doodgebloed.'

'Echt waar?'

Giulio pelde zijn handschoenen af, gooide ze in een mand, en stompte hem zachtjes op de biceps. 'Het is een mooi verhaal voor je vrienden.'

Clayton tastte naar me en onze handen grepen elkaar; op dat moment kwamen we overeen niet te praten over wat er tussen ons was voorgevallen.

Toen de verpleegsters hem naar buiten hadden gereden, richtte Giulio zich tot mij. Er was een bloeding in de voorste oogkamer, zei hij, dat zou druk kunnen geven op de oogzenuw. Tot de zwelling slonk, viel er niets over te zeggen. Ik voelde zijn woorden op mijn hoofd afkomen, voelde ze terugstuiteren als ketsende deeltjes. Ik deed mijn mond open om hem te vragen het allemaal nog eens te zeggen, maar kon niet praten. Een deel van me was opgelucht, bijna tot tranen toe, dat Clayton in Giulio's veilige handen was. Een deel van me hield van Giulio omdat hij hem gered had. Maar een ander deel van me wist nu hoe razend Yuri moet zijn geweest, hoe het moet hebben gevoeld om in de jaloerse ondergrondse rivier van de gebrokenen en doden te zwemmen, en te kijken naar de overlevenden boven de grond die het wel redden, die verder gingen met hun leven. Ik staarde naar Giulio. Het enige dat ik kon zien waren zijn handen aan het werk, hun gekmakende timing, hun innerlijke kracht.

Het was als een infuus van stilte dat langzaam in mijn aderen sijpelde. Claytons geduld, zijn blindheid en onbeweeglijkheid maakten me wakker in het bed waar ik sliep, trokken me naar zijn zaal, en hielden me daar tot diep in de nacht. Bij het fluitende gehoest van patiënten en het piepen van hun apparaten begon ik te spelen zoals ik in jaren niet had gespeeld. Clayton wilde niets anders dan de zachte tonen die aan mijn gedempte cello ontsnapten; gevangen in zijn blinde aandacht nam ik mijn strijkstok en begon te spelen. Het was alsof hij een gebarsten schat was, nu beschermd en in vloeipapier gepakt. Alsof er, door de zorg van het ziekenhuis, niets ergers kon gebeuren.

De koorts steeg bij de schemering, toen Giulio vertrok. Terwijl Clayton genas en bloedde en weer genas, werkte ik me door Sjostakovitsj en Schubert en Brahms heen. Onder dekking van de door de zaal opgelegde stilte, de deken van Claytons blindheid, de anonimiteit van het rusten, nu, op een plek waar niemand me kende, begon ik te spelen. Stukken die ik in het geheim had geleerd, stukken waarvan ik zelfs vergeten was dat ik ze kende, stroomden mijn oor binnen en door mijn handen naar buiten.

Mijn cocon werd op een avond rond middernacht verbroken door een zacht, langzaam applaus.

'Prachtig.' Giulio's donkere stem sneed door de schaduwen.

Mijn gezicht gloeide in het donker. Ik rukte de sjerp uit de *f*-gaten en begon mijn zweet van de klankkast van de Savant te vegen. Giulio stapte achter het gordijn vandaan. Hij droeg een wanordelijke smoking, de hals open, zijn vlinderdas in zijn jaszak gepropt.

'Dat slot was gewoon –' Hij deed zijn vingertoppen tegen elkaar en kuste ze open. 'Geen woorden om het te beschrijven.'

'Ik neem aan dat je optreden vanavond een doorslaand succes was.'

Giulio haalde zijn schouders op. 'Je moet me alleen één ding uitleggen. Wat is dat toch met jullie vrouwen die hopen op zwijgende seks? Als we anatomisch omgekeerd evenredig waren, als vrouwen vaginale orgasmes hadden, zoals ze volgens Freud moesten hebben, hadden we nooit hoeven praten. Dan waren we, hoe zeg je dat? *segs machines*, die stom als honden neukten.'

'Vrouwen hoeven niet te praten om zwanger te worden.'

'Klopt,' zei hij. 'Maar bij alle soorten is het de norm dat het vrouwtje het mannetje kiest. Zelfs als de geschiedenis van mannelijke-vrouwelijke seksualiteit een verhaal was van verkrachting en overheersing door de man, hadden we dan hoeven praten? Nee. En dit is dus kennelijk waarom taal zich heeft ontwikkeld. Om die paar centimeter tussen wat mannen lekker vinden en wat vrouwen lekker vinden te overbruggen. Snap je? We hebben de geboorte van de taal te danken aan de clitoris.'

'Hé. Ik heb iets voor je meegebracht.' Hij haalde een paar oorbellen uit de borstzak van zijn jasje. De traanvormige smaragden vingen een bundel maanlicht. 'Prachtig, niet? Russische barok. Dat kun je zien aan het filigraan.'

'Heb je ze gestolen?'

'Ik zou zeggen *verworven*. Tijdens de uitoefening van mijn beroep.'

Hij liet ze voor mijn gezicht bungelen. Ze leken te mooi om aan te raken.

'Wat is er? Heb je ze liever voor gaatjes? Ik heb liever clips, maar wie ben ik.'

Ik staarde naar hem op en vroeg me af wat ik hem schuldig zou zijn als ik ze aannam.

'Neem ze nou maar gewoon,' zei hij.

'Maar stel dat ik ze verlies?'

Hij glimlachte. 'Op de een of andere manier weet ik zeker dat ze verzekerd zijn.'

'Mooie dingen hebben redt je niet.'

Zijn mondhoeken krulden omhoog. 'Ik bood je geen verlossing aan.'

Hij stak zijn hand uit en clipte de ene en toen de andere aan mijn oren. Ik sloot mijn ogen, voelde met genoegen het gewicht als ik mijn hoofd gebogen hield. Ik stond op en keek naar mijn weerspiegeling in het metaal van de handdoekjeshouder. Natuurlijk was zijn instinct precies raak. Hij had een visioen van mijn gezicht gehad, omlijst door haar oorbellen, dus had hij ze van haar afgenomen om ze aan mij te geven, had hij het eigenaarschap verwisseld als trekken op een gezicht. De manier waarop hij zich vrij voelde om de wereld aan zijn volmaakte utopische visie aan te passen beangstigde me.

'En wat heb je gedaan om deze te krijgen?'

Clayton schopte in zijn slaap, mompelde iets, en zakte weer terug in zijn droom. Giulio tikte een sigaret uit zijn pakje. 'Laten we naar de spreekkamer gaan zodat ik kan roken.'

'Ik bedoel, het vrouwelijke heeft me altijd aangetrokken,' zei hij in de gang. 'Als jongen al. Niet seksueel, maar esthetisch. Ik houd van de vrouwelijke proporties. Dat iemand die zo lang is als jij zulke kleine voeten kan hebben, zulke gewelfde, ronde hielen en tenen, dat vind ik magisch. De elegantie van het ontwerp! En natuurlijk vind ik het heerlijk om me over te leveren aan vlees. Wij Italianen, wij genieten van vlees. Zonder dat voelen we ons beroofd, jaloers op onze voorvaderen, al tweeduizend jaar verslagen, maar je moet op de een of andere manier de dag doorkomen.'

'Dat is nauwelijks een antwoord,' zei ik toen we de spreekkamer van de afdeling binnen gingen.

Giulio deed de deur achter ons op slot. Hij liep achter het brede metalen bureau langs en knipte een fluorescerend licht boven het porseleinen wasbakje aan. Toen veranderde hij van gedachten en deed het weer uit, waardoor het maanlicht de ruimte weer omhulde. Hij waste grondig zijn handen. 'Het is mijn manier van belijden. Luzzatto meende dat we met elke liefdesdaad Gods oorspronkelijke scheppingsdaad herscheppen. Dus je ziet, het zit in de genen.'

Uit de metalen houder aan de muur trok Giulio twee kartonnen bekertjes. Hij zakte neer in de draaistoel achter het bureau, haalde een fles Amaro uit een la en schonk ons in. Toen stak hij een sigaret op. De Russische filigraan oorbellen vingen een baan maanlicht en wierpen bobbelige bellen op de muur.

'Heb je eigenlijk plezier in al dat verleiden?'

Van het metalen blad achter zijn bureau pakte hij een instrument, een driehoekig rubber hamertje met een metalen handvat. 'Ik houd van het moment van de uitnodiging,' zei hij, en sloeg op mijn knie. Onwillekeurig zwaaide mijn voet naar hem toe. 'Je vraagt je af hoe iemand is, en dan nodigen ze je binnen.'

De verwarmingsbuizen begonnen te tikken en te suizen. Giulio liet me mijn benen andersom over elkaar slaan en hamerde weer. 'Ik houd van de opbouw. De ontwikkeling. Ik bedoel, het hoeft niet eens een leuk lichaam te zijn,' zei hij al hamerend. 'Het gaat om het moment waarop ze alles laten vallen.'

Ik bedekte mijn knie met mijn hand. 'Dus het voelt als verliefd worden.'

Giulio huiverde even. 'Het duurt twaalf uur, maximaal. Dan heb je het gehad.'

'Ik bedoel voor hen.'

'O, zei hij. Tja. Voor hen. Voor hen kan dat liefdesgedoe een probleem zijn. Achteraf moet je een manier vinden om ze te laten merken dat zij meer genoten hebben.'

Hij boog naar me toe en kuste mijn wang. 'Hé, zei hij en drukte zijn wang tegen mijn voorhoofd. Je bent koortsig.'

Giulio wipte achterover in de stoel, reikte achter zich naar een laatje in het metalen blad en pakte een dik zwart handvat met een kegel haaks op de punt. Hij klikte hem aan en er kwam een felle lichtstraal uit de punt. 'Open?'

Mijn kaak werd vanzelf slap tegenover dit kalme gezag. Hij drukte met een houten stokje mijn tong naar beneden. Toen hij op het instrument klikte, schoot de punt een straal licht mijn keel in.

'Mooi.' Giulio nestelde het kegellicht in mijn oor, klikte weer en liet zijn oog zakken om naar binnen te kijken. Hij staarde een poosje.

'Iets gevonden?'

'Symfonieën.'

'Dus je gebruikt speeltjes?' vroeg ik toen hij het andere oor had gedaan.

Hij maakte zijn riem los, trok zijn broekband naar voren en liet de straal naar binnen schijnen. 'Wil je mijn geheime Karpatische ondergoed zien?'

Het duurde even voor ik begreep dat hij een grapje maakte.

'Je zoekt naar een – een iets,' riep hij. 'Maar vrouwen zijn niet zo fetisjistisch. Ik bedoel, ze hebben allemaal bepaalde, nou ja, trucjes, waarmee je ze, als je die eenmaal kent, kunt laten klaarkomen. Maar wat ik doe is meer, ik reik naar binnen en raak aan wat ze van zichzelf niet kunnen verdragen, en houd daar dan een paar uur lang van. Ik ben als een goede priester. Ik haal de schaamte weg. Zodra ze begrijpen dat ik niet oordeel, laten ze zich helemaal opengaan.'

Giulio gooide het kegellampje terug in de la. Hij duwde hem dicht met zijn heup terwijl hij zijn handen waste in het porseleinen wasbakje. Geen wonder dat ik niets van hem had gevoeld in zijn appartement: in kamers als deze was hij thuis.

Giulio schonk me nog een Amaro in.

'Dus je wrikt ze open en dan ga je weg.'

Hij drukte met zijn vingers zacht aan weerszijden van mijn keel en schudde zijn hoofd. 'Dan vind ik de zandkorrel, datgene wat ze niet kunnen verdragen van zichzelf, en haal het tevoorschijn en laat ze zien dat het een parel is.'

Ik hield mijn kartonnen bekertje omhoog om op hem te drinken. 'Een, twee, drie,' zei ik, en dronk.

'Nee, nee,' zei hij, mijn keel controlerend toen ik slikte. '*Festina lente*. Haast u langzaam. Dat was het motto van Vergilius.'

Hij legde een hand op mijn schouderblad. Heel even dacht ik dat hij klaar was. Toen voelde ik een rukje aan mijn rits.

'Hij kan toch uit? Ik bedoel, ook al draag je hem elke dag, hij zit toch niet aan je vastgenageld? Nee. Hier is het haakje.'

Ik wierp een blik op hem.

'Alleen maar tot je middel,' zei hij.

Ik knikte en keerde hem mijn rug toe. Giulio trok de rits naar beneden en hielp me de jurk van mijn schouders te schuiven. Toen leidde hij me naar het ziekenhuisbed waarop ik had geslapen. Ik klemde de jurk vast om mijn borsten te bedekken.

'Ben je nooit onderzocht?'

'Al een hele tijd niet,' mompelde ik.

Giulio hurkte voor me neer, hield mijn heupen vast en drukte zijn wang tegen mijn buik. Hij ademde diep in. 'Nu al zou ik die geur van een kilometer afstand herkennen,' zei hij. Met zijn wang nog vlak bij me schoof hij mijn jurk en panty over mijn heupen. Ik stapte uit het hoopje kleren. Hij vouwde mijn jurk keurig over een metalen stoeltje naast het bed. 'Als je op je buik gaat liggen,' zei hij rustig, 'zal ik je ruggengraat onderzoeken.'

Hij legde het laken en de deken netjes gevouwen over mijn benen. Beginnend bij mijn nek baanden zijn duimen zich met kleine cirkelende duwtjes een weg langs de zijkanten van mijn ruggengraat.

Daar aangekomen haakte Giulio mijn bh los. Ik ademde in en ademde langzaam uit terwijl zijn duimen oversprongen naar een nieuwe wervel.

'Wat was je nou aan het spelen? Ik hoorde je vanaf de andere kant van de gang kreunen.'

Wat de geest wel en ook weer niet kan weten, op een en hetzelfde moment. Urenlang had ik mezelf in een mist van fraseringen gewikkeld, zonder mezelf toe te staan het stuk te horen. Nu kwam het binnenstromen: de stinkende woonkamer, de gehavende grammofoon, de plaat die de oude Oekraïense vrouw voor me had gespeeld terwijl Yuri lag te snurken op haar sofa nadat ze hem een uur lang met haar geschreeuw had gebeukt omdat hij haar in Czernowitz had verlaten. Toen hij wakker werd en het hoorde, zwiepte hij de naald van de plaat. Maar ik had het al opgevangen.

'De *Kol Nidrei*,' zei ik. 'Van Bruch. Het is –'

'Het Hebreeuwse gedicht,' zei hij terwijl hij mijn onderrug aanpakte. 'Ik dacht wel dat je een van ons was.'

'Jij gelooft niet in God.'

Hij haalde zijn schouders op. 'De God waar ik niet in geloof is joods.'

In het ziekenhuis, toen ik voor Clayton speelde, waren alle gedachten aan mijn leven verdampt. Nu maakte iedere duik van Giulio's duimen een nieuwe holte van droefenis open: hoe signor Perso altijd alles en niets had begrepen, hoe ik van hem had willen weglopen op het vliegveld, hoe signor Perso, door voor alles te zorgen, nergens voor had gezorgd toen hij doodging. Hoe ik Giulio nodig had om me naar het lijkenhuis te brengen. Hoe bezorgd ik was om Clayton. Gelukkig bereikte Giulio op dat moment de onderkant van mijn ruggengraat. Hij legde een hand midden op mijn rug, stompte op zijn platte hand en herhaalde dat aan de andere kant.

'Gevoelig? Nee. Mooi. Je nieren zijn goed. Op je rug. Ik zal je borsten onderzoeken.'

Giulio bedekte me met een deken en terwijl ik die tot aan mijn nek optrok, wreef hij zijn handen snel tegen elkaar. Hij schoof zijn warme handen eronder, tilde mijn arm op en trippelde met zijn vingertoppen over mijn oksel. Toen liet hij zijn vingers in cirkels naar beneden dansen om mijn borst. Een poosje deed ik of het in orde was.

Maar toen rolde en kneep hij de tepel tot die ging tintelen. Mijn hand vloog omhoog om mijn borst te bedekken, en toen vlogen zijn handen omhoog, als om me te laten zien dat hij ongewapend was.

'Al goed,' zei hij. 'Al goed. Zal ik even naar je longen luisteren?'

Ik ging zitten met de deken voor me vastgeklampt. Longen, dat klonk op een of andere manier veiliger. Giulio's vingertoppen gleden zacht over mijn rug, alsof ze brailletekens lazen. Achter me hoorde ik hem diep inademen, dan langzaam uitademen om het tempo van mijn adem te sturen. Ik voegde me naar zijn gestage ritme, zoog tegelijk met hem lucht in, blies tegelijk met hem uit. Bij een inademing drukte een warme metalen schijf tegen de onderkant van mijn ribbenkast.

Ik had stethoscopen op tv gezien, maar er nooit een gevoeld. Terwijl hij mijn rugstreek afzocht om op te vangen wat er op te vangen viel, werd ik onrustig en bang bij de gedachte dat hij een speciaal oor had, dat hij diep van binnen kon luisteren. Giulio ademde luid in om mijn ademhaling te vertragen. Toen hield ik mijn adem in, al wist ik dat ook dat verkeerd was. Ten slotte werd mijn tempo regelmatig.

Na een poosje legde hij zijn hand onder mijn linkerborst en hield die met een kreun omhoog, alsof het optillen inspanning kostte. Met de stethoscoop begon hij onder de plooi naar mijn hart te luisteren.

Dat mijn vlees zo diep gepeild werd, terwijl ik niet het minste geluid maakte, raakte me meer dan ik kan zeggen. Ik concentreerde me op het tot zwijgen brengen van mijn binnenste, zodat hij mijn stromen van verdriet, van verlangen naar hem niet zou horen, niet zou horen hoe dicht ze onder het oppervlak lagen. Maar naarmate zijn luisteren intenser werd, groeide de kracht ervan, en in plaats van tot rust te komen, steeg er uit mijn binnenste een zwijgende stem op in de stilte. En sprak kristalhelder. De *Kol Nidrei* was het Hebreeuwse gebed van boetedoening, het gebed dat aan het begin van elk jaar erkende dat onze beste bedoelingen verkeerd lopen. Versluierd voor mezelf had ik dwangmatig gebeden om voorbereid te zijn, voor het geval dat Clayton doodging. Mijn ogen stonden vol tranen. Ik knipperde. Een straaltje rolde over mijn borst en op Giulio's hand. Hij haakte zijn stethoscoop uit zijn oren en keek naar mijn gezicht.

'Wat zoek je?'

Giulio staarde naar me terwijl hij de smokingknopen van zijn overhemd losmaakte. Hij hing zijn kleren stuk voor stuk over de rug van de stoel. Ik schoof opzij op het smalle bed om ruimte te maken en sloeg de dekens open. Hij ging naast me liggen, sloeg zijn ledematen om me heen, zacht als vloeipapier, en wiegde mijn hoofd.

'Ik probeerde uit te vinden wat jij denkt dat er met je aan de hand is.'

Ik drukte mijn hoofd tegen zijn borst en wilde dat ik me klein kon maken, een klein luikje in zijn borst kon openen, om doorheen te kruipen en achter me dicht te trekken, mezelf tegen zijn kloppende hart kon slingeren.

Wat ik leuk vond aan Giulio was dat hij mij meteen leuk vond, de afstand tussen ons waardeerde, genoot van de manieren waarop ik hem op afstand hield. Ik vond het leuk dat hij Clayton had omgekocht met een schaatstochtje, dat hij in zijn auto voor meneer Pettywards appartement zat, alles deed wat nodig was om me te zien. Maar het beangstigende aan hem was dat niets hem aan het weifelen bracht. Die dagen in het ziekenhuis leerde ik de gulzigheid in zijn visie zien, de manier waarop alles op zijn pad werd opgeslurpt. Ik had hem door de operatiekamer zien glijden, achtereenvolgens met mannen en vrouwen zien flirten, tot ze zo op zijn bewegingen waren ingesteld dat ze door de ruimte zweefden als tentakels die aan zijn hersenen vastzaten. Giulio had de gewoonte weg te kijken van mensen die hij net had ontmoet, hen verlegen van opzij te bekijken: toen ik daarover begon, zei hij dat hij niet rechtstreeks naar een gezicht kon kijken tot hij de gelaatstrekken in zijn hoofd had gereorganiseerd zoals ze zouden moeten zijn. Giulio herschiep de wereld naar zijn wens.

Ik weet nog steeds niet zeker of de big bang waarover hij me vertelde niet gewoon een van zijn lange reeks verzinsels was, een verhaal over het ineenstorten van het heelal dat hij had verzonnen om mij te temmen. We zaten te lunchen in de artsenafdeling van de kantine. Hoewel

Clayton nog steeds niet kon zien – hij had de laatste paar dagen tweemaal een oogbloeding gehad – kondigde Giulio aan, alsof het niets was, dat hij later die dag naar de bergen in de buurt van Bolzano moest. Hij had een afspraak daar uitgesteld, zei hij, de avond dat Clayton gewond raakte. Toen keek hij me onderzoekend aan, en vroeg of ik meeging. Ik zei dat ik wilde wachten tot de toestand stabiel was. Naadloos ging Giulio over op het mooie vijftienjarige meisje dat hij die ochtend had dichtgenaaid en haar straatarme ouders die hem een zielig bedrag hadden betaald dat ze in de kerk hadden ingezameld om de incisie te sluiten. Voor de operatie, toen ze hadden gedacht dat het een cyste was, had hij besloten haar mee naar bed te nemen. Toen bleek uit pathologisch onderzoek eileiderkanker. Nu werd haar baarmoeder verwijderd en ze hadden niet eens alles kunnen weghalen.

Giulio prikte wat rond in zijn eten; zoals altijd was ik klaar. Op de tafel naast zijn blad lag een envelop. 'De mooiste rug die je ooit hebt gezien,' zuchtte hij, en trok er een röntgenfoto uit. Het was een opname van Claytons hersenen. Giulio hield hem tegen de lichtbox aan de muur en wees naar een witte punt. Hij zei dat het de glassplinter was – als een naald – die in de oogkas vastzat. 'Ik moet er recht op hebben gekeken,' zei hij, 'van bovenaf, want anders had ik hem gezien. Ik bedoel, het is geen eileider met kanker,' grapte hij. 'Lang niet groot genoeg om de bloeding te veroorzaken.' Maar voor de zekerheid, zei hij, zouden ze hem weghalen zodra de zwelling slonk. Hij had gezorgd dat de beste oogchirurg in Milaan klaarstond om het na het vrije weekend te doen.

Ik sliep in het ziekenhuis, en Giulio had discreet geregeld dat er voor mij extra porties naar boven werden gestuurd, samen met Claytons maaltijden: mijn hele leven was terloops van hem afhankelijk geworden. Ik probeerde naar de grondtoon onder zijn woorden te luisteren. Hij was elke avond weggegaan en had thuis geslapen; probeerde hij me te beschermen door me te herinneren aan de andere vrouwen met wie hij sliep? Probeerde hij me te prikkelen tot een jaloezie die ik me niet kon veroorloven? Probeerde hij de mogelijkheid ter sprake te brengen dat ook Clayton sterfelijk was? Of me alleen gerust te stellen over Clayton, zodat ik een nacht weg kon?

Er waren te veel mogelijkheden.

'Ik wilde dat Claytons moeder hier was.'

Giulio rolde met zijn ogen en stak een sigaret op. 'Die kan beter wegblijven.'

Ik hield mijn hoofd schuin en vroeg zwijgend waarom. Giulio vertelde een verhaal over de laatste keer dat hij zijn eigen moeder had gezien, ze kwam op bezoek in een of andere zilveren jurk met metaaldraden, en superkort haar. Giulio begon te krijsen dat zij niet zijn moeder was, omdat zijn gemene gouvernante, Fräulein Edwige, had gezegd dat ze nooit meer terugkwam. Dus dacht Giulio dat dit een robot was die zijn moeder had gestuurd om haar plaats in te nemen. Ze droeg een broche met juwelen, die eruitzag als een echt hart. Ze speldde hem los en stak hem in zijn vinger. Toen prikte ze in de hare, drukte hun vingers tegen elkaar en zei: nu zijn we familie. Giulio bleef schreeuwen. Daarna was ze nooit meer teruggekomen.

Giulio glimlachte verbitterd. Er klonk een gesis toen hij zijn sigaret uitdrukte in zijn slabord. 'Ik weet niet waarom ik je dat vertel. Ik heb nog liever dat je me snijdt dan dat je me over mijn moeder laat praten. Waar het om gaat is dat Fabio haar volkomen heeft veranderd.'

'Marie-Antoinette?'

Giulio haalde zijn schouders op, alsof het allemaal zonneklaar was. 'Als hij haar nu voor het eerst zag, zou dat echt verwarrend voor hem zijn.'

Ik knikte. In de verte hoorde ik een zachte wolk gekoer van de vogels die in het hekwerk nestelden. Ik wist dat er onder het oppervlak van de wereld een andere orde heerste. Marie-Antoinette had me naar de Pettywards gestuurd omdat meneer Pettyward haar man was en Clayton haar zoon. Het weinige waaraan ik me had vastgeklampt sinds de dood van signor Perso was gewoon een illusie. Ik verdronk van binnen en vroeg me af waar ik nog steun kon vinden, waarvan ik kon weten dat het betrouwbaar was.

'Laat ze plastische chirurgie doen om te proberen als iemand anders in Italië terug te komen?'

'Eerst dacht ik dat het plan waanzinnig was. Maar Fabio heeft uitzonderlijk werk gedaan, vooral de jukbeenderen. Als je ooit een nieuw gezicht wilt, moet je bij hem zijn. En, ga je mee?'

Ik schudde mijn hoofd. Toen vroeg hij waar ik op wachtte. Ik zei: 'Tot de toestand stabieler is.' Op dat moment besloot Giulio me te vertellen over de big bang waar hij en Fabio grapjes over hadden gemaakt. Giulio zei dat stabiliteit niet in de aard der dingen lag, dat het heelal was begonnen met een gigantische ontploffing, en dat het terwijl wij zo zaten te praten nog steeds uit elkaar aan het vliegen was. Dat het langzaamaan vertraagde, de hitte weglekte in een koud, dood niets. Hetgeen wetenschappelijk gezien betekende dat het heelal stervende was. Dat zelfs de sterren, zei hij, zelfs de sterren voor het grootste deel al waren ingeklapt, dat het licht van een ster duizenden jaren nodig had om ons te bereiken, dat de meeste lichtjes die we zagen geesten waren, van sterren die al lang verdwenen waren.

Ik haalde mijn vinger over de paar kruimeltjes op mijn bord en likte hem af. Omdat ik dacht dat ik een deel van het Italiaans niet had begrepen vroeg ik hem het *da capo* te vertellen. Toen er geen vergissing mogelijk was over wat hij bedoelde, vroeg ik wat er voorafging aan de grote ontploffing. Ik wilde een begin, een tijd voordat de smeltoven ontplofte, een tijd om naar terug te gaan, om te hopen op een ander einde. Maar toen zei Giulio: 'Ze hebben bewijs.' En zoals hij het zei, wist ik dat ik verloren had. Alles had verloren: de verjaardagen die ik had verzonnen, de minuten en uren en dagen die ik verzamelde, de buffer tussen mij en de dood van signor Perso. Want wat is het nut van het tellen van overlevingsmomenten als de oneindigheid aan beide kanten verlies is? Als de toekomst alleen het zichtbaar geworden verleden is?

Toen glimlachte Giulio, alsof hij niet net had uitgelegd dat het heelal aan het ontploffen was, en ging een espresso halen. Ik staarde naar mijn lege bord en wilde nog iets te eten. Een oude man aan de andere kant van onze tafel ademde fluitend, zoals Yuri deed wanneer hij te moe werd, wanneer hij, als we voortsjokten op zoek naar iemand van wie we allebei wisten dat hij dood was, geleidelijk aan steeds meer moeite kreeg met inademen, uitademen, totdat zijn astma hem greep en hij moest stoppen, hijgend moest beginnen aan de taak een ruïne op te bouwen, zijn geruïneerde vertrouwen in het leven, steen voor steen voor steen. Yuri had overleefd door het tellen, het zoeken en tellen van overlevenden, om zichzelf te bewijzen dat hij niet de enig overgeblevene was. Ik was blij dat hij er niet was om te horen wat Giulio zei.

Ik herinner me de golf kou, de huivering die door me heen ging. Als de toekomst alleen het zichtbaar wordende verleden was, dan kon ik niet mijn verleden oplossen in Claytons onschuld, in zijn liefde, kon ik niet in zijn veilige leven vallen, niet teruggaan in de tijd. Tegen de tijd dat Giulio terugkwam met de tiramisu had ik besloten weg te gaan. Ik propte hem naar binnen. We zetten onze bladen op de lopende band. Hij meldde terloops dat ik niet meer in het ziekenhuis kon slapen als hij er niet was. Toen stortte het kleine beetje dat ik over had onder me in. Ik staarde naar de rij bladen die door het gat in de muur gleden en wilde dat ik al het halfopgegeten eten kon verzamelen voordat het verdween, om iets te hebben in geval van nood. Giulio nam mijn elleboog en loodste me naar de liften.

'En?' zei hij weer.

'Ik moet me verschonen,' zei ik, hoewel ik in wezen al wist dat ik zou gaan.

De deuren van de lift schoven dicht. We waren alleen. 'Je hoeft je niet te verschonen. Wat er ook gebeurt, zolang het waar is, is het goed. Als het niet waar is, stelt het niets voor.'

Ik slikte. 'Ik bedoelde mijn kleren.'

Giulio glimlachte. 'Ik heb een cadeautje voor je. Het ligt in de kofferbak van mijn auto.'

Tegen de tijd dat de liftdeuren opengleden had ik mezelf ervan overtuigd, denk ik, dat Giulio overal voor zou zorgen. Zo had signor Perso van me gehouden, door voor me te zorgen. Boven leek alles in orde. Clayton was eindelijk ontslagen uit de intensive care en werd naar een zaal gereden; de piepende wieltjes van zijn bed leken vrijwel te zingen van overleven. Hij was verdoofd, zijn ademhaling regelmatig. Aan de andere kant van de zaal lag een oude man te stikken, maar Clayton lag aan een infuus; er leek weinig kans dat hij zou stikken in iets wat in zijn keel zat. Ik weet nog hoe ik keek naar de lieve sproetjes die over zijn wangen en hals waren gesprenkeld, de steek van vertrouwdheid die ik voelde toen ik me voorstelde hoe de constellaties zijn lichaam spikkelden onder zijn ziekenhuisjasje. Beide ogen waren in gaas gepakt, dat was griezelig, maar verder leek er niets om op vooruit te lopen.

De overdracht van het instrument ging snel. Waarschijnlijk was ik zo geconcentreerd op het cadeau dat mijn geest niet in staat was de gevolgen van het aanvaarden te voorzien. Giulio ging op zijn rondes en ik ging een douche nemen. Toen ik terugkwam was Clayton erin geslaagd geblinddoekt te flirten met een jonge non die de kamer uit schoot, blozend van verlegenheid, toen ik binnenliep. Ik legde de situatie uit, dat ik zonder Giulio daar niet mocht blijven; voor ik uitgesproken was, onderbrak Clayton me en vroeg of ik hem een avond vrij zou kunnen geven, zodat hij wat 'quality time' kon doorbrengen met de nonnen. Waar het om ging in het leven, zei hij, was vrouwen vinden met minder ervaring dan jij.

Hij vroeg of er enig teken was geweest van je-weet-wel-wie. Ik vroeg me af of hij de scène met zijn vader was vergeten, of hij dacht dat we gewoon naar huis zouden gaan en de zaken bijleggen. Om hem er niet aan te hoeven herinneren, loog ik en zei dat ik een briefje had achtergelaten. Ik zette de Savant tegen zijn bed en legde zijn hand erop en vertelde hem Yuri's verhaal over een cello die je beschermde tijdens je slaap door de slechteriken te veranderen in mierenhoopjes kaneelsuiker. Ik vroeg weer of hij het die nacht zou redden. Zijn mond rimpelde. Hij vroeg om een afscheidskus. Op de een of andere manier, ook al kon hij niet zien, zag hij me knikken. Hij greep in de lucht. Ik gaf hem mijn handen. Zijn infuusstandaard stond tussen ons in. Ik zei dat ik om het bed heen zou lopen. Hij greep mijn pols en zei dat ik eroverheen moest. Ik zag mezelf doen wat hij vroeg. Ik denk dat het niet als een verrassing zal komen dat hij mijn polsen onder me vandaan duwde zodat ik plat op zijn borst viel, mijn mond een ademtocht van hem verwijderd.

'Hoe is het met mijn Isabels?' was de vraag.

Ik ben nooit goed geweest in improviseren. Als ik achter Yuri aansjokte fantaseerde ik vaak over weglopen, maar wat me tegenhield was dat ik me nooit kon voorstellen wat ik zou kunnen doen als ik eenmaal was ontsnapt en op adem gekomen. En hoewel ik een leugen had verteld, kon ik nu de komedie niet volhouden, kon ik geen nieuwe leugen verzinnen om de eerste drijvende te houden, kon ik geen manier vinden om toe te geven dat ik niet thuis was geweest om het briefje te schrijven of voor zijn Isabels te zorgen. In mijn geest zag ik de vissen dood in de wc drijven en ik sprong van het bed. Maar het was te laat. Clayton had al de zintuigen van een blinde, en hij wist dat ik ze had laten doodgaan.

Ik begon achteruit de kamer uit te lopen, maar Clayton stak zijn hand uit en grabbelde achter zijn hoofd naar de Savant. Ik deed een stap naar voren om zijn hand te leiden, om hem te vertellen dat ik het ding niet zou aanraken of meenemen. Toen deed hij iets bijzonders. In plaats van hem tegen zich aan te drukken, stak hij mij de hals toe.

Ik kon me zo'n cadeau niet voorstellen. Dus aanvankelijk begreep ik het niet.

En toen wel.

'Dat kun je niet doen,' zei ik, en duwde de cello weer naar hem toe.

Zijn lippen klemden zich vastberaden op elkaar. Weer

duwde hij hem naar mij. 'Hij staat op mijn naam. Met het oog op de belasting.'

Een non kwam binnenklossen met handdoeken. 'Dat is Natalia. Natalia,' zei hij luid, 'ik geef haar deze cello. Jij bent getuige.'

'*Va bene*', mompelde ze op weg naar buiten.

'Jij wilt hem hebben,' zei ik, hoewel ik wist dat het niet waar was.

'Ik wil Latijn vertalen,' zei hij, 'en de nieuwe Melkkluiven met Kaas proberen.'

Hij beet op zijn onderlip alsof hij me had gevraagd met hem te trouwen. Ik ging op het bed zitten. Het gewicht van het bezitten van de Savant, het risico van alles wat er kon gebeuren, zakte in mijn maag als een gewicht dat me onder water trok. En toch wilde ik hem zo graag hebben dat ik helemaal buiten adem was. Ik zocht een manier om te weigeren. Clayton tastte naar mijn schouders, hees zich overeind, en wreef zijn wang tegen het gordijn van haar langs mijn gezicht. De lucht tussen ons kwam tot ontbranding. Met een oneindige rust in het gebaar stak hij mij de Savant toe.

Er zat niets anders op dan hem aannemen. De felheid van zijn liefde, vanwege de afstandelijkheid, zou niets anders toelaten.

Natuurlijk maken reconstructies alles plat en simpel, ze vervalsen het verleden met kennis van het heden. Luister naar Busoni's transcripties van Bach en je zou zweren dat Bach voor een moderne Steinway schreef. Het is waar dat de herinnering aan die dagen van wachten die huivering heeft verscherpt, maar hoe meer ik probeer het spoor van mijn gedachten terug te vinden, hoe minder zeker ik ervan ben dat het is gebeurd. Verliet ik het ziekenhuis om Clayton veilig te stellen voor mijn verlangen, mijn behoefte om hem alles te vertellen, om alles wat ik had gekend, alles wat Yuri me had geleerd, in zijn warme, blinde onschuld weg te spoelen? Had Yuri me in zijn wereld getrokken om me te beschermen? Of gewoon om gezelschap te hebben, om te ontsnappen aan de opperste eenzaamheid waarin hij door de blootstelling aan het kwaad, aan gruwelijkheid, was beland? Is mijn herinnering aan de huivering, aan de schok van het besef dat ik Clayton moest beschermen tegen mijzelf, alleen de vorm die ik heb gehakt uit de steen die ik niet kan doorslikken, het feit dat ik ben weggegaan? Is het eigenlijk mogelijk om het ondraaglijke te reconstrueren? Of is het verhaal dat blijft hangen als herinnering, gewoon de versie die je de kans geeft de chaos te verdragen, de brug over de afgrond die maakt dat je verder kunt lopen? Waarschijnlijk is dit soort vragen zinloos; proberen het deklaagje van de tijd weg te pellen, terug te halen wat je toen wist, is als het achterstevoren spelen van een muziekstuk. Als signor Perso hier was, zou hij me in bad zetten en me voorlezen over de vrouw die in een zoutpilaar veranderde, een bevroren zuil van tranen, omdat ze omkeek. Ik neem aan dat ik door zal gaan.

III

(als hangend boven een leegte)

Giulio opende een gigantische zwarte Alfa Romeo. Toen ik vroeg naar de marineblauwe, zei hij dat hij die had ingeruild tegen een duurdere versie. Deze nieuwe Alfa startte zonder enig probleem, zodat niets ons ervan weerhield te vertrekken. De auto rook vreemd, naar fabriek, niet naar de lichamelijke geuren van het ziekenhuis; op het moment dat hij mijn portier dichtsloeg waren we al kilometers ver weg. Terwijl Giulio in oostelijke richting over de ringweg om Milaan reed, overtuigde ik mezelf ervan dat ik de Savant had meegenomen voor de veiligheid, dat ik een weg terug zou vinden naar Claytons liefde. Achter ons verspreidde zich een zonsondergang over de horizon: een enorme, heroïsche, boze vlek rood, een hemel zoals Beethoven tegen het einde zou hebben gecomponeerd. Het raam van Claytons zaal keek uit op het westen. De pijnlijke gedachte schoot door me heen dat Clayton het met zijn verbonden ogen nooit zou kunnen zien. Ik had niet hardop gespeeld voor Clayton om hem te beschermen, om te voorkomen dat wat op de avond van mijn debuut was gebeurd weer zou gebeuren. Toch keek ik achterom naar het bloedrode uitspansel en wilde omkeren, teruggaan en die hemel voor hem spelen voordat hij weg was.

Ik keek in mijn schoot. Daar was een zakdoek verschenen.

'Je ogen lekken,' zei Giulio zacht.

'Allergie,' zei ik en snoot mijn neus als de misthoorntuba in *Der fliegende Holländer.*

Giulio knikte. 'Vertel eens. Die kostbare cello. Die waar je op weigert te spelen. Is hij oud?'

'Want wat ik me afvraag,' ging hij verder toen ik geen antwoord gaf, 'is waarom oude instrumenten het beste geluid geven. Mijn theorie is dat het mooie geluid in de langzame dood van het hout zit. Dat de cellen van het dode hout vrijer resoneren, net als vrouwen die hebben liefgehad en verloren.'

Ik glimlachte naar hem, zoals hij zijn theorieën voor me uit liet zeilen, zodat ik erop kon schieten als op eenden in een schietbaan. 'Wanneer het omgehakt wordt is het meeste hout al dood. Alleen de schors leeft.'

'Dus het tegenovergestelde van mensen. De laag die we van elkaar raken is de dode laag. Dat vind ik zo geweldig aan opereren. In een lichaam is het warm en nat en je weet dat wat je in je handen hebt levend is.'

We minderden vaart voor een stoplicht bij een afgebrokkelde bakstenen poort in de oude stadsmuur van Milaan. Er stonden drie prostituees tegenaan geleund te roken. Na de opmerkingen van Marie-Antoinette was ik benieuwd naar zijn seksleven met de vrouwen die om hem heen hingen. De ene rijke, dodelijk verveelde vrouw na de andere te moeten afwerken leek me net zoiets als steeds hetzelfde programma moeten uitvoeren voor telkens één toondove muziekhater tegelijk.

'En hoe zit het met je andere leven?'

'Welk andere leven?'

Toen het licht op groen sprong, gleed Giulio onder de poort door, in de richting van een bord dat naar de snelweg wees. 'O dat,' zei hij uiteindelijk, alsof ik een van zijn recitalprogramma's van tien jaar geleden in een kast had gevonden. Giulio stak zijn arm uit om het tolkaartje te pakken. Hij had al tien minuten geen woord gezegd.

'Wat vind je er leuk aan?'

'Je bedoelt, afgezien van het geld?' zei hij berustend.

'Denk je tijdens aan het geld?'

Hij keek me schuins aan. 'Als het saai wordt.'

'Dus naast het geld. Ik bedoel, waarom betalen ze eigenlijk?'

Giulio slaakte een zucht. 'Niemand heeft me dat ooit gevraagd. Ik bedoel met wie ik al naar bed ben geweest. Luister. Stel, het is je zestiende verjaardag. Je zit in een bar aan het canal grande met een vriend van het liceo. Stel dat er een mooie vrouw naast je komt zitten.'

'En dan?'

'En stel dat je een jongen bent.'

'Hetgeen het geval is.'

'Stel dat je praat.'

'Waar praat ik over?'

Giulio rolde met zijn ogen. '*Vrouwen*. Je praat over onderwerpen. Stel nu dat ze, door een of ander wonder, jou leuk lijkt te vinden.'

'Ik neem aan dat ik in die dagen een hoop haar had?'

'Je hebt haar. Je had toen haar. Stel nu dat jullie kussen. En er gebeuren dingen. Je bloost overigens. Staat je wel. Stel nu, hypothetisch gesproken, dat je samen weggaat.'

'En mijn vriend dan?'

'Hij is slim. Hij gaat weg. Dus wanneer je buiten staat, zegt ze dat ze iets rekent.'

'Wat rekent, hypothetisch gesproken?'

'Hypothetisch *geld*,' zei hij met zijn ogen rollend. 'Je zegt tegen haar dat je haar zult geven wat je bij je hebt.

Het is bij benadering niet genoeg, maar ze stemt in. Nu. Je kunt nergens naartoe. Je gaat ergens heen in de Renault Vijf van je vader en parkeert.'

'Ik dacht dat mijn vader in een vrachtwagen reed.'

'Je vader rijdt in kleine auto's. Hij denkt dat dat past bij communist zijn. Stel nu dat ze wil dat je haar in haar reet neemt.'

Ik staarde naar buiten naar de donkerende horizon. Langs de weg rees een rij cypressen op, ze knalden voorbij als enorme gevangenistralies. Giulio reed woest, snel, op de linkerbaan met zijn linkerknipperlicht aan om mensen te waarschuwen dat ze uit de weg moesten gaan.

'Let op de weg.'

'Natuurlijk,' zei hij, en toen, zonder zijn ogen van me af te halen, stormde hij alle vier de banen van de snelweg over, terwijl auto's naar ons toeterden, om een colonne bussen te passeren.

'Ben ik maagd?'

'Je bent *zestien*. Je bent geen twaalf. Maar dat heb je nog nooit gedaan. Ik neem aan dat jij op je zestiende in een kerkkoor zong?'

'Ik had een baantje.'

'Als wat?'

'In de basiliek bij mij in de buurt in Milwaukee,' gaf ik toe.

'Je bedoelt een kerk. Ik kan me niet voorstellen dat Milwaukee overliep van de basilieken.'

'De Basiliek van St. Josaphat werd in 1929 verheven tot basilica minor.'

'Door welke paus,' zei hij sceptisch.

'De koepel was vijfentwintig meter in doorsnee en drieënzeventig meter hoog.'

'Het was geen echte basiliek.'

'Zoek maar op in *La Repubblica*. Een van de vereisten om een basiliek te zijn is dat je rondleidingen en pelgrimstochten hebt. Die hadden wij. Ik deed de rondleidingen,' zei ik, hoewel het mijn taak was geweest om het kalkachtige albaststof op te vegen dat elke dag op de kerkbanken sneeuwde nadat de koepel was gerestaureerd.

'Maar Milwaukee, ben je daar opgegroeid? Je lijkt helemaal niet iemand uit de Midwest. Die zijn allemaal zo – aardig.'

'Als kind heb ik gereisd,' zei ik.

'En je vader? Op een of andere manier stel ik me hem voor als een Russische jood.'

Ik kon hem boven mijn verleden voelen cirkelen als een geduldige gier. 'Ga verder met je verhaal,' zei ik.

'Oké, dus nu ben je er bijna. Je bent trots dat je het zo lang hebt volgehouden, maar je was er bijna vanaf het moment dat je kuste,' ging hij verder, 'en nu ben je al een tijdje bezig, en je weet dat je het niet meer tegen kan houden. Dus steek je je hand uit om haar te betasten, en –'

'En zij is een hij?' zei ik.

Giulio barstte in lachen uit. 'Waarom denken Amerikanen "homoseksueel" bij het geringste vleugje van iets anders dan de missionarispositie? Jullie zijn als jachthonden die in de verte een blaadje zien en denken dat het avondeten is. Op een gegeven moment in de jeugd hebben de meeste Italiaanse jongens een penismaatje. Dan ben je nog geen flikker.'

Ik keek uit mijn raampje, uit ergernis dat ik het niet had zien aankomen.

'Zij is een zij,' zei hij zacht. 'In hemelsnaam. Dat is de reden dat ik wil dat vrouwen eruitzien als vrouwen. Geen onaangename verrassingen. Gelukkig heb ik bewijzen van je vrouwelijkheid.'

'Dat was een apparaat dat ik had omgegespt voor de gelegenheid.'

'Dat zou het een en ander verklaren.'

Er was een lichte mist neergedaald over de autostrada die als een donkere rivier van gelakte lava onder ons doorstroomde. Giulio klapte het houten paneeltje links van mijn voeten open – op een of andere manier overgebracht uit zijn andere Alfa – en pakte twee glazen. De met een kurk afgesloten fles witte wijn die hij omhoog hield, was bijna leeg. Hij gooide hem op de achterbank, haalde een nieuwe fles rood te voorschijn en begon die te ontkurken terwijl hij stuurde met zijn knieën. De snelheidsmeter gaf meer dan 150 km per uur aan. Ik staarde het toenemende duister in, naar een kleverig visioen van onze verminkte lichamen, de total loss gereden Alfa, de Savant tot splinters vermalen, het ritmische gekrijs van ambulancelichten die het tapijt van glas in vlam zetten. En Clayton die wachtte in het ziekenhuis.

Ik wist zeker dat ik de climax van het verhaal niet wilde horen. Om dat te vermijden deed ik de radio aan; daar was Bernstein die de stralende climax van Beethovens Negende bereikte, de uitvoering die hij gaf toen de Berlijnse muur viel. De *Ode an die Freude*. Ergens, dacht ik, was iemand met een verknipt gevoel voor humor. Ik zette het uit. 'Ga verder.'

'Dan voel je striemen over haar hele buik,' zei hij eindelijk, en gaf me een glas aan.

'We zitten in een donkere auto?' zei ik, terwijl ik nog steeds probeerde weg te kruipen van wat ik voelde aankomen.

'Je weet hoe ze aanvoelen.'

Onwillekeurig, dom, greep mijn hand naar de deurhendel: als hij geweld had gekend, dan was hij er natuurlijk toe in staat. Maar op dat moment klikten de sloten van de auto dicht.

'Dus nu zuiver hypothetisch,' zei hij. 'Wat doe je dan?'

'Ik stap uit de auto?'

'Nee, nee. Je hebt betaald. En niet eens het volle bedrag. Dat zou een belediging zijn.'

'Maar ik stop.'

'Het antwoord,' zei hij, 'is dat je op het idee komt haar te slaan, hoewel je niemand meer hebt geslagen sinds het gymnasium. En wanneer je dat doet komt ze klaar.'

Ik zag mezelf, onder Giulio, die hard in mijn gezicht sloeg en spuugde, net toen ik me liet gaan. Ik wenste dat ik overal was behalve in zijn auto. Een van Yuri's refreinen was geweest dat je het snelst in een val liep als je wilde geloven dat je veilig was.

'Laat me raden,' zei Giulio. 'Onze muzikale esthete die zich niet kan verlagen tot uitvoeringen voor publiek vindt het idee van prostitutie moreel afstotelijk. Ik bedoel, het is gewoon dat je Amerikaans bent. Zelfs als je twee keer zoveel ervaring had als nu zou ik nooit geloven dat je getrouwd bent geweest.'

'Je hoeft geen genie te zijn om te weten dat iemand die op vastenavond met je mee gaat niet getrouwd is.'

Giulio hield zijn glas op alsof hij wilde toosten op mijn scherpzinnige opmerking. We klonken.

'Dat wil niet zeggen dat ze op het punt staat verliefd te worden,' voegde ik eraan toe.

Hij kromde zijn vinger om mijn oor naar zich toe te trekken. 'Niemand heeft iets over liefde gezegd.'

Ik sloeg mijn wijn achterover en zette het glas op de grond. Yuri had me geleerd hoe je moet stompen in noodgevallen. Giulio's wijn spoog alle kanten op.

'Dat is schitterend. Geweldig.' Giulio stak zijn hand naar achteren, greep een handdoek van de stapel wasgoed en depte fanatiek de moordvlek op zijn borst. Toen dat niet hielp, haalde hij een fles alka seltzer te voorschijn en rukte die open. Hij ontplofte over de hele voorruit.

'Ik neem aan dat je niet alles zo snel kunt openen.'

De spieren in zijn kaak trokken dansende heuvels van spanning op zijn wangen. 'Waarom ben je zo hárd?'

Hij begon zich uit zijn overhemd te wurmen. We slingerden. '*Hou het stuur vast*,' blafte hij. Ik pakte het stuur. 'Waarom vertel je me niet wat die dierbare cello van jou waard is,' zei hij, 'dan weten we voor hoeveel jij jezelf hebt verkocht op onze eerste betoverende avond. Je meent het. Je bent geschokt. Je zegt dat je die nacht met me naar bed bent geweest omdat je dat wilde.'

Hij zwierde tussen de rijstroken.

'Ik moest hem terughebben,' zei ik.

'Tja, en ík heb een hoop geld nodig,' zei hij, terwijl hij zijn overhemd over zijn hoofd trok.

Hij leunde naar voren om de voorruit met zijn overhemd schoon te vegen. We meerderden vaart. Hij gooide het overhemd naar achteren, leunde naar voren en schooierde onder mijn stoel. De vrachtwagen voor ons zwol aan in de voorruit, met zwart rubberen flappen die fladderden als vleugels. Ten slotte kwam hij weer overeind met een overhemd in een cellofaan van de stomerij. Toen hij de verpakking openscheurde, verrees in de verte een oranje rechthoek van een wegrestaurantbord. 'Ga naar de kant.'

We scheurden over de linkerbaan. 'Ga jíj maar naar de kant,' zei ik. Giulio greep het stuur. We gierden over de rijstroken naar de afrit, raakten een hobbel, vlogen door de lucht en landden slippend op de bevroren struiken waar de afrit omheen liep. Er kraakten takken tegen de voorruit. De auto schokte opzij, de onderkant scheerde over het asfalt. Het plaveisel glinsterde. We stoven over de parkeerplaats naar een bus waar nonnen uitsijpelden. Giulio remde pompend. We zwiepten het moment binnen waarop mijn ouders van de snelweg vliegen – de takken zwiepen, we schuiven achteruit, daar is Clayton dood, signor Perso in leven – toen knalde onze achterbumper tegen de bus, en klapte de tijd weer op zijn plaats.

Ik zat tegen mijn portier geplakt, Giulio lag dwars over mijn schoot. Ik registreerde de keten kleine, dagelijkse geluiden, het gezoem van de draaiende motor, het gedempte, uitzinnige gekakel van de nonnen, de zwakke golven verkeer verder weg op de snelweg. Giulio stak zijn hand uit en zette de motor af. Na een tijdje kwamen we weer bij onze positieven. Hij pakte een kostuumzak van de achterbank en stapte uit. Bijna alsof hij me vergeten was, keek hij naar mij.

'Jij hebt niets,' zei hij, stapte uit en gooide het portier dicht.

Ik hoorde hem flirten met de nonnen, hen temmen, tot hun stemmen koerden als duiven. Toen dat gedaan was, wilde hij weggaan. Toen aarzelde hij, voelde in zijn zakken, kwam terug, richtte zijn sleutelbos op de kofferbak en klapte hem open. Ik deed mijn portier open.

'Ik heb die dwerg in je pension een tijdje geleden afgekocht,' zei hij met zachte stem en rende toen de toegang naar het restaurant op.

Een cesuur. Ik zat verpletterd op mijn stoel. Ten slotte sleepte ik me naar buiten om te kijken. Giulio had alles gered: de slordige hoop kleren, de tapes van onze oude 78-toerenplaten, de geur van signor Perso die opsteeg als die van versgebakken brood. Hier de vertrouwde stoffen, hun door elkaar gegooide patronen de chaos van de dood. Onze jaren stroomden langs mijn gezicht. Ik drukte het verkreukelde nachthemd van signor Perso tegen mijn gezicht en ademde de oude, veilige geur van zijn huid in, wensend dat ik me in de kofferbak kon storten en het deksel dichttrekken. Toen viel mijn blik op zijn versleten Harvard vlinderdas, nu kreukelig en gedragen. Hij had vers geperst onder het plastic van de stomerij gehangen toen ik het lijk had aangekleed. Giulio had hem gepast of gedragen. Hij had maanden met onze spullen rondgereden, erin wroetend, had gewroet tot ik praatte over signor Perso, terwijl hij wist dat hij dood was. Om erin te komen, deinsde Giulio nergens voor terug.

Gewassen en geschoren, in zijn nieuwe pak dat eruitzag of het op zijn lichaam geperst was, dook Giulio op uit het wegrestaurant als een herbewerkte opname van zichzelf. In een landschap van volmaakt plastic struikgewas bleef hij staan om zijn manchetknopen te controleren, keek alle kanten uit alsof hij zich ervan wilde overtuigen dat niemand die hij kende hem smerig had gezien, en liep toen het pad af naar de auto. Van dichterbij zag ik dat zijn vingernagels gepolijst waren, zijn zwarte instappers glommen. Hij smeet zijn vuile kleren op de stapel wasgoed op de achterbank en liep rond de auto om hem te inspecteren. Zodra hij had gezien dat er geen schade was, prees hij de enorme rubberen bumpers van de Alfa. Hij sprong in de auto, reed naar een benzinepomp, reikte langs me heen naar het handschoenenkastje en trok twee chirurgenhandschoenen uit een doos. Toen zag hij mijn gezicht, de tranen en legde een hand op mijn arm.

'Echt, het stelt niets voor.'

Het duurde een volle minuut voordat ik het begreep. Giulio dacht dat hij een waterval van dankbaarheid had ontketend.

Terwijl hij de handschoenen aantrok, vroeg hij of ik wist waarom er geen houten fluiten meer waren. Ik staarde hem aan. Zijn gezicht vertoonde een opgewekte vredigheid. Hij was van plan net te doen of hij me niet bijna had vermoord.

'Ik ben gewéldig. Het enige muzikale feit dat je niet weet.' Hij glimlachte, sprong uit de auto en haalde met zwier zijn creditcard door het apparaat. In de achteruitkijkspiegel zag ik hoe hij de kofferbak opende, daar een metalen blik uithaalde en dat begon te vullen. De benzine beukte tegen de wanden met een lage baritonhuivering die omhoogtuimelde langs de toonladder. 'Op die manier kom ik nooit zonder te zitten, zei hij zelfvoldaan toen hij de dop erop draaide.'

'Waarom was het dan leeg?'

Hij schoof de benzinetuit in de auto. 'Ik kwam zonder te zitten. Hoe dan ook, al het hout kwam van een bepaald eiland in het Caribisch gebied, dat eigendom was van twee fluitmakers die met elkaar om de macht streden. Uiteindelijk wist de een de ander zijn helft te ontfutselen. Toen stak de ander het hele eiland in de fik. Het zal zo'n honderd jaar duren voordat de bomen weer zijn gegroeid. Nu heb ik een vraag voor je. Zou je liever de fluitmaker zijn die het eiland had of degene die het afbrandde?'

Als de wereld zo verdeeld was, dan zou Giulio altijd degene zijn met het eiland, met de geniale handen die werkten, degene die het ongeluk zou riskeren, maar onberispelijk op zijn afspraak zou verschijnen. Die ten koste van alles zou overleven. In mijn borst explodeerde een verlangen hem te verminken. In het open handschoenenkastje lagen lucifers naast zijn slof sigaretten. Ik stak er een aan, stak het doosje ermee aan en gooide de oplaaiende vlam door het raampje naar hem toe. Maar Giulio sprong behendig opzij en het sloeg tegen het beton, vonken spuwend.

Giulio trapte het uit met een daverende lach. 'Precies. Onder de juiste omstandigheden is iedereen tot alles in staat.'

Hij pelde een handschoen af, stak zijn hand door het raampje en streek langs mijn wang. Zijn hand rook naar amandelen en oranjebloesemolie en de zwakke geur van martini: ik realiseerde me dat hij in de Agip-bar nog meer had gedronken.

'*Le donne violente*', zei hij. 'Waarschijnlijk is er iets mis met me dat ik geweld aantrekkelijk vind in vrouwen.'

Er kroop een kille, klamme tinteling langs mijn ruggengraat naar beneden. Was dit waar het hem om ging, me in zijn morele relativiteit te vangen, waar alle mensen schuldig waren? Of zouden zijn, als je ze op het juiste bord prikte en in een omstandigheid manoeuvreerde? Waar een vrouw slaan een anekdote werd die je vertelde bij een glas wijn? Ik dacht aan Clayton, aan de manier waarop ik hem had vermorzeld, hem had verteld dat zijn moeder vanwege hem was weggegaan, om hem maar aan het oefenen te krijgen. Had Giulio gelijk, was wat me in hem tegenstond hetzelfde dat ik in mezelf niet kon verdragen? Was overgaan tot het kwaad even simpel als besluiten koste wat kost te overleven?

Ik wurmde me over de versnellingspook en kroop op de bestuurdersplaats.

'Wat krijgen we nou?'

Ik deed mijn gordel vast.

'Wil je in mijn drie dagen oude Alfa rijden?'

Ik greep het stuur en keek recht voor me uit.

Giulio haalde diep adem en stapte in. Ik stak de sleutel in het contact. Hij klikte zijn veiligheidsgordel vast.

'Wat is het probleem?'

'Geen probleem,' zei ik en draaide het sleuteltje om.

De auto sprong naar voren.

'Ik heb hem in de versnelling laten staan. Je gaat me niet vertellen dat je alleen in een automaat kunt rijden?'

Hij deed zijn gordel los. 'Ik rij.'

'Je hebt je kans voorbij laten gaan.'

Zijn ogen trokken tot streepjes. Ik bleef doodstil zitten en vroeg me af of zijn lange, langzame uitademing de inzet tot een stomp was.

'Trap de koppeling in,' zei hij uiteindelijk.

Ik greep de pook en probeerde de auto in een versnelling te duwen.

'Op de grond. Je linkervoet.'

Ik slaagde erin de motor te starten, gaf gas, kreeg hem in de eerste versnelling. Toen ik de koppeling losliet, klonk er een geluid als een kettingzaag die in hardhout bijt. Met geveinsde nonchalance haalde Giulio een manicureset uit zijn zwarte dokterstas op de grond en begon zijn nagels te polijsten. Ik liet de motor afslaan. Startte weer. We schoten naar voren. De eenzame boom op de parkeerplaats sprong voor ons. Ik ging op de rem staan. Giulio's nagelpolijster vloog uit zijn handen.

Giulio raapte hem op, deed de alarmlichten aan en hervatte zijn manicure. Ik startte. En liet de motor weer afslaan.

'Genoeg gehad?' vroeg hij, er op los polijstend.

De oude verkramping, de spierherinnering aan optreden zonder partituur, zette zich vast in mijn schouders. Waarom had signor Perso niet gedacht aan zijn dood, of de tijd erna? Waarom was het nooit bij hem opgekomen mij te leren autorijden? In stilte ging ik tekeer tegen mijn onmogelijke lichaam. Maar ik was niet van plan mezelf weer aan Giulio over te leveren. Een auto besturen, zei ik tegen mezelf, kon nauwelijks moeilijker zijn dan de *Rococo Variaties* spelen. Ik kwam op het idee te luisteren naar het geluid dat ik zocht, het soepele, ritmische grommen uit de buik van de motor dat Giulio had gemaakt, en vandaar terug te werken naar de bewegingen. Dat was het geheim: in een paar seconden hadden mijn ledematen hun handelingen naar de behoeften van de machine geplooid. Ik slaagde erin het parkeerterrein rond te rijden zonder horten en toen gleed ik de afrit op alsof ik altijd had geweten hoe dat moest.

Tegen de duisterende oostelijke hemel kwam een lage maan op. Eronder leken de stadjes in de heuvels toneelachtig, als een geschilderde achtergrond voor een decor van de *Trovatore*. Of misschien was het de geur van Giulio's martini-adem die de auto vulde en de reis onwerkelijk deed lijken. Ik heb geen idee hoe lang we op de snelweg waren. Een hele tijd zweefde ik op de kinderachtige opwinding een fysieke taak machtig te zijn geworden. Toen splitste de weg zich en kostte het me moeite naar links te komen; mijn humeur zakte omdat ik wist dat wat nog voor me lag nooit zo makkelijk zou zijn als over deze snelweg koersen. De weg begon door de Alpen te slingeren, rond steile rotsen te cirkelen, leek er toen recht overheen te gaan, heen en weer zigzaggend boven een rivierbedding. Langzamerhand leerde ik in de bochten te hangen. Ik genoot van het gevoel als de auto weer recht kwam te liggen, als een balancerende strijkstok. Op een gegeven moment begonnen ruwe strepen in het oppervlak van de weg met regelmatige tussenpozen tegen de auto te hameren. Maar toen gaf ik me over aan de trillingen, liet ze doorkomen. Tegen de tijd dat Giulio de afslag naar Trento aanwees, slaagde ik erin het tolhuisje met een soepel *rallentando* te naderen. Niet lang daarna klommen we de flank van een berg op. De lucht tussen ons begon te verdichten door wat Giulio op het punt stond te doen.

'Is het nog veel verder?'

'Een klein stukje,' zei hij, terwijl hij een sigaret opstak. 'Terugschakelen.'

Ik trapte de koppeling in en deed wat hij zei. De versnellingen spanden zich als afwachtende spieren en de auto spoot naar boven, zijn kracht stevig in mijn handen.

'Ik bedoel, Christus,' barstte Giulio los. 'Het hele gedoe is de schuld van Daphne. Ze heeft kaartjes voor een of andere benefiet, dan kan ze niet omdat ze koortsuitslag op haar lip heeft. Ze laat me een van haar vriendinnen meenemen, een manager bij een grote wapenfabrikant. Uiteindelijk brengen we samen de nacht door. Ze zei dat ze in geen jaren met iemand naar bed was geweest, dat ze, als ze een verhouding had met iemand van haar werk, zich nooit kon toestaan gevoelens voor hen te hebben, omdat ze dan later misschien geen betrouwbaarheidsattest zouden krijgen. Ik bond haar vast en dwong haar geheime informatie te geven. Dat maakte haar wild. God weet dat het me geen moer interesseerde. De volgende ochtend raakte ze in paniek en liet me zweren dat de avond onder ons zou blijven. Een paar weken later kreeg ik een pakje met antieke manchetknopen. Het briefje meldde dat onze nacht haar had doen beseffen dat haar betrouwbaarheidsattest een gevangenis was, dat ze het alleen maar wilde schenden. Ze zei dat ze na zeventien jaar weg was gegaan bij de wapens en een baan had genomen bij de VN, waar betrouwbaarheid geen punt was. En dat ze eindelijk iemand had ontmoet. De manchetknopen waren om me te bedanken.'

'Dus oké,' ging hij verder, zijn sigaret uitdrukkend. 'Ik dacht dat het daarmee afgelopen was. Maar de volgende zondag gaat de telefoon. Het is een vriendin van die vrouw, een Zwitserse, die ik ontmoet had tijdens die liefdadigheidstoestand. Ze is maar één dag in de stad. Ze vraagt of ik haar later kan treffen, in haar hotel, om iets te drinken. Daphne was nog in Genève en ik zat thuis te lezen dus ik zei: Waarom niet. Deze vrouw is moeder van drie kinderen, heeft nooit gewerkt, is heel anders dan haar vriendin. Maar de vriendin had kennelijk gepraat want de conversatie blijft vastlopen. Het enige waar ze over kan praten is hoeveel ze van haar man houdt. Ze heeft zo'n nerveuze giechel die ik wel leuk vind, dus uiteindelijk zeg ik: ik denk dat je me met een reden hebt gebeld. Wat voor reden dan? vraagt ze een beetje koket. We draaien weer in rondjes. Ik bedoel, na een paar drankjes denk ik: vooruit met de geit, of ik ga naar huis, lezen. Dan begin ik haar als een patiënt te bestuderen. En valt het kwartje. Ik denk, dit is klassiek, de huisvrouw die de hoer wil uithangen, maar dat niet kan zeggen. Dus vraag ik of de kamers boven leuk zijn. Ze zegt: Zou je er een willen zien? Ik zeg: Waarom niet? Boven gaat ze naar de badkamer. Ik begin de krant te lezen. Als ze eruit komt, sla ik een bladzijde om en zeg dat ze zich moet uitkleden. Ze is een beetje gezet, onhandig met haar lichaam, dus ik denk dat het haar wel een tijdje zal kosten om warm te lopen. Maar nee, ze maakt er een hele show van, trekt haar kleren heel langzaam uit. Ik kijk van tijd tot tijd over de krant heen. En blijf lezen. Ze komt naar me toe en gaat voor me staan. Ik steek mijn hand uit om te controleren – ze is nat. Dus sla ik de bladzijde om. Ze knielt tussen mijn benen. Zou je mijn broek open willen maken? vraag ik. Zou je willen dat ik je broek openmaak? vraagt ze. En ik zeg ja. Ik geef haar lesjes. Die wil ze. Zo? vraagt ze, heel onschuldig.'

'En jullie leefden nog lang en gelukkig,' zei ik, 'omdat ik niet meer wilde horen.'

Giulio dacht een minuut na. 'Ik bedoel, wat doe je in

zo'n geval? Het is als water door een vergiet gieten. Ik zeg: Het ziet ernaar uit dat je heupen mij ertussen willen. En ze zegt: Zou je tussen mijn heupen willen? Ik bleef denken: Ik vind zo wat haar opwindt.'

'Maar dat gebeurt niet.'

'Tja. Het gaat zo verder. Ik bedoel uren. Tot ik aan het eind van mijn latijn ben. Ten slotte zit ze boven op me, met haar rug naar me toe, en dan hoor ik kreunen, een kerel, weet ik veel waarvandaan. Dan zie ik dat de kastdeur op een kier staat. Dan laat ze me los en delen zij hun speciale ogenblik.'

Ik minderde vaart voor verkeer, en herinnerde me dat hij in het ziekenhuis opschepte dat hij er altijd van genoot.

'Twee dagen later kom ik thuis nadat ik zesendertig uur dienst heb gehad. Onder mijn deur ligt een envelop. Als ik hem opendoe, vallen er tienduizend Zwitserse franken uit. Ik voelde me fysiek misselijk. Ik wilde ze verbranden, maar ik, ik kon het gewoon niet. Ik had van mijn leven niet zoveel baar geld in handen gehad. Dus stopte ik het gewoon in mijn portefeuille, gooide de envelop weg en ging verder met mijn dag.'

'Heb je ze nog teruggezien?'

'Nee. Maar het een leidde tot het ander. De eerste, met de manchetknopen, was nog gewoon een gelukje. Maar na deze was het iets wat ik deed. Weet je wat het ergste was? Mijzelf het geld in mijn portefeuille zien stoppen, en de volgende seconde een totaal ander iemand worden, iemand die dat deed. Het was het gemakkelijkste ter wereld. Is jou dat ooit overkomen?'

Het leek een kracht, de manier waarop hij zijn ene zelf achterliet en een ander aantrok, als een stel vleugels onder je jas om weg te vliegen als het nodig is. Maar toen ik naar hem keek, leken zijn ogen wanhopig, alsof ze naar voedsel zochten.

'Ik neem aan van niet,' zei hij, met een scherpe toon in zijn stem, alsof hij het oordeel waarvan hij wist dat het zou komen niet kon verdragen.

We maakten een scherpe bocht. Hij wees me naar een steile, onverharde afslag. Ik schakelde weer terug, mijn nieuwe vaardigheid zat nu stevig in de herinnering van mijn spieren. Na een poosje langzaam rijden rees er een sneeuwwit klooster op in het licht van de koplampen. Giulio wees naar een parkeerplaats van grind waar een rijtje auto's met de neus naar de steile afgrond stond. Ik stuurde ons ernaast en schoof naar voren. De auto kwam schokkend tot stilstand. Voor het eerst sinds uren nam ik zijn hele gezicht in me op. Het zag er geteisterd uit. Maar het was de uitgeputte opluchting aan het eind van een strijd: hij was eindelijk gestopt met optreden.

'Laat maar in de versnelling staan,' zei hij kalm. 'Dat werkt beter dan de handrem. Ik moet naar binnen. Zou je een paar minuten kunnen wachten en dan een kamer nemen? Ik kom je over een paar uur opzoeken.'

'Ongeacht haar huwelijkse staat,' zei ik, 'vindt onze muzikale esthete prostitutie niet weerzinwekkend.'

'En wat vindt ze er wel van?'

'De vraag is wat jij ervan vindt.'

Giulio stak een sigaret op, zette zijn raampje op een kier en blies rook uit. 'Heb je ooit iemand dood zien gaan?'

Ik zag het stille, dode gezicht van signor Perso, zijn kwetsbare, papierdunne oogleden, en schudde mijn hoofd.

'Er verandert zo weinig,' zei hij. 'Behalve dat het lichaam leeg is. Het punt met geneeskunde, het onverdraaglijke ervan, is dat je niet kunt vinden wat een lichaam nodig heeft om te leven. De dood vind je steeds opnieuw, maar hoe goed je ook kijkt, met de MRI en de barium en de röntgenstralen, het leven kun je niet vinden.'

Hij pakte zijn dokterstas, zette hem op zijn schoot en glimlachte bitter. 'Het enige wat we de familie kunnen vertellen is uit welk orgaan het ontsnapt is. Ik bedoel, vrouwen betalen me, en betalen maakt de transactie eenvoudiger, makkelijker voor hen om zich over te geven, maar ik denk dat ik het ook zou doen als ze niet betaalden. Want, *figurati.* Op één avond krijg je de gewijde kennis van een lichaam aangereikt: niet wat het nodig heeft om dood te gaan, maar wat het nodig heeft om te leven. Je kunt je niet voorstellen – ik bedoel de dood die je als chirurg ziet, *dag in dag uit* –'

Ik legde mijn hand op zijn arm. Hij gooide zijn sigaret door de barst in de voorruit en staarde naar de hemel.

'Ik wilde dat lichamen,' zei hij, 'wanneer ze gereed zijn om te gaan, als sterren zouden verbranden.'

Met signor Perso had mijn instinct gewoon gezegd: *niet verbranden.* Maar door te vluchten voor de as had ik hem op een andere manier uitgewist: nu lag hij te rotten zonder een grafsteen in een stuk kale grond met tegels waar ik hem nooit zou vinden.

'Dat zou de zaken gemakkelijker maken,' zei ik, terwijl ik uitkeek over het uitgestrekte zwart achter de bergrug. Ik had nog nooit een hemel gezien zo dichtbezet met sterren, met schimmen die niet bereid waren te verdwijnen.

De houten toegangsdeur was versierd met duivelskoppen. Ik leunde met mijn hele gewicht tegen de deur en duwde hem open. Giulio leunde nog met zijn elleboog op de receptiebalie aan de andere kant van de entree, en stond te flirten met een oeroude, misvormde weduwe die koffiekopjes uit een zijlounge opruimde. Er ballette een Marie-Antoinette-pop uit het kantoor achter de balie. Deze had een beter figuur dan Marie-Antoinette; het gezicht met de hertenogen – afgezien van de bizarre, vierkante kin – kwalificeerde haar meer als een standaard schoonheid. Maar ze had hetzelfde gemaniëreerde loopje, dezelfde gave huid, hetzelfde pakje dat haar billen als stoffering omvatte. Zocht Giulio ze daarop uit? Of zorgde hij er uit gewoonte voor dat ze allemaal hetzelfde werden? Ik vroeg me weer af waar ik ooit in zijn plan zou passen.

De pop kringelde om de balie heen, sloeg haar armen om zijn middel en kromde haar lichaam tegen het zijne. Haar schoenen met hielbandjes omlijstten haar voeten als minitroontjes, en deden ze gewelfd, buigbaar, uitnodigend als torso's lijken.

'Darling,' zei Giulio, zijn pols achter haar hoofd draaiend om een blik op zijn horloge te werpen. 'Kom je tegenwoordig hier?'

'Je andere darling heeft haar afspraak aan mij gegeven.'

De toon was afgevlakt tot een monotoon staccato – ergernis verpakt in suikerzoete kalmte – maar de cadans was onmiskenbaar Marie-Antoinette. Waarschijnlijk kon je iemands vlees met een vlammenwerper schroeien maar de stem die eruit opsteeg zou nog steeds hetzelfde klinken. Hoe had ze zich kunnen verbeelden dat haar stem haar niet zou verraden? Of het was de christendemocraten die haar het land uit wilden hebben alleen te doen om de schijn dat ze van haar af waren, óf de Italiaanse politie had geen spraakanalyseapparatuur. Want als ze die wel hadden, zou ze alleen maar terug kunnen naar Milaan als ze nooit meer een woord zei.

Giulio gleed uit haar omhelzing. 'Is ze weg?'

'Je bent maar drie dagen te laat. Of verbeeld je je dat de tijd voor ons allemaal stilstaat tot jij arriveert?'

Giulio ademde diep in. Ademde uit. 'Ik had een spoedgeval.'

Hij keek de lege salon door, liep toen naar een miezerig, van Kerstmis overgebleven sparretje in een pot, behangen met carnavalsmaskers, en rinkelde met een belletje dat aan een van de takken hing.

'Severina, wat vind je van je nieuwe padrona?'

'Laat me met rust, prins,' zei de oude, knokige vrouw achter de balie.

Ik probeerde de enorme deur weer dicht te trekken, om te wachten tot ze weg waren, maar hij piepte, en toen had ik geen andere keus dan naar binnen gaan. Over Giulio's schouder gaapte ze naar iets wat er uit moet hebben gezien als een verdwaalde, bovenmaatse wees. Mijn jurk was inmiddels tot op de draad versleten. Giulio keek om naar wie ze stond te staren. Toen staarde hij ook, alsof ik zelfstandig naar de herberg was gekomen en hij verbijsterd was me te zien. Ik verzette me tegen de drang om weg te rennen en liep recht op hem af.

'Hoe gaat het met jóu?' zei hij, en legde zijn handen als oogkleppen om mijn gezicht.

Ik worstelde me uit zijn handen en keek om naar Marie-Antoinette. Maar zij rende de trap op.

'Ik heb de sleutel nodig,' zei ik kalm.

De oude vrouw trok een misprijzende wenkbrauw op. 'U kunt tot tien uur aan tafel,' zei ze streng en overhandigde me de enorme sleutel in haar hand. 'Niet verliezen.'

Giulio's hoofd liep rood aan. 'Nee, nee.' Hij vouwde mijn vingers open en nam de sleutel terug.

'Giulio?' zei ik. 'Je was me aan het vertellen waarom je plastische chirurgie koos?' De tactiek was onzinnig, dat wist ik; maar ik kon niet uitstaan hoe gegeneerd hij over me was.

'Omdat ik de pest heb aan zieke mensen,' zei hij zacht, als een dier in de val. Hij streek met een hand over zijn hoofd, herstelde zich, en wendde zich toen tot de oude vrouw. 'Ik kom zo. Zou u –'

De delta van rimpels om haar getuite lippen verdiepte zich van geamuseerdheid. Ze knikte. Nu ze had begrepen dat wij drieën niet allemaal tegelijk in dezelfde kamer zouden zijn, leek ze te genieten van Giulio's dilemma.

'Ik geef haar de negen wel,' zei ze.

'Negen. Negen is goed,' zei Giulio en stormde toen met twee treden tegelijk de trap op.

De oude vrouw trok een sleutel van het bord, en keek toen naar de Savant.

'Je bent niet van plan daar hard op te gaan spelen, hoop ik?'

Ik. Hard spelen. Ik glimlachte en schudde mijn hoofd. Toch hing ze de sleutel terug en trok een andere van het bord voor mij. Ze wees naar de smalle trap achter in de hal.

Kamer dertien was halverwege de trap aan een benauwde, slechtverlichte overloop. De kleine, donkere houten deur had aan de bovenkant een puntboog die nauwelijks hoger was dan de Savant. Nog voordat ik de sleutel in het slot kon steken zwaaide de deur open. De piepkleine ruimte leek een soort kast. Drie van de muren omarmden een verfrommeld eenpersoonsbed. De gevlekte lakens roken schimmelig. Op de grond ernaast stond een emmer met schoonmaakmiddelen. Ik hoorde voetstappen, sleepte de Savant naar binnen en sloot de deur. Dit was het soort situatie dat ik goed kende, waarin geen andere schuilplaats te verwachten was.

Het enige raam, een smalle gleuf hoog in de tegenoverliggende muur, wierp een reep maanlicht op een oude, vergeelde muurlamp. Ik probeerde de schakelaar. Niets. Ik voelde: er zat geen peertje in. Ik wilde mijn gezicht wassen, maar er was geen wastafel. Als ik door de gangen dwaalde, op zoek naar een badkamer, zouden mijn oren zeker willekeurige flarden wanhoop of verlangen opvangen. Steeds minder ruimte in mijn borst om lucht binnen te krijgen en dan steeds minder lucht, mijn adem sneller, nutteloos, een vierenzestigste noot, die geen opluchting gaf. Waar was Giulio? Ik overzag mijn cel, in de hoop dat de muren inlichtingen, een hint of bevel zouden opleveren. Kon ik er maar doorheen vliegen als muziek, naar buiten vliegen als een geluidsgolf, eeuwig reizend door de oneindige nacht, terug naar het licht van de sterren –

(*verdergaand*)

Ik dacht aan de weduwe van Leopardo, haar verdriet. Hoe ze was blijven inpakken, ook terwijl we praatten. De notatie was een eenvoudig *andante*. Het bed opmaken, op de sprei gaan liggen zonder mezelf toe te staan over de vlekken eronder te speculeren. Mijn ogen sluiten en mezelf en route naar ergens anders te brengen. Basale voorwaartse beweging oproepen. Het horten van een trein. Nog beter, een vliegtuig, hoog in de lucht, ver van elke grond. Ik sloeg het laken uit, streek de sprei glad, ging liggen en sloot mijn ogen, waarbij ik me voorstelde dat mijn cello in de gordel van de stoel naast me zat. Een dame aan het gangpad, ze breit. Het klikken van de gordel, het tafeltje dat neerklapt – het succes van geestelijke reizen naar elders berust op dit soort banaliteiten. Op het monotone gregoriaanse gezang van de motor. Op het gestage krits krits krits van de breinaalden. De breiende vrouw die aan het tuutje boven haar hoofd draait en lucht die neerblaast. Maar het tuutje leek alleen lucht, alleen lucht te blazen. Als er iets anders in vermengd was, kon ik het niet ruiken. Natuurlijk, als je er iets in deed, zou het minder paniek veroorzaken als wat je erin deed reukloos was. Maar was gas niet reukloos? Er verscheen een stewardess die aan haar rituele vlaggenspraak begon. Voor het eerst van mijn leven pakte ik de kaart en zocht de uitgangen. Wat ik moest doen was me concentreren op leren, op het leren van de regels hoe dingen werkten. Want vroeg of laat zou het vliegtuig neerstorten.

Midden in de vlucht deed ik mijn ogen open. Door de pijn in mijn hoofd leek het of er uren voorbij waren gegaan. Ik had de sleutel van de nieuwe auto, maar waarschijnlijk had Giulio er nog een: ik vroeg me af of hij, na onze scène in de lobby, van plan was mij gewoon hier achter te laten. Ik raapte mijn spullen bij elkaar, sloop de verlaten lobby door en ging naar de parkeerplaats. Giulio's nieuwe Alfa stond er nog. Als ik in de auto wachtte, kon hij niet zonder mij weg. Ik ging op de bestuurdersplaats zitten en trok aan het hendeltje bij de deur om de stoel plat naar achteren te laten zakken. Toen was het vliegtuig geland. Ik kwam aan in Milwaukee, stond met mijn cello bij de bagagebanden op het vliegveld van Milwaukee, luisterde naar de vals opgewekte muzak, wachtte op mijn koffer. Clayton wachtte ook. We waren de laatste twee. In plaats van naar de band te kijken, staarde hij naar mijn lichaam. Ik keek naar beneden en zag dat het tijdens de vlucht gegroeid was. Nu zat er in mijn oude zelf een nieuwe indringer, die naar buiten bolde zonder dat ik de macht had over zijn vorm. Ik trok de cello voor mijn lichaam, nam het besluit om hem aan mijn lichaam vast te binden en zo rond te lopen, zoals ze hadden gedaan bij renaissanceoptochten. Toen stootte mijn knie ergens tegen. Giulio's autotelefoon hing van de haak en lag boos te piepen. Ik werd wakker, ging overeind zitten, drukte willekeurig op knoppen. Er klonk een reeks tonen. Toen was er verbinding en ging hij over. Ik had op automatisch kiezen gedrukt. Ik hoorde een klik en een plof en Claytons eenzame, metalige – *pronto*?

'Clayton?' zei ik, zonder het te begrijpen.

'Je bent er niet,' zei Clayton. Giulio's telefoon had mijn nummer bij de Pettywards gedraaid; hij was thuis, realiseerde ik me, in mijn bed. 'Waar ben je dan?'

'In de buurt van Bolzano. Mocht je weg?'

'Ze zeiden dat ik woensdag terug moest komen.'

Natuurlijk had ik moeten vragen waarom het ziekenhuis het verband van zijn ogen had gehaald en hem had ontslagen, terwijl daar drie uur eerder geen sprake van was geweest. Had ik moeten bedenken dat Clayton om naar huis te gaan zijn verband zou hebben moeten afdoen en zijn bloedende oog gebruiken? Maar op een ander niveau leek zijn plotselinge herstel voor de hand te liggen: mijn liefde voor hem was het gevaar geweest en ik had mezelf verwijderd.

'Hoe gaat het?' vroeg ik, terwijl ik wachtte tot hij me over de vissen zou vertellen.

'Beter dan ooit,' zei hij. 'Ik heb hondenkaakjes, ik heb medicijnen en ik heb mijn tv'tje naar jouw kamer gebracht. Ik kijk naar een oude film van een of andere blondgebleekte pornoster die in het parlement is gekozen.'

'Heb je in het ziekenhuis gegeten?'

'Verzorgd door de bruiden van Christus.'

'Hoe ben je thuis gekomen?'

'Ik heb mijn middelen,' zei hij.

Ik had geen idee wat dat betekende. 'Het spijt me van –'

Hij onderbrak me. 'Ik heb een paar woorden Latijn gezegd en doorgetrokken. Ik heb trouwens maar één Isabel nodig.'

Door de voorruit verbreedde zich een streep licht toen Giulio de zijdeur van de herberg uitkwam. Uit de gebogen, begroeide trellis explodeerde een verwarde wolk vinken, die weer samenklonterde en verdween tussen de huiverende zwarte ranken. Clayton was naar huis gegaan, besefte ik, om bij mij in bed te liggen.

'En hoe gaat het met je afspraakje?'

Giulio was bij de auto en stapte in. Dat was het moment dat ik hem had moeten vertellen over Clayton die het ziekenhuis had verlaten, had moeten overwegen dat Clayton, om naar huis te gaan, zijn ooglap had moeten weghalen, het gewonde oog had moeten bewegen en in een hobbelige tram had moeten rijden. Maar ik was sprakeloos van ontzag voor zijn koppige, naakte, onbeschermde liefde, een vloed die op me afstroomde, wat ik ook deed. Ik had hem gekoeioneerd en verraden, tegen hem gelogen en hem verlaten, had zijn familie vissen vermoord. En toch brandde zijn liefde als geloof. Als ik zijn huid had verbrand zou hij een manier hebben gevonden om met zijn vlees van me te houden.

Mijn stilte verpletterde hem. Ik hoorde het. Clayton lag in mijn bed te wachten op de rest. Maar de kloof tussen ons was te groot. Er was geen enkele manier om uit te leggen dat mijn weggaan liefde was, te praten over wat er gebeurd zou zijn als ik gebleven was. Ik hoorde dat de verbinding wegviel. Toch bleef ik de telefoon tegen mijn oor houden. Na een minuut begon hij te piepen. Giulio nam hem voorzichtig uit mijn hand en drukte op *End.*

'Heb je iemand anders?' vroeg Giulio zacht.

'Niet meer,' zei ik.

We lagen naast elkaar naar de balken in het kathedraalplafond te staren. De stilte was immens. Ik lag te luisteren en herinnerde me hoe die als een laag verse sneeuw op me was gevallen, elke keer dat ik optrad.

'Rust,' zei ik.

Giulio pakte een appel van de fruitschaal naast het bed. 'Daarom houd ik van de bergen.'

Zijn beet spleet de stilte. Hij bood me de appel aan maar ik schudde mijn hoofd. Ik was nooit in staat geweest het geweld van het knauwen dat nodig is om fruit te eten te verdragen.

'De Middellandse Zee brult tenminste niet als een oceaan.'

Hij gooide zijn hoofd achterover als een degenslikker en liet het appelklokhuis bij het steeltje in zijn mond zakken, de pitten vermalend. 'Ik krijg nachtmerries van oceanen.'

De kleine, ronde, zandstenen toren werd verlicht door tientallen votiefkaarsen die in een schuinstaand, hartvormig rek brandden. Het was het soort schuilplaats waarvan ik op elk ander moment had gedroomd. Maar ik had nooit een voorstelling van mezelf gehad als ik eenmaal binnen was. Buiten de alkooframen was de andere kant van de vallei gestippeld door groepen lichtjes. Er stroomde een golf heimwee door me heen om op een van die plekken te zijn waar de ene dag net zo was als de volgende. Ik dacht aan Clayton die in mijn bed sliep.

'*Scusa*,' zei Giulio. 'Het spijt me dat het zo lang duurde. Maar wat kon ik doen? Ik bedoel, de reden dat ik Marie-Antoinette ken is dat ze een patiënte van Fabio is. Ik moest haar kalmeren. En ze was niet blij jou met mij hier te zien.'

'Welke methode heb je aangewend om haar te kalmeren?'

'Soms spreek je Italiaans als een achttiende-eeuws kamermeisje.'

'Ik heb mijn Italiaans uit libretto's geleerd.'

Giulio nam een slokje wijn. 'Wie schrijft die libretto's eigenlijk?'

'Geef antwoord op mijn vraag.'

'*Porco Dio*,' sputterde hij. 'Zo interessant is dat niet. Marie-Antoinette is weggelopen bij Pettyward omdat hij niet kon presteren. Zijn voorhuid is te nauw. Hij heeft een eenvoudige operatie nodig, maar dat weigert hij.'

Een werkende penis was niet iets waar iemand Giulio voor nodig had. Zwijgend kneep ik hem. Hij schudde zijn hoofd. 'Echt. Wat ik met iemand anders doe, daar heb jij niets aan. Jij hebt nodig wat jij nodig hebt, en zij wat zij nodig heeft. Het moet als muziek zijn. Waarschijnlijk heeft Beethoven nodig wat Beethoven nodig heeft, en hetzelfde geldt voor Brahms.'

'Je dist uitspraken op alsof je in Plato's Republiek leeft.'

'Is het dan niet waar?'

'Wat je nodig hebt kan veranderen.'

Hij glimlachte. 'Pas wanneer je het krijgt.'

Mijn borst trok strak. Opgesloten zitten in wat je nodig had, in wat je miste – het klonk als een levenslange veroordeling, opgesloten in de gevangenis van je eigen tekortkomingen. Als een zich traag opbouwende lading ontplofte in mij het werk dat ik aan de kam van de Savant had gedaan – ik wilde zo graag, wilde nog steeds, op hem spelen. Ik was doodsbang me weer zo te laten gaan.

'Voordat mijn ouders stierven,' zei ik, 'moest ik spelen. Toen stierven ze en was ik er niet meer toe in staat – ik brak. En nu ben ik niet die persoon. En ik hoef niet –'

Ik stond op. Ik had te veel woorden losgelaten.

Giulio greep mijn pols. 'Wacht even,' zei hij, zijn stem zacht als gaas. Hij sloeg zijn wijn achterover en schonk ons ieder een nieuw glas in. 'Het enige wat ik bedoelde was dat ik, toen ik met chirurgie begon, dacht dat ik door de techniek meester te worden, een meester zou worden. Ik stelde me voor dat ik een piepklein onsterflijk teken van mijn kunst achterliet in elk lichaam waarop ik opereerde. In plaats daarvan heeft elke borst, elk gezicht, nét een andere kunst nodig. En ik moet een nieuwe versie van mezelf maken voor hen. En voor elke persoon. Sommige vrouwen moeten met liefde van zelfverminking worden afgehouden, terwijl andere alleen van een zelf kunnen houden dat zij niet zijn, alleen van zichzelf kunnen houden door te veranderen wat ze zijn. Dus moeten ze snijden om tot rust te komen.'

'Wat je nodig hebt kan veranderen,' zei ik weer.

Ik staarde uit het raam en wilde dat ik weg kon vliegen met dit stel vleugels. Maar daar was Giulio, die zijn hand uitstak om me naar het bed te leiden.

'Het helpt niet te haten wat je nodig hebt,' zei hij rustig.

In bed voelde ik, met dichte ogen, dat hij zijn vinger op mijn neus legde.

'Wat doe je?'
'Meten.'
'Zodat je me kunt herstellen?'
Een zachte kus op de top van mijn neus. 'Zodat ik wanneer je weg bent in mijn vinger niet alleen mijn vinger, maar ook de lengte van je neus zal hebben.'
Hij ging ervan uit dat dit allemaal tijdelijk was. 'Is dat het soort opmerking dat je tegen haar maakte?' vroeg ik, in een poging tot een gevat antwoord. Giulio kromp ineen bij de scherpte van mijn toon. Ik wilde mijn woorden inslikken. 'Hoe weet je dat ik wegga?'
Giulio pakte mijn hand en begon mijn vingers heen en weer te strekken in een spagaat. 'Ik heb niets voor je gedaan.'
'Pas op,' zei ik, uit zorg dat hij mijn knokkels zou kraken, dat hij ze zou beschadigen, dat ik het loslaten niet zou voelen komen.
'Weet je, in sommige opzichten, Isabel, is gezondheid jezelf vergeten.' Zijn vingers klauwden in de vlezige spier onder aan mijn duimen. Er ging een schok door mijn ledematen. – 'Het is in orde,' zei hij. 'Weet je hoe dit kussentje op je handpalm genoemd wordt? De venusberg. Ik vind het heerlijk de welving af te tasten, het reactiepunt eronder te vinden. Als je pijn hebt,' ging hij verder, 'is het als die aanraking: Je hele lichaam is de pijn. Dan is een tijdlang, zelfs nadat je lichaam beter is geworden, je geest nog ziek van de herinnering. Omdat je leven nog draait rond het beschermen van jezelf tegen het verleden. Pas wanneer je stopt met altijd beschermen – dan ben je genezen.'
'Dat weet ik.'
'Natuurlijk weet je het. ik zeg het alleen maar. Het is een gave.'

'Ik dacht dat je niet in God geloofde.'

Hij liet zijn gezicht naar mijn oor zakken. 'Geen gave van God voor jou. Jouw gave aan mij.'

De amandelachtige geur van zijn huid, zijn stille lichamelijke aandrang – het leek zwemmen tegen een onderstroom in. Zelfs mijn ademhaling, merkte ik plotseling, had zich aan zijn ritme aangepast. Ik moet steeds denken aan wat Giulio met Marie-Antoinette had gedaan. Het was de erotische aantrekkingskracht om iemand anders partituur van blad te lezen, het trekken van de zwaartekracht om je lichaam over te geven aan de behoeften van een ander.

'Ik wil doen wat je deed.'

'Wat wil je?'

'Wat je met haar deed.'

Giulio schudde zijn hoofd. Ik knikte weer.

'Je maakt geen grapje.'

Ik schudde mijn hoofd.

'Het stelt niets voor,' zei hij. 'Marie-Antoinette kan alleen in een stoel klaarkomen.'

'En?'

'En ik draag een pak met das.'

'En?'

'En ik kijk op mijn horloge terwijl we het doen.' Als op afspraak ging Giulio's pieper. Hij trok hem uit zijn zak om het nummer te controleren. Hij glimlachte, leek net iets te ingenomen met zichzelf en keek toen op zijn horloge.

'Ik bedoel dat ik niet veel tijd heb,' zei hij, terwijl hij zijn broek aantrok.

Hij kleedde zich snel en vol zelfvertrouwen aan. Het was alsof mijn verzoek een naald in een groef had laten zakken, en hij alleen nog maar de plaat hoefde af te spelen.

'Dit is niet goed,' zei ik.

Giulio keek verbijsterd. 'Wat zou er niet goed aan zijn?'

'Het is van het begin tot het einde verkeerd.'

Hij schudde woest met zijn ledematen. 'Dus er zijn een paar dingen gewijzigd,' zei hij toen hij opstond. Bij de haard begon hij in de blokken te prikken. Het vuur vlamde op. Een vonk plofte luid.

'Natuurlijk heb je gelijk,' ging hij verder. 'Waarschijnlijk is dat wat liefde is. Inbreken waar je niet het recht hebt te zijn en toegelaten worden. En iemand anders laten inbreken. Ik denk dat het van nature gewelddadig is.'

Hij zette zijn pook neer, liep terug naar het bed en ging weer liggen, op zijn zij gekruld alsof hij in zijn maag was gestompt.

'Wie je ook bent,' pleitte hij zachtjes, 'ik zal je verstoppen en genezen in mijn horizontale biechtstoel. Maar dit is een vertrouwen dat ik niet kan breken.'

Ik krulde om hem heen, ademde zijn geur in en liet mezelf het voor de hand liggende zien. Ook hij sleepte een onuitspreekbaar verleden met zich mee. Ook hij kon zich niet laten kennen. Hij weerhield al zijn vrouwen ervan hem nodig te hebben door ze op hetzelfde dunne ijs te laten schaatsen. Maar op het moment dat ik bezig was dat te begrijpen, dronk ik zijn brede voeten in, hun architectonische rondingen, zijn onverwoestbare brandkraantorso. Ik voelde mijn heupen uitzetten. Het leek of we elkaar geen kwaad konden doen, zolang liefde uitgesloten was.

Na een tijdje draaide hij mij op mijn rug en keek neer in mijn ogen, op zoek naar een veroordeling. Toen hij er geen vond werden zijn ogen groter en traanden ze van ongeloof. Hij kuste me langzaam, over mijn hele gezicht, langer dan ik me had kunnen voorstellen, tot ik mijn hand opstak en hem naar me toe trok. Toen hingen we aan elkaar als twee vluchtelingen die net waren bevrijd. Maar op het moment dat hij in me kwam, trok iets in hem zich terug. Ik voelde dat hij zacht werd. Zijn torso stampte de bewegingen eruit, maar iets in hem kon het niet. Ik nam zijn heupen in mijn handen en hield ze stil, om ze te laten weten dat hij kon ophouden met iets wat nu een schertsvertoning was.

Giulio rolde weg, legde zijn hoofd op mijn buik, en hield mijn heupen vast. Geklemd. Er rolde een golf stille huiveringen door hem heen. Ik voelde iets warms, het nat van tranen op mijn buik. Toen, als een overwaaiende storm, ontvouwde zich zijn greep.

'Zie je,' zei hij kalm, 'ik – ik kan niet echt liefhebben.'

Ik trok hem naar me toe en nam hem in mijn armen. Door de waarheid in die afstand, in zijn falen, voelde ik me dichter bij hem dan ik ooit was geweest. Ik wiegde zijn hoofd. Toen gleed ik opzij en schoof zijn hoofd tussen mijn borsten.

'Hier zou ik kunnen wonen,' zei hij zacht, en toen sliep hij.

Even later schrok hij wakker.

'Is er iets dat je wilt?' vroeg ik, zijn hoofd strelend.

'Ik ben zo moe,' fluisterde hij. 'Ik wil niet hoeven willen.'

Giulio stond op en gooide nog twee blokken op het vuur. Ik kroop uit bed, sloeg een deken om me heen en opende de kist van de Savant. De zachte schilderingen op het bovenblad van het instrument glommen in het licht van de haard. Ik liet hem tussen mijn dijen leunen en stemde. Giulio ging weer naar bed, gooide zijn armen boven zijn hoofd en rekte zich uit, de kabels van zijn spieren trilden. Ten slotte hield ik mijn strijkstok omhoog.

'Doe je ogen dicht,' zei ik.

'Ik wil kijken,' zei hij als een kind.

'Ik kan niet spelen als ik iemands gezicht kan zien.'

'Het zou leuk kunnen zijn voor die iemand.'

Ik boog me achter de cello en deed of ik de steunpin stelde. Toen harste ik mijn strijkstok. De cesuur werd steeds langgerekter toen ik om een of andere reden moest denken aan de doos hars uit het Nazi-depot, op de grond in het berghok bij de vioolbouwer, en mijn maag trok samen toen ik, wat ik nooit eerder had gedaan, elk van deze blokjes poeder als het tot vierkantjes verpakte stof van een mens zag. De onmogelijke gedachte die mijn geest gevangen hield, was dat ik mijn strijkstok inwreef met de resten van een musicus. Giulio moet zich hebben afgevraagd of ik tot het einde der tijden zou harsen, want na een poosje, wie weet hoe lang, kwam hij naar me toe en nam het blokje uit mijn hand. Toen zette hij de Savant opzij en beet zachtjes mijn nekvel, als een dier dat gereed is zijn jong op te tillen. De ene arm om mijn borsten geslagen, de andere rond mijn maag. Langzaam trok hij me van achteren omhoog. Hij ging zitten. Zette mij op zijn schoot, voor zich. Nam de strijkstok uit mijn hand. Zijn neuriën zonk in mijn buik, warm en brandend. Langzaam trok hij de strijkstok over mijn buik. Traliede mijn dijen en mijn buik met witte strepen. Trok de ruwe structuur over de toppen van mijn tepels tot ze strak in de houding stonden.

'Nu ben je beschermd.'

Ik stond op. Hij ging achter me staan. Ik draaide me om. Hij trok me tegen zich aan en vermengde het poeder tussen onze huid.

'Als we niet oppassen,' zei hij, 'blijven we vastzitten.'

'Fuck you.'

Hij glimlachte, strekte zich toen uit op het bed, vouwde zijn handen achter zijn hoofd. 'Dat is precies wat ik vraag.'

Ik deed mijn ogen dicht en probeerde alles uit mijn geest te bannen en de muziek te horen, want ergens, wist ik, moest die er nog zijn. Wat zou er mis kunnen gaan? zei ik tegen mezelf. Ik probeerde me te concentreren, de tijd als stroop weg te laten stromen, te herinneren hoe elke noot tot stilstand kon vertragen zodat ik hem kon spelen. Me voor te stellen dat ze wegvloeiden, de frasen over Giulio heen rolden en tegen de muren op meanderden. Mezelf neer te zetten waar geen strijkstok, geen hand, geen huid, geen hout was. Maar toen deed ik mijn ogen open. Ik keek weer naar Giulio. Zijn glimlach leek te voldaan. Het daagde me dat spelen was wat hij de hele tijd voor mij bedoeld had. En ik wist dat ik het niet kon.

Giulio zag de verwarring op mijn gezicht. Hij liep naar me toe, trok de strijkstok uit mijn gebalde vuist en leidde me naar het bed. Hij hield me vast tot onze mislukte optredens vervaagd waren, tot al wat over was de geur van huid, de warme boventonen van vlees, het rijzen en dalen van onze gekoppelde adem was. Na een tijdje voelde ik hem hard worden tegen me aan, maar toch bleven we daar liggen, de stilte duurde en groeide. Toen kroop Giulio tussen mijn benen en nam me in een kus die langzamer was dan een van Boccherini's martelende middendelen. En dronk tot ik elke melodie kwijtraakte. Toen mijn laatste noot wegstierf, klonk er een vlaag verre snikken in mijn oor. Onmiddellijk begreep ik wat er gebeurd was, dat het snikken Marie-Antoinette was. Ze had het ziekenhuis gebeld en ontdekt dat Clayton weg was. Giulio had haar verteld van Claytons verwondingen en zij had het ziekenhuis gebeld, en toen de verpleegsters ontdekten dat hij er niet was, had ze iemand gestuurd om hem thuis te zoeken. Dat was waarom hij zo verward was geweest aan de telefoon. Hij bloedde dood. Waarschijnlijk bloedde hij al leeg toen hij mij vanuit mijn bed belde.

De puntige westelijke Alpen rezen hoog op in een mist vol maanlicht, hun kale stenen randen doemden op als een reusachtige spier naarmate de auto verder naar het noorden klom. Door vlekken laaghangende wolken wierp de maan een donzig nachtschijnsel op het steen. De weg was door genoeg verkeer geblokkeerd om me te dwingen me te concentreren, de echo van Marie-Antoinettes snikken uit mijn oor te verdrijven, het snikken waar ik van was weggerend met Giulio's portefeuille en sleutels, zodra hij onder de douche stond. Het snikken waar ik doorheen was gerend om naar de auto te komen. Dat ik zelfs had gehoord toen ik startte, toen twee koplampen, een surveillancewagen van de politie, rond de bocht in de weg flikkerden en bij de herberg stilhielden. Ik had de auto in de tweede versnelling gelaten, de hele weg de berg af, om het te overstemmen. Maar onderaan, toen ik de T-kruising bereikte, kon ik het weer horen. Naar het zuiden zou het warmer zijn, maar het weer was helder: vroeg of laat zouden de carabinieri naar me uitkijken. De weg naar het noorden naar Bolzano was fel verlicht. Zodra ik rechtsaf sloeg wist ik waar ik naartoe ging.

Nu klonk er een wekker in de auto: het was Giulio's autotelefoon die belde. Ik zwenkte en raakte bijna een auto in de volgende rijstrook. Hij ging weer over. Ik stak mijn hand uit en nam op: ruis, dan een piepje. De lijn viel weg. Ik legde hem neer. Hij ging weer over. Ik drukte op knopjes om hem af te zetten, maar een oceaan van ruis vulde de auto en toen was er een stem.

'Zeg me waar je bent.' Giulio's stem glibberde als een slang uit de speaker, spande zijn spier om me heen, trok me terug. Kon hij me opsporen omdat ik had opgenomen? Toen spoelde schril geel licht over me heen, feller dan midden op de dag, en was ik in een tunnel. De telefoon viel stil. Ik zette hem uit, dankbaar voor de rust in de berg, dat er nu maar één weg was en dat die rechtdoor ging. Ik zou gewoon rechtdoor gaan tot ik kon bedenken wat ik moest doen. Ik had tegen beter weten in gehoopt dat Clayton nog leefde, maar ik wist waarom Giulio belde. Toen de auto de tunnel uit vloog, ging de telefoon weer over.

Ik drukte op het groene knopje. Ruis vulde de auto, toen flarden van Giulio's stem. 'Clayton is uit het ziekenhuis weg.'

'Hij is naar huis gegaan.'

'WANNEER heb je dat gehoord?' schreeuwde Giulio.

Ik klemde het stuur vast en staarde voor me uit. Door van Clayton weg te lopen, door te proberen hem tegen mij, en tegen zijn eigen verlangens te beschermen, had ik zijn dood veroorzaakt. Ik kon nergens naartoe, nergens zijn; waar ik ook heen ging zou ik schade aanrichten, zou ik iemand achterlaten. De auto's remden voor verkeer. Na de bocht zag ik het bord naar de Brenner Pas, naar Oostenrijk. Ik drukte op *off*; de telefoon viel stil. Ik naderde de grens, zonder paspoort, alleen dat van Clayton in mijn tas. Maar er was geen onderbreking in de railing, geen uitrit om rechtsomkeert te maken. De hellingen onder de snelweg waren volledig bedekt met scherpe, puntige dennen die eruitzagen of ze je zouden spietsen als je naar de kant ging en sprong. Het was na drie uur 's nachts; ik vroeg me af of ik kon profiteren van een wisseling van de wacht. Ik stuurde naar de langste rij auto's. Met acht auto's tussen mij en de controle wroette ik in mijn tas naar mijn oude bibliotheekkaart uit Milwaukee en wurmde de foto uit zijn ouderwetse metalen hoekjes. Ik vroeg me af of ik hem op de een of andere manier op Claytons paspoort kon plakken; of iemand het misschien niet zou opmerken. Maar toen ik zijn sproetige gezicht zag, de enige foto die ik ooit van hem zou hebben, kon ik het niet over mijn hart verkrijgen die te vernielen door hem uit te scheuren. Toen keek ik op en zag dat ik me geen zorgen hoefde te maken. De bestuurders voor me lieten hun ongeopende paspoorten uit het raampje bungelen wanneer ze langs de slaperige grenswacht kwamen.

Ik liet de motor afslaan, startte opnieuw en schoof voorbij, doordrenkt van het zweet. Even later betaalde ik de tol en stopte toen om te tanken. Giulio had meer valuta in zijn portefeuille dan ik voor mogelijk had gehouden; om zijn creditcard niet te hoeven gebruiken betaalde ik met een combinatie van lires en Zwitserse franken. In de wc deed het plassen pijn, alsof mijn lichaam had bedacht het identiteitsprobleem op te lossen door zichzelf op te lossen, door zelfoplossend zuur af te scheiden. De pijn was scherp en brandend en ging niet over. Ik heb misschien even geslapen. Toen kocht ik drie grote flessen water en ging weer op weg. De nacht was warm voor de tijd van het jaar, de wegen droog en leeg. Voorbij Innsbruck, toen de wegen begonnen te dalen, veranderde het landschap. Rijen wijnstokken stonden nu onderlangs de heuvels. Ze steunden op krukken als legioenen kromme, knoestige wezens, eeuwig opgesteld voor een meedogenloos appèl midden in de nacht. Tussen hen had iemand een ontsnappingsweg aangelegd voor op hol geslagen vrachtwagens, een steil doodlopend stuk omhoog vanaf de berm.

Van boven verlicht door lantaarns stak de afrit omhoog in de gloeiende mist als een lelijke betonnen oprit naar de hemel, halverwege de bouw verlaten: het was het Dritte Reich als architectonische grap.

Oostenrijk was de meest rechtstreekse route uit Italië geweest en Duitsland was zonder waarschuwing gekomen. Tussen Oostenrijk en Duitsland was geen controle om je voor de grens te waarschuwen. Maar het rijden veranderde. Hier stormden de auto's voort, hun boze signalen flitsten twee meter achter je bumper zodra hun voortgang werd belemmerd. Ik wilde van de weg af, van deze slagader van efficiëntie en woede, maar het ergste zou zijn de Savant in Duitsland achter te laten, hem te laten wegzinken in de zee van meubels en zilver en schilderijen en huizen, tapijten en fabrieken, gekocht met zuurverdiend geld in *volmaakt wettige transacties* – dingen met een nieuw etiket, nieuwe inscriptie, nieuw borduursel, nieuwe lijst, nieuw certificaat, opnieuw ingelijfd, opnieuw bezeten. (*Sst! De kinderen!*) Onschuldige kinderen, kinderen die nu min of meer comfortabel de middelbare leeftijd hebben bereikt, kinderen die samen met hun kinderen fatsoenlijke, klassieke-muziek-liefhebbende, Amerikaanse-films-kijkende levens leiden. God in de hemel! Kan dat een efficiënt gebruik van tijd zijn? Je zou je nauwelijks iets minder productiefs kunnen voorstellen dan geobsedeerd zijn door de herkomst van je linnengoed of zilver of schilderijen. En het zou ook niet zinvol zijn, reistechnisch, om achter iemand te blijven hangen die de middelen ontbeerde om zelfs jouw simpele model Mercedes aan te schaffen, een praktische auto voor de snelweg, want natuurlijk zijn alles Mercedessen praktisch, ze zijn onverslijtbaar, in tegenstelling tot –

Er was iets mis met mijn oren. Ik probeerde het geluid van Claytons geneurie op te roepen of Marie-Antoinettes snikken, wat dan ook om de stemmen die zich hier hadden genesteld te overschreeuwen. Toen dreven er sterren voor mijn ogen. Mijn dieptewaarneming brokkelde af: ik kon de heuvels die ik zag niet onderscheiden van de heuvels die ik al had gezien, langs deze weg of elders, en ook niet wat groot en ver van wat klein en dichtbij was. Bovendien was ik doornat. Wat ik moest doen was Duitsland verlaten, naar het oosten rijden. Ik had de afslag naar Tsjechië bij Neurenberg gemist; nu was ik al bijna Chemnitz voorbij. Er naderde een afslag. Ik zwenkte de berm in en toen terug de weg op en verloor bijna de macht over het stuur.

Er begon zich een spookachtige gloed samen te trekken aan de horizon. Op steeds kleinere wegen probeerde ik Dubi, daarna Petlice, maar bij elke grens stond een rij auto's te wachten, zelfs op dit godvergeten uur. Een voor een werden de auto's aan de Tsjechische grens tegengehouden. Natuurlijk zou Duitsland uitgaan lastiger zijn dan Duitsland ingaan. Er was niets dat ik kon doen om me er leuk te laten uitzien: zo bleek en zwetend, met mijn gezicht vertrokken van de pijn, mijn smerige haar, zouden ze me zeker tegenhouden.

Aan de Duitse kant draaide ik over de tegemoetkomende rijstrook een onverharde weg in die door een veld liep, parallel aan de grens. Kuilen stuurden schroeiende scheuten pijn door me heen. Ik hoopte ergens een plek te vinden waar ik over een veld kon rijden, naar de andere kant van de grens, rechtstreeks een bos in. In boeken van overlevenden die ik in Milwaukee had gelezen, werd veel gepraat over bossen als goede plekken om je te verstoppen. Maar er liep een kniehoog ijzeren hek langs de grens, die het Tsjechische stof van het Duitse scheidde: het zag er waanzinnig, sovjetachtig solide uit. Waarschijnlijk zou het stand houden, zefs als ik het ramde met de schitterende rubberen bumpers van de Alfa. En ik haalde het niet te voet, met de Savant, zonder de aandacht te trekken. En ik moest weer nodig naar de wc. Ten slotte kwam ik op een ander weggetje, bij een andere grenspost, met zo'n tien auto's voor me. Waarom verbaasde het me dat ik in de rij zou moeten staan om Duitsland uit te komen? Toen herinnerde ik me mijn haar, dat ik alleen Claytons paspoort had. Ik graaide in Giulio's dokterstas tot ik een schaar vond en verzette de achteruitkijkspiegel, en terwijl de auto's naar voren kropen, knipte ik het af tot op de schedel.

De puisterige jonge wachter aan de grens leek walgelijk trots op zichzelf. Zijn uniform had kleine hoekvouwtjes bij de tepels waar hij het had gestreken en gevouwen. Ik reed langzaam naar het hokje en zette de auto in de eerste versnelling.

Hij snuffelde minachtend aan de auto. Ik had me niet gewassen. Hij wierp een blik in het paspoort, toen naar mij, en bladerde toen weer door het paspoort.

Hij rechtte zijn rug.

'Dit paspoort is niet geldig,' zei hij in het Engels.

Ik ging rechtop zitten. '*Doch*,' hield ik vol in het Duits hoewel ik geen schijn van kans had voor een zestienjarige jongen te worden aangezien.

'*Ne, ne*,' wierp hij tegen.

Ik zocht in mijn tas om Giulio's portefeuille te vinden.

De wachter legde een hand op de holster van zijn pistool. Ik ging weer overeind zitten en greep het stuur vast.

'Het heeft niet het juiste zegel,' zei hij. 'Het is niet geldig zonder het zegel.'

Diep ademhalen voorkwam dat ik in lachen uitbarstte. Mijn kleine vriend paradeerde heen en weer, draaide zijn heupen naar de auto.

'Ik heb het honderden keren gebruikt,' zei ik.

Hij bladerde het weer door. 'U heeft maar één stempel.'

'Het oude was vol en ik moest een nieuwe halen. Ze moeten het fout hebben gedaan.'

'Autopapieren?'

Ik aarzelde net iets te lang.

'Van wie is deze auto?'

'Hij is geleend.' Als hij dacht dat ik rijk was, zou ik hem zeker moeten omkopen.

'Papieren,' zei hij, met zijn hand nog steeds op zijn pistool.

Ik keek in het handschoenenkastje. Giulio's rubberen handschoenen rolden eruit op de grond. 'Ze moeten hier ergens liggen,' zei ik.

'Zet de auto aan de kant,' zei hij, en liet het metalen hek zakken. 'Er gaan geen auto's de grens over zonder papieren. Ze worden gestolen. U zult moeten omkeren.'

'Hij is geleend van een vriend die in Praag zit,' zei ik, terwijl ik de autopapieren uit Giulio's portefeuille trok.

De jongen keek me aan, keek naar de papieren, en keek toen weer terug. 'Deze auto is niet gestolen, mag ik hopen?'

Ik schudde mijn hoofd. 'Giulio zou niet stelen. Hij is arts.'

'Aan de kant.'

Ik knikte. Hij keek weer naar de auto's die achter ons begonnen te toeteren. Als ik uitstapte zou hij de auto doorzoeken en de Savant vinden, en dan was het afgelopen. Langzaam kwam ik tot een beslissing, die mij zou redden op de enige manier die overbleef. De pijn, gecombineerd met de lange ontlading na het drinken van drie grote flessen water was onbeschrijfelijk. Toen ik klaar was, zei ik tegen hem dat ik de auto niet in zijn achteruit kreeg. Hij gromde dat hij dat wel zou doen en deed mijn portier open. Langzaam kroop ik eruit. Hij staarde naar de plas urine op mijn stoel, het bergje haar op de andere stoel. Zijn neusgaten trokken op van afschuw.

'Sodemieter op,' zei hij en smeet me de papieren toe.

Het zware verkeer kroop door het grensgebied als een trage processie naar de hel. De lucht was scherp en zoet op mijn tong door de uitlaatgassen van een kilometerslang konvooi Duitse vrachtwagens die stilstonden in de berm. Ervoor en ertussen stonden groepjes tienerhoertjes met te fel geverfd haar en in morsige kleren aan kinderpakjes sap met een rietje te zuigen. Een eindje verderop waren er in plaats van het bermbordeel alleen nog kluitjes jongens die schrijlings op hun fiets zaten te roken en in het stof schopten. We kropen naar het hart van de bruinkoolstreek en onze weg liep langs een smallere die langs een modderige rivier slingerde. Op de smalle weg liepen kinderen twee aan twee met gasmaskers op naar school, zeulend met schooltassen. Toen in de verte heuvels opdoemden werd ik overvallen door een sterk déjà vu; heel even vroeg ik me af of ik gevangen zat in de geplunderde resten van het mooie landschap op de postzegel van Theresienstadt, met de weelderige bomen op de voorgrond, de beek die naar heuvels kronkelde, de enorme stapelwolken in de verte en de wandelende reizigers om de pastorale compleet te maken. Die kinderen van nu, dacht ik bij mezelf, zouden tenminste bij aankomst gasmaskers bij de hand hebben.

Ik probeerde het verleden af te schudden, mezelf terug naar het heden te schudden. De zon deed een poging door de smog heen te breken en het verkeer baande zich een weg – ik kon het zien – in de richting van een heldergroene vlek Bohemerwoud. Toen lichtte de slang remlichten weer rood op en stonden we stationair te draaien tot een gammele trein voorbij was. De bewolkte lucht klaarde op. Ik zou al snel in het bos zijn. Maar het terrein voor me zag er onwerkelijk uit, te groen en te vlak, als een plat, onnatuurlijk tapijt dat zich kilometers ver uitstrekte. De heldergroene bladeren en het schors van de bomen waren van hetzelfde nepgroen. Een soort giftige verontreiniging, zag ik nu, had het oord een griezelig, gloeiend, smaragdgroen verfbad gegeven. De bomen waren niet in wintertooi of bedekt met korstmos, maar aangekoekt met milieubederf.

Er begon een theekleurige motregen te vallen waardoor de claustrofobie van de dodelijke menselijke sintels die in het landschap waren achtergelaten werd opgeheven. Ik zette de ruitenwissers aan, dankbaar voor hun regelmatige tiktak. Het ritme van de wissers begon me slaperig te maken. Ik tastte naar mijn wrong, om mijn hoofdhuid te masseren, maar het enige dat over was van mijn haar waren stoppels. Ik groef in mijn tas naar de oorbellen die Giulio me had gegeven, in de hoop dat ze mijn oren wakker konden knijpen, maar ik was ze vergeten. Op de radio zocht ik langs de *Lachrymosa*, een medley van gewijde muziek, en een BBC-nieuwsuitzending over twee Turkse vluchtelingen die met benzine overgoten en in brand waren gestoken door Dresdense skinheads. Het nieuws ging over op voetbal. Ik draaide weer aan de knop, op zoek naar doorsnee popmuziek om het gerommel in mijn binnenste te dempen. In een klein vacuüm van stilte dreef het meeslepende openingsmotief van de cellosolo uit het *Quatuor pour la fin du temps* binnen. Messiaen schreef het toen hij in een kamp in Silezië zat, voor de enige vier instrumenten in dat kamp. Zijn einde was het christelijke einde van de tijd uit de Openbaringen, niet opgevat als de dood maar voorbij de dood, voorbij de tijd, het moment van openbaring wanneer de sabbat in zijn rust zich voortzet tot de eeuwigheid. Yuri was ziedend geweest toen ik het stuk voor mijn debuut had gekozen; als we langs een kerk kwamen mompelde hij altijd: 'Irrelevant!,' waarmee hij doelde op de nieuwtestamentische waarden, post-shoah, die naar zijn gevoel het kwaad in staat hadden gesteld te bloeien. Maar het was ditzelfde uitrekken, een uitrekken tot het onmogelijke, dat leidde tot de vier afzonderlijke gevangenenorkesten in Theresienstadt, tot de honderden recitals en liederenconcerten, tot de zeventien opera's en operettes die in iets meer dan drie jaar werden opgevoerd, tot de vijf opvoeringen van *Brundibar* alleen al, tot twee nachten achter elkaar opblijven na een hele dag werken op afwaswaterrantsoenen om de première van een Tsjechische opera te vervroegen naar woensdag omdat de nazi's op maandagmiddag hadden aangekondigd dat vanaf donderdag alle openbare uitingen alleen nog maar in het Duits mochten zijn. Het was elders dezelfde impuls, datzelfde uitrekken naar een *voorbij*, dat de levende doden had geïnspireerd, de levens had gered van de overlevenden en de levens van de doden zolang ze nog onder de levenden waren.

Messiaen zei dat er nooit meer zo oplettend en geconcentreerd naar het werk werd geluisterd als tijdens die eerste uitvoering voor die gevangenen in Silezië. Maar deze radiouitvoering was aangrijpend, het openingsmotief dwarrelde omhoog als de laatste kringel rook uit een vuurzee, de melodie verschroeid door het inferno en tegelijk wild boven zijn gevangenschap uitstijgend. Het kon niet iemand zijn die echt in een kamp had gezeten – ik kende de opnamen van voor mijn debuut, en dit was er niet een van – maar degene die het was, was er geweest, wervelde neer naar de kalme bodem van de muziek, begaf zich naar Messiaens moment van openbaring alsof er nog maar één moment over was in de wereld, de noten vielen uit een punt voorbij de tijd, voorbij de eenrichtingstirannie van de tijd. Dit was de hele inhoud van de geschiedenis, gevoeld als één aanraking van strijkstok en snaar.

Daar was de wegwijzer naar Lovosice. Ik was dichtbij. Er ging een deurtje in mijn binnenste open bij het vooruitzicht het ommuurde fort binnen te gaan waar mijn grootvader was gestorven van de honger, mijn grootmoeder aan tyfus. Een neonrood vierkantje, het brandstoflampje, bloedde op vanaf het dashboard – een stil alarm dat me eraan herinnerde dat ik hem niet moest helpen me op te sporen. Ik kon niet stoppen. De muziek op de radio, die uit een tijdloos centrum stroomde, verbood afdwalen. Ik zou iemand vinden die het geld uit Giulio's portefeuille aannam en me naar Terezin bracht. Ik zou Hitlers *geschenk* neerzetten, het Theresienstadt dat ik met me meedroeg, en het doen versmelten met de stad Terezin en ze allebei achterlaten.

Een bord. Lovosice. Bijna flauwvallend van de pijn ploeterde ik nog een halve kilometer tegen een gestage stroom tegemoetkomend verkeer in. Eindelijk zag ik een rode-kruisteken van een apotheek en stopte. Ik krabbelde een paar onleesbare krassen op het blanco receptenblok dat ik in Giulio's handschoenenkastje had gevonden. Toen het metalen rolluik omhoog ging, bereikte ik de toonbank achterin door me vast te houden aan de schappen. Engels? Hij schudde zijn hoofd. In mijn beste Duits vertelde ik de oude apotheker dat een Italiaanse dokter me dit recept had gegeven voor een urineweginfectie, dat ik zeker wist dat hij zou weten wat het betekende. Hij snoof, zijn gezicht vertrok, zo stonk ik. Ik haalde Giulio's portefeuille te voorschijn en spreidde de diverse valuta uit als een open hand kaarten. Hij pakte tien Amerikaanse dollars.

'Hiervoor heeft u geen recept nodig,' zei hij, en gaf me een potje. Ik nam meteen twee pillen. Hij liep met me mee naar de deur. Ik stapte in de auto en reed weg.

Toen Giulio's auto ten slotte sputterend tot stilstand kwam, zette ik hem in de berm en haalde de Savant eruit. Ik liet de leren map met Giulio's documenten in het handschoenenkastje liggen. Tegen de tijd dat de Tsjechische autoriteiten Giulio belden, zou ik allang weg zijn.

Mijn hersenen besprongen van de hak op de tak een nieuw probleem, het probleem wat ik moest doen met Giulio's telefoon. Ik wilde hem weggooien; maar dan liep ik de kans dat een of andere gezagsgetrouwe lemming hem zou vinden en aan de autoriteiten zou geven. Ik stopte hem in de plunjezak en haalde het laatste voorwerp uit de kofferbak, het blik benzine. Zoals ze daar naast de greppel stonden, deden de Savant en de plunjezak en het blik denken aan een zielig gezinnetje dat op het punt stond in een kamp te worden geïnterneerd. Ik zette de auto in z'n vrij en schoof hem duwend door het open portier in een ondiepe greppel. Toen veegde ik met een deel van Giulio's wasgoed mijn vingerafdrukken van de bekleding en het stuur en de portierhendels.

De koude motregen temperde de wolk van stank die aan mijn lichaam kleefde. Ik liep over een weg vol kuilen in de richting van een grauw industriestadje, mijn lichaam was nog zwak maar schreeuwde niet meer. De pillen werkten. De ene vrachtwagen na de andere raasde langs. Na een poosje pufte een aftandse trein door een veld mijn kant uit. Ik sjokte door de zompige modder. De rails moesten naar het station leiden. Ik stapte tussen de rails en liep de verdwijnende trein achterna, houten bielzen tellend, dankbaar dat ik niet hoefde te sturen. Ergens in de buurt van de duizend kwam een trein achter me aan puffen. Ik sprong opzij. De grond om me heen, merkte ik nu, werd doorsneden met rails en stond vol verroeste goederenwagons, bulkwagons en roestige chemicaliënvaten. De trein kwam knarsend tot stilstand. Toen ik erlangs liep stond ik opeens oog in oog met een kring arbeiders in smerige blauwe overalls. Ze gaven elkaar een forse fles Becherovka door. Na een plechtige boer begon een van hen tegen de rails te porren met een ijzeren staaf. Toen zag degene die net aan de beurt was voor een slok mij, hield de fles omhoog en riep: 'Medizin!' Ik schoot snel tussen hen door.

Ik klom de steile, roestige trap op naar het perron. Een eindje verderop zat een moeder met twee kleine kinderen op een bankje. De naam op het bord was niet Terezin. Ik ging naar de moeder en vroeg in het Engels waar de trein naartoe ging. Ze pakte haar kinderen op en liep snel weg. Ik richtte me tot twee dames van middelbare leeftijd die op het perron stonden te wachten. Ze schudden hun hoofd naar me, om me op afstand te houden. Ik realiseerde me dat ik aan mijn eigen stank gewend was geraakt. De arbeider stapte opzij en de trein sidderde het station binnen. Aan de andere kant van mijn perron wees de moeder mij aan aan een man in uniform. Ik moest proberen op te gaan in de menigte, maar er was geen menigte. De treindeuren rammelden open; er stapte niemand uit; de drie vrouwen die ik had aangesproken stapten in; en toen stond ik alleen op het perron. Ik wist dat ik in moest stappen om de geüniformeerde bewaker te ontlopen. Aan de andere kant durfde ik niet in te stappen voordat ik wist waar de trein heen ging. De trein reed weg. Aan de andere kant van waar hij gestaan had liepen her en der mensen over het gebroken beton en het grind tussen de sporen. Ik rende dwars over de sporen achter hen aan. De kleine geüniformeerde man riep iets naar me. Ik volgde hen om de zijkant van het stationsgebouw heen naar een ander perron, aan de andere kant, waar een andere, kleinere trein stond te wachten. Op het bord erboven stond Litomerice. Het was de Litomerice-poort waar de trein Terezin binnenkwam, had Yuri gezegd. Dit was mijn geluksdag.

Er kwam geen controleur langs tijdens de rit van een half uur. Bij onze eerste halte vroeg ik aan een paar tieners: *Litomerice?* Ze duidden een paar haltes verder aan. Ik doezelde weg. Toen tikte een van hen me op de schouder. We stonden stil. Hij wees door de deur naar een naamloos gebouwtje ter grootte van een openbaar toilet. Ik bedankte hen en gebaarde dat ik bleef zitten tot Terezin. Maar toen keek ik naar buiten en zag dat de rails hier eindigden.

Door de lage, lelijke, beige gebouwen liepen drie wegen weg van het station. Een forse, kalende, oudere vrouw klemde bundels plastic tassen rond haar olifantsbenen. Ik pakte er een op die ze had laten vallen, wachtte terwijl ze haar last overpakte, en vroeg de weg naar Terezin in het Engels. Ze riep een compacte, onbegrijpelijke massa Tsjechisch terug. Ik probeerde Italiaans, daarna Frans: niets. Ten slotte moest ik Duits spreken, het woord *Theresienstadt* zeggen. Ze maakte een kinbeweging naar de middelste weg.

Ik zwierf voor mijn gevoel urenlang door het plaatsje. Litomerice zag eruit alsof het ergens tijdens het Habsburgse bewind heel even had geprobeerd bevallig te zijn, toen dronken was geworden en zijn gezicht naar de verdommenis had laten gaan. De meeste huizen waren bouwvallig en afgebladderd; een paar waren opnieuw gepleisterd in een smerig soort abrikooskleur. Er stond geen boom in het hele plaatsje. Het was laat in de middag; ik moest een bank vinden om Tsjechisch geld te halen, waarmee ik iemand kon omkopen om me naar Terezin te brengen. Na een poosje stuitte ik op de enige in het stadje. Hoewel het personeel sloom zat te roddelen, waren de loketten allemaal dicht. Ze zeiden dat ik morgen terug moest komen en gingen verder met hun gesprek. Ik vroeg naar Terezin. Ze kletsten door elkaar heen. De toeristenhandel floreerde niet echt hier.

Op straat vroeg ik twee vrouwen waar de trein naar Terezin ging. De ene wees een heuvel op, de ander een heuvel af. Aan het eind van een kinderhoofdjesstraat kwam ik bij een omheind terrein met verroeste machines. In een zijstraat stonden twee vrouwen te kletsen over een schutting. Ik rende naar hen toe. Ze renden weg alsof ik een dief of een hoer was. Een oude man wees me een weg die in een lus over de helling naar het laagste punt van het plaatsje voerde. Ik begon te lopen. Even later zag ik een smal, zigzaggend paadje, slordig geplaveid met keien, dat naar beneden leidde. Boven op de volgende heuvel, aan de horizon, zag ik een grote, vierkante toren. Dat moest het centrum zijn.

Rechts en links van het pad stonden kleine woonwagens met rieten daken op stoffige lapjes grond. De enige onderbreking in de vlakke sequentie van puin was een vervallen kapel met een beschadigde, opgelapte stenen gevelversiering, aangevreten en kapot. Vogels zaten op de vensterbanken van de ontbrekende bovenramen. Een van de deuren was uit zijn scharnieren gezakt en leunde tegen het gebarsten en half geërodeerde pleisterwerk. Een strook geel plastic waarschuwingstape hing om het hangslot aan het verroeste ijzeren hek. Toen ik ernaar keek, struikelde ik. Ik zag dat het plaveisel plaats maakte voor zand. De paar kinderhoofdjes die over waren, lagen nu scheef of helemaal los. Ik liep langzaam. Dit was niet de plaats om mijn enkel te verstuiken. Toen ik weer opkeek, stond ik voor een afdak gemaakt van zeildoek. Een grijsaard met vuile teennagels staarde naar me vanuit een plastic tuinstoel. Ergens blaften honden. Toen kreeg ik de vierkante toren weer in het oog en liep die kant uit. Twee smerige arbeiders in overall riepen een vraag, steeds opnieuw, steeds harder. Ik liep snel een enorme trap op. Er moest toch iemand in het centrum zijn.

Maar wat ik aantrof, was een verlaten binnenplaats. Twee paden liepen kruislings door het woekerende bruine gras. Het was een kerkhof, verder niets, omringd door lage, geelbruin gepleisterde gebouwen. Op de toren prijkte een stilstaande klok. Geen levende ziel in zicht. Als ik daar in elkaar zakte en stierf, dacht ik, zou niemand het weten of zich er iets van aantrekken. Mijn volgende gedachte was dat Giulio me nooit zou vinden. Ergens in de verte zongen schoolkinderen een vaderlandslievend lied. Ik besefte dat dit een werkdag was. De frisse, zoete lucht rook waanzinnig naar Clayton. Ik keek de trap af die ik op was gekomen. Onderaan stonden de twee arbeiders die naar me hadden geroepen met hun armen over elkaar aan weerszijden tegen gebouwen geleund te wachten. Ik draaide me om en haastte me de binnenplaats over naar een opening tussen de kerk en het huisje ernaast.

Dit paadje, de taaie modder uitgegutst door regenwater, was zelfs nog hobbeliger dan het vorige. Aan het eind ervan zag ik de blote bilspleet van een man die onder de motorkap van zijn driewielig vrachtwagentje aan het hameren was. Ik rende de heuvel af en smeekte hem me te vertellen waar het centrum van het stadje was. Hij nam me van top tot teen op, alsof hij niet zeker was of hij de storing moest negeren, en wees toen naar een voetpad de helling op. Het was nog in aanbouw. Ik moest over losse planken lopen die een gapend gat met enorme, sissende buizen bedekten. Ik keek achterom. Weer kwamen de arbeiders achter me aan. Ik dook door de lange kralen in de deuropening van een donker kruidenierswinkeltje. De vrouwen die er stonden deinsden terug voor mijn overweldigende stank. Ik bood hen voor ongeveer vijftig dollar aan Zwitserse francs. De winkelierster pakte een van de biljetten en hield het tegen het licht; toen knikte ze. Ik propte een punt kaas en een homp brood in mijn mond. Tegen de tijd dat ik klaar was, hadden de arbeiders buiten er nog twee vrienden bijgehaald; ze stonden tegen het huis aan de overkant van de straat te roken. Ik rende het zigzaggende pad op. Uiteindelijk kwam ik op een met kinderhoofdjes geplaveide piazza. Heel attent was in het centrum van het stadje een plattegrond opgehangen om te zien hoe je in het centrum kon komen. Er was een toeristenbureau. Het was dicht. Ik zag de schone ramen van een hotelletje aan de overkant van het plein dat vers gepleisterd was in een ziekelijk kauwgomroze. Ik ging naar binnen om te vragen waar het station was. De receptionist zei dat er twee waren en vroeg waar ik heen wilde. Ik zei Terezin. Hij wierp me een blik toe die zei: *Niet daarheen.* Toen zei hij zacht dat er alleen een bus was, dat de trein hier ophield, in Litomerice. Hoewel er beslist een trein van Litomerice naar Terezin was – Yuri was ermee recht door de muren van Terezin gereden – drong ik niet aan. Wist hij de bustijden? Hij zei dat de laatste bus al weg was. Ik vroeg naar de prijzen van kamers. Hij noemde een exorbitant bedrag en vroeg naar mijn paspoort. Toen hij zag dat het Amerikaans was en niet Duits, verlaagde hij de prijs met de helft.

Ik had Giulio's creditcards niet gebruikt voor het geval hij ze als verloren of gestolen had opgegeven. Nu had ik geen keus. Ik pakte er een, gaf hem aan de receptionist en begon te bidden. De man glimlachte breed bij de aanblik van een Visacard, toetste het bedrag in en haalde de kaart door. Er gingen uren voorbij. Problemen met ons apparaat, zei de man. Hij hield een wijsvinger omhoog en begon de creditcardopdracht met de hand in te bellen. Ik schoof achteruit naar de deur. Hij hield zijn hand omhoog als stopteken. Een ogenblik, zei hij dringend. Hij schreeuwde het nummer van de creditcard, luisterde, en zei vervolgens een paar dingen die ik niet begreep. Toen hing hij op. Hij hield zijn wijsvinger weer omhoog en tikte met zijn potlood uit de maat door de gestage tikken van de prullerige klok aan de muur. Toen ging de telefoon weer. De man luisterde, maar barstte vervolgens los in een golf Tsjechisch. Eerst herademde ik bij de gedachte dat het niet Giulio was. Maar toen de receptionist ophing, vroeg ik me af of Tsjechisch een van de acht talen was die Giulio half sprak.

'Nu, alles goed,' zei hij en schoof me het reçu toe om te tekenen.

Mijn kamer boven was een uitgewoonde, in aardetinten uitgevoerde poging tot industriële glamour. Er waren enorme spiegels aan de muur boven het bed. Ik nam nog een pil, liet een bad vollopen met bruin water en waste mijn kleren met zeep in de wasbak. Na een uur weken in het bad zakte de pijn van onderen. Ik droogde me af, nam nog een pil en ging liggen. Het was vier uur; ik zou een paar tellen rusten, dacht ik, en dan naar het toeristenbureau gaan voor de dienstregeling van de trein. Ik wist zeker dat de receptionist had gelogen, dat er treinen naar Terezin zouden zijn aan het eind van de werkdag. Ik was mijn natte kleren vergeten. Toen ik een paar minuten later mijn ogen opendeed, was het nog licht, maar de klok zei tien over drie. Het was vier uur geweest toen ik ging liggen. Heel even bekroop me het griezelige gevoel dat ik nooit in Terezin zou komen, dat ik gevangen zat in een oord waar de tijd achteruit liep. Toen realiseerde ik me dat ik de hele nacht en het grootste deel van de volgende dag had geslapen. Ik wist dat ik op moest staan. Maar om een of andere reden daalde er nu een bijna dodelijke ontspanning op me neer. Het was alsof mijn lichaam na jaren van spanning in elkaar was gezakt. Yuri had me geleerd zijn verleden mee te slepen als een rotsblok, om te zorgen dat het niet op me terugrolde. Giulio's auto achterlaten, met mijn spullen erin, was geweest als het opzijstappen voor het rotsblok en zien hoe het langzaam de heuvel afrolde. Ik voelde me alsof ik nu ieder moment zo lang kon rekken als ik wilde, alsof ik meer tijd had dan ik ooit nodig zou hebben. Alsof ik me nooit meer zou hoeven verplaatsen.

Zittend op de rand van het bad at ik de rest van de kaas en het oudbakken brood boven de wasbak, en spoelde het weg door mijn mond onder de stroom uit de kraan te houden. Toen nam ik weer een warm bad en ging naar bed. Halverwege de nacht schrok ik wakker. Er klopte iemand aan de deur. Ik bleef stil liggen. Of het was de man van de receptie, of Giulio's creditcardbedrijf had hem opgespoord. Toen bleef het stil. Ik trok de dekens over mijn hoofd omdat ik dacht dat het de man van de receptie was, en hij weg zou gaan. Toen hoorde ik het korte krassen van een sleutel in het slot, het vallen van de tuimelaar, het ongemakkelijke zuchten van scharnieren. De deur bonsde op zijn plek tegen de post. Het schijfje van de metalen ketting dat door zijn gleuf gleed. Ik lag met mijn gezicht naar de muur te luisteren naar het rinkelen van kleingeld op de tafel, de gesp van de riem, de rits, de grendel op de badkamerdeur, het gedempte geluid van water dat uit de oude kraan gutste. Het staccato lichtschakelaargeklik. In het donker voelde ik de koele windvlaag op mijn rug toen de dekens omhooggingen. De matras deukte in, en daar was hij.

De ene arm onder me geschoven, om mijn borst heen, de andere stevig om mijn buik. Zijn lichaam als een lepel achter me, zijn ademhaling aanzwellend. Terwijl hij mijn geur indronk met felle, woeste teugen, wikkelde zijn amandelachtige geur – het kon alleen Giulio zijn – me in zijn belofte van rust. Het was Giulio; hij was helemaal hierheen gekomen om me te zoeken. Nog steeds kon ik me niet naar hem toe keren. Het verdriet op zijn gezicht zou te veel zijn. We hadden allebei Clayton laten doodgaan, en nu waren we gevangenen van elkaar, van wat we hadden laten gebeuren. Van achteren vulde zijn vlees het mijne aan.

We lieten stil de gruwelijke blijdschap tot ons doordringen. Toen ging zijn wang langs het stro op mijn schedel. Zijn hand graaide naar mijn hoofd en merkte wat ik met mijn haar had gedaan, dat het weg was. Ik zag mezelf door Giulio's ogen, mijn reis terug in de tijd, mijn geschoren hoofd, de korte mars die ik mezelf had aangedaan. Ik hield me stil. Als ik iets zei, zou ik breken, en als ik brak, zou ik Terezin nooit halen. Giulio vroeg wat ik dacht dat me te wachten stond. Weer hield ik me stil. Zijn ademhaling werd regelmatig, en ik dacht dat hij sliep. Toen vertelde hij me wat rabbijn Luzzatto had geschreven, dat de ziel pas als hij was blootgelegd getuige kon zijn van het goddelijke.

In de ochtendschemering, toen Giulio nog sliep, verzamelde ik mijn spullen en sloop naar beneden. Bij de receptie drukte ik op de bel; de receptionist kwam tevoorschijn en vertelde me dat het zondag was, dat de banken gesloten waren. Ik vroeg naar het station. Hij stak een vinger omhoog, om me te vragen even te wachten, en pakte de telefoon. Ik liet de creditcard achter en rende, rende een straat door en een hoek om. Ik zette de Savant neer en hapte naar adem. Ik stond naast een paard en wagen met kaas. De geur was waanzinnig, elke inademing ervan een onvoorstelbaar 'nee' in mijn maag. Op het station, na twintig minuten een smerig spoorboekje vol ezelsoren te hebben geraadpleegd, concludeerde de vrouw achter het loket dat er geen trein naar Terezin was. Op een stukje kladpapier tekende ze een busje. Ik wees naar de klok aan de muur. Weer begroef ze zich in de enorme dienstregeling. Na een martelende wachttijd concludeerde ze dat de bus op zondag eenmaal per dag vertrok, dat ik hem had gemist. Ik vroeg hoe ver het was naar Terezin. Ze schreef 1,6 k. Anderhalve kilometer. Ik pakte de Savant en de plunjezak en mijn tas en vroeg haar welke kant ik op moest. Ze haalde haar schouders op en schudde haar hoofd. Op de parkeerplaats stond een oude ijscoman. Toen hij me zag, keek hij naar me en wees vervolgens op de kaart met afbeeldingen van zijn waterijsjes. Ik keek hem aan. Hij opende zijn vrieskist en haalde er een veelkleurige raket uit. Ik schudde mijn hoofd. Hij drong aan. Ik trok een biljet uit Giulio's portefeuille. Vriendelijk duwde de man het weg. Hij haalde zijn kruk van achter de vrieskist en zette hem neer. Ik ging zitten. Hij pakte het ijsje uit en gaf het aan me, en ik at. Toen ik uitgegeten was, veegde hij de tranen van mijn gezicht met een servetje, zei: *Terezín?* en wees me de weg.

De hemel hing laag van de wolken, en de zware lucht kleefde aan mijn huid. Terezin was een Oostenrijkse garnizoensplaats geweest, een ommuurd stadje met het kleinere gevangenisfort. Ik keek uit naar de brede muren van het fort, maar na een uur waren er aan de horizon alleen nog maar een paar lelijke, vierkante gebouwen verschenen. Afgezien van een jongen en een meisje die lusteloos een roze bal heen en weer schopten, zou ik gedacht hebben dat de plaats verlaten was.

Tijdens die lange dagen in de bibliotheek van Milwaukee, waar ik me verstopte voor mijn tante had ik over Theresienstadt gelezen. Maar ik had geen idee wat er na de oorlog van het stadje Terezin was geworden. Ik wist niet eens zeker of ik wist hoe een garnizoensplaats eruitzag. Het zou er in elk geval indrukwekkend, versterkt uitzien, niet als een handjevol lege gebouwen van twee verdiepingen met bladderende, gepleisterde gevels in een vergevorderd stadium van lepra. De meeste ramen, bewaakt door absurde reeksen verroeste tralies, waren gebroken of ontbraken. Op een binnenplaats stond een kleine betonmolen naast een berg bouwrommel. Misschien was ik pas bij de buitenwijken van Terezin. Misschien had de ijscoman me de verkeerde weg op gestuurd. Een gestage stroom verkeer kroop langs me. Ik volgde het en baande me een weg door een netwerk van lelijke gebouwen. Een oude vrouw haastte zich langs me in een smerige rok en jasje die de preutse, verouderde uitstraling hadden van een mantelpakje dat ze als debutante had gedragen. Felroze lippenstift welfde woest buiten de omtrekken van haar lippen. Met een handtasje verjoeg ze een zwerm onzichtbare vliegen voor haar gezicht.

Een eindje verderop wandelden een stuk of zes oudere mannen doelloos door een park, allemaal in zichzelf pratend. Ik wandelde een gekkengebied in, een soort gesticht. Kou trok mijn botten binnen. Heel even bleef ik verstijfd staan en vroeg me af of de mensen hier overlevenden waren, mensen die hun verstand hadden verloren als gevolg van medische experimenten op hun ouders tijdens de oorlog. Heel even wilden mijn benen niet bewegen. Toen struikelde ik naar voren, liep snel langs hun gebabbel naar de poort aan het eind van de weg en schoot eronderdoor in de verwachting dat ik dan in het kamp kwam. Maar aan de andere kant van de poort slingerde een lege weg over een brug van het stadje weg. Nu raakte ik nog meer in de war. Had ik Terezin gemist? Of was het de plaats waar ik doorheen was gelopen? Ik nam de Savant en het benzineblik in de andere hand en volgde de weg over een kleine, aangelegde waterval. Toen ik een bocht om kwam zag ik een huis en een vervallen tennisbaan met een slaphangend net, en toen een parkeerplaats vol schoolbussen. En toen een begraafplaats, en toen een fort.

De Savant werd zwaarder en zwaarder, maar ik zou niet veel langer meer worstelen onder het gewicht ervan. Ik had mijn monsterlijke gave, Yuri's knorrige beheer ervan, het klimopachtige schuldgevoel dat de takken verstikte, niet gekozen; maar ik kon ervoor kiezen het niet langer te dragen, kon mijn eigen *schleuse* uitvoeren en mezelf ontdoen van mijn last. Ik liep langs het parkeerterrein; groepjes Duitse schoolkinderen met witte sportsokken en plastic slippers stonden rond een frisdrankverkoper op het parkeerterrein hysterisch te lachen, elkaar te stompen en cola te drinken. Te schreeuwen. Op de terugweg, dacht ik, zou ik een cola kopen om het net als zij te vieren. Op de terugweg zou ik een Amerikaanse toerist zijn.

De volmaakte begraafplaats werd overheerst door een enorm modern kruisbeeld. Er hing een verse krans helemaal boven bij de horizontale balk. Een volmaakt recht pad leidde tussen de graven door. Het vlakke, smetteloze, smaragdgroene gazon zag er even onwezenlijk en geverfd uit als het giftige bos. Het was ingedeeld door een volmaakt raster van uniforme grafstenen, elk met zijn eigen gesnoeide rode rozenstruikje dat op het punt stond te gaan bloeien, opgesteld in duizelingwekkend geometrische rijen, waarvan de oneindige diagonalen samenvielen, de lijnen oplosten, en vervolgens weer bij elkaar kwamen in andere lijnen. Een groep Engelse toeristen haalde me in. Hun gids eerde de zeshonderd Tsjechische soldaten die na de oorlog waren opgegraven en hier 'naar behoren begraven'. Zijn toon was opgewekt en vrolijk, professioneel, alsof we in Disneyland waren. Straks kwamen we bij het kleine fort, zei hij, of de *Kleine Festung*, die eind achttiende eeuw als politieke gevangenis bij de garnizoensplaats Terezin was gebouwd. De beroemdste bewoner was Gavrilo Princip geweest. Princip had de Habsburgse troonpretendent, Aartshertog Franz Ferdinand, in Sarajevo doodgeschoten, waarmee hij het uitbreken van de Eerste Wereldoorlog had versneld. Hij was hier in eenzame opsluiting vastgehouden tot zijn dood. Bij het kleine fort, zei de gids, zouden we verborgen kamers zien. Geheimzinnige gangen. En fascinerende martelwerktuigen. De gids noemde vervolgens statistieken en afmetingen. De trots in de afgemeten, stotende pieken in zijn stem maakte dat ik wilde schreeuwen. Even later realiseerde ik me dat we niet in Terezin waren, dat ik erdoorheen gelopen was, dat de muren van de garnizoensplaats zo overwoekerd waren dat ik ze, zonder aanknopingspunt, niet had gezien toen ik er binnenkwam. Niemand wilde er na de oorlog nog wonen, legde de gids uit. Als gevolg daarvan waren de bewoners de Tsjechische regering allemaal erg dankbaar voor het besluit hier een belangrijke psychiatrische instelling te vestigen.

Plotseling begon een leger van sprinklers in de grond synchrone, ritmische bogen te sproeien. De groep liep verder. Ik haastte me om hem in te halen en erin op te gaan. Zelfs met de Savant en de plunjezak versmolt ik er onopvallend mee. We liepen naar de eerste binnenplaats, gingen door de poort van het fort, en belandden op een plek die een binnenplaats van kamers bleek te heten en het administratiegebouw van de Duiters was geweest. Een gewelfde, geschilderde poort verbaasde me met een opgewekt overgeschilderd *Arbeit macht frei.* Dat was het minste wat Terezin kon doen, vond ik, mijn project deze kwalijke epitaaf schenken. Overal zwermden toeristen, poserend voor foto's onder de boog. Een Duitse gids wees naar de isoleercellen. Ik ging door een boog naar een binnenplaats omringd door rijen lage deuren. In een ervan hoorde ik een leraar doceren. Op dat moment kwam er een bloedstollende schreeuw uit de dichtstbijzijnde cel. Toen ik in de kleine, raamloze ruimte gluurde, ging het geschreeuw over in gegiechel. Toen mijn ogen het donker raakten, werd ik verblind door een flits. Een jongen lag te kronkelen op de grond, met zijn polsen in de verroeste boeien aan de muur, terwijl een tweede een goedkope plastic camera omhooghield. Weer verblindde de flits mijn ogen. In het moment van leegte, van blindheid, bedacht ik hoe het moest zijn geweest om niets te zien in die cel, dag in dag uit, en voelde het bloed uit mijn hoofd wegtrekken. Die leegte, die blindheid was wat ze van Yuri's verleden zagen. Voor hen bestonden de overlevenden als een uitje, als vlekjes verleden om de draak mee te steken. Ik trok mijn hoofd terug en rende weg. Toen hoorde ik kinderstemmen die de staccato salvo's van machinegeweren nabootsten. Een eind verder langs de muur lieten twee tieners zich getroffen achterover vallen in hun beste doodskronkelingen terwijl een derde hen besproeide met schoten uit een onzichtbaar machinegeweer. Ik voelde een huivering opkomen, gebood mijn lichaam stil te zijn, tenminste tot ik het fort uit was. Zodra ik het volmaakte kerkhof voorbij was, liep ik terug over de brug, over de rivier, waarvan ik vermoedde dat het de Eger was, naar Terezin.

Zelfs bij de hoofdingang waren de dikke, bakstenen holle muren nauwelijks herkenbaar onder de overwoekerde heuveltjes – kazematten waren dat. Op een paar verspreid liggende en bijna verborgen schietgaten na zagen ze er goedaardig uit. Het was moeilijk je voor te stellen hoe deze zandhopen, begroeid met pollen gras, iemand konden tegenhouden. Mijn fout was geweest, zag ik nu, dat ik verwacht had dat de stervormige muren van Terezin even hoog waren als de Chinese Muur. Ik staarde naar de ophaalbrug over de verwilderde, dichtgegroeide gracht en probeerde me voor te stellen hoe mijn grootouders Masurovsky aankwamen, uitgedost met juwelen en feestkledij, om bezit te nemen van hun villa met uitzicht over het meer waar ze hun fortuin aan hadden uitgegeven. Ik probeerde zacht te lopen, om de grond niet te verstoren, want als ze konden zien wat ik op het punt stond te doen, zouden ze zich omdraaien in hun graf. *Der Führer schenkt den Juden eine Stadt* – dat was de titel van de nazi-propagandafilm, de zie-die-gelukkige-joden-eens-tuinieren-scènes waren hier opgenomen, in deze slotgracht. Het probleem nu, zoveel decennia later, was hoe ik het geschenk terug moest geven.

Van de vijftienduizend kinderen die de lelijkheid en de doffe terreur van Theresienstadt meemaakten, overleefden er ongeveer honderd. Yuri was bij die honderd geweest omdat hij wist dat hij niet moest proberen te ontsnappen door de geheime gangen in de holle muren, wist dat er niemand was om hem te beschutten buiten de muren; omdat de tragikomische aanblik van zijn vader, die in avondkleding met een hoge hoed op zijn kruiwagen vol lijken voortduwde, Yuri elke dag aan het lachen had gemaakt; omdat de hoofden van de joodse Altestenrat die gedwongen waren transportlijsten op te stellen, Edelstein, Eppstein en Murmelstein, alledrie Yuri hadden horen optreden – *(als het ware opgeschort, alsof alles mogelijk was)* –; omdat Yuri, toen zijn vader dood neerviel, diens werkopdracht van zijn lichaam stal en zichzelf aanstelde bij de lijkwagendienst en zo zijn vaders lichaam een echte begrafenis kon geven; omdat Viktor Ullman, die op zijn tweeëntwintigste de Praagse Opera had gedirigeerd, hem overhaalde om zijn hooghartige snobisme te laten varen en te gaan spelen op de enige piano in het kamp, een door dozen ondersteunde rammelkast, achtergelaten door de vroegere bewoners van Terezin; omdat een sympathieke Tsjechische bewaker Yuri uit de lijkwagendienst ontheven wist te krijgen vóór het volgende transport, dat meestal alle kruiwagenduwers omvatte – *(als het doorprikken van de zweren van ontstoken ogen)*–; omdat de *Obersturmführer* ernstige behoefte voelde de Beethovensonate te horen die Yuri op een avond speelde; omdat Yuri met zijn gebruikelijke arrogantie, zelfs met een meter tachtig en veertig kilo, het publiek monsterde als hij ging zitten om te spelen, om te zien wie er was; omdat een woeste adrenalinestoot zorgde dat hij de voorstelling van zijn leven gaf. Omdat Yuri, nadat een van zijn barakgenoten met een scherpgeslepen lepel een koperdraad had doorgezaagd en de elektriciteit voor het hele kamp had afgesneden, flauwviel, een fractie van een seconde voordat het machinegeweer dat de rij willekeurige jongens neermaaide bij hem kwam, de enige keer in zijn hele trotse leven flauwviel en voor dood werd meegenomen; omdat hij, toen midden in de nacht de warmte van de lijken weglekte, wakker werd voordat hij bevroor, tevoorschijn kroop en terugrende naar de barakken. Omdat Yuri toen ze *Hitlers geschenk* begonnen te filmen verschrikkelijke dysenterie had, zodat hij, toen ze zich later *gedwongen* zagen om de andere sterren te deporteren – *(als schrokkend, slikkend)* – gespaard bleef. Omdat hij zich nooit opgewerkt had tot de derde, meest begeerlijke verdieping van de stapelbedden en dus niet werd gedeporteerd als voorbereiding op de Rode Kruisinspectie toen ze de bovenste laag bedden afzaagden, samen met de achttienduizend beslapers, om het kamp er minder overbevolkt uit te laten zien. Omdat Yuri twee dagen voor het bezoek van het Rode Kruis, toen de *Obersturmführer* hem zocht, het gerucht had gehoord en de papieren stal van iemand die was gestorven aan tyfus. Zodat hij, in plaats van een sterrol te spelen in die charade en de arme ambtenaren geen andere keus te geven dan hem naderhand te deporteren, een van de bijrolacteurs werd, een van de 'gezonde' mensen die gedwongen werden onder de lakens van de ziekenboeg vol ongedierte te kruipen nu alle dodelijk zieken waren gedeporteerd. Omdat zijn moeder was gestorven aan tyfus, de nacht voordat ze op transport gezet zou worden naar Auschwitz, met Yuri als vrijwillige begeleider. Omdat Yuri, een paar maanden voor de bevrijding, toen gevangenen werden gedwongen een menselijke keten te vormen die zich uitstrekte van het magazijn bij het hek van Litomerice, door de stad, tot voorbij de muur naar de oever van de Eger, en vervolgens werden gedwongen om drieëndertigduizend houten kisten en bruine papieren zakken door te geven, elk zorgvuldig geëtiketteerd met naam en nummer – *(staccato, als vlinders op een plank prikken)* – en ten slotte werden gedwongen de inhoud in de Eger te storten, zich wist in te houden en het niet uitschreeuwde toen zijn buurman hem de stoffelijke resten van zijn moeder aangaf, zichzelf dwong om te lachen toen zijn buurman, die Yuri's aarzeling zag en ook dat een bewaker het merkte, grapte: 'Ze drinken onze doden!' Omdat de Eger uitstroomde in de Elbe, waar de Duitsers hun drinkwater uit haalden. Omdat Yuri wist, toen het Russische leger hen bevrijdde, dat hij als emigrant onmiddellijk naar Siberië zou worden gestuurd en, uitgehongerd en hallucinerend, de tegenwoordigheid van geest had Frans te spreken. Omdat hij de wens had gehad het continent te verlaten, naar Brooklyn te komen, timmerman te worden, en te proberen te vergeten.

Overlevenden herkennen elkaar, als aan hun eigen geur. Ik wist altijd wat het betekende, waar we ook waren, als Yuri's plotselinge bankschroefgreep me wegloodste. Hij kon niet tegen de egocentrische verhalen –

van de geestelijk gezonden – die de onvermijdelijke draden van wonderbaarlijke gratie aaneenregen tot een borduurwerk van God, een persoonlijk monogram van een God die zich had beziggehouden met het redden van één enkel leven. Kon niet tegen het geloof dat ze meedroegen in hun bittere zoektocht naar gerechtigheid. De eerste die we opspoorden was een oude vrouw in de buurt van Londen die één blik op hem wierp door de hordeur en gillend weghobbelde. Ze kwam terug met een brief van het Duitse Bureau voor Herstelbetalingen. Hoewel haar man, een muziekleraar met de naam Schmidt, in 1934 was doodgeschoten, was haar geen pensioen toegekend op grond van het feit dat haar man gestorven was door een ongeval: vastgesteld was, stond in de brief, dat ze van plan waren geweest een andere joodse Schmidt dood te schieten. Een andere vrouw, in Jeruzalem, had geen compensatie gekregen voor haar sterilisatie; de brief was ondertekend door dezelfde nazi-arts die had getekend voor de euthanasie op haar zwakzinnige zoon. De derde, een man, vond Yuri. In de metro in New York greep hij zijn arm en smeekte hem om een getuigenverklaring. Al decennialang had het bureau brieven teruggestuurd met de mededeling dat ze meer documentatie nodig hadden voordat er sprake kon zijn van compensatie. De ouders, zuster en broer van de man waren allemaal aan tyfus gestorven in de trein naar Auschwitz, maar alleen degenen die *in* de kampen waren omgekomen kwamen automatisch in aanmerking. Kon bewezen worden, wilde het Herstelbetalingenbureau weten, dat de familie gezond was toen ze instapten? Bij het zien van deze kleine, ronde man die nog steeds geloofde dat hem recht gedaan zou worden, werd Yuri's greep een tourniquet en hij loodste me weg, niet in staat om nog meer aan te horen. Daarna slopen we alleen nog maar naar een huis toe, keken door het raam en gingen weer weg; hooguit belde ik aan om de weg te vragen terwijl hij toekeek vanuit de bosjes. Hij kon er niet tegen hen te ontmoeten.

In de *Totenbücher* van de Shoah staan de Yuri's nooit vermeld. Geen aantekening over het verlies van zijn middel- en ringvinger, geplet met een plank, drie dagen voor de bevrijding, door de talentloze bewaker met wie Yuri op het conservatorium had gezeten, vanwege de verkeerde noot die Yuri aansloeg toen hij de bulderende beschietingen van naderende Amerikaanse bommenwerpers hoorde. Hoe kun je een vergoeding berekenen – niet dat er een werd aangeboden – voor de boog van de zwiepende plank, het gekromde legato van Yuri's laatste noten naar de levenslange rust die volgde? Voor het verlies van een continent? Voor een slaap die, zonder een vrouw om zich aan vast te klampen, alleen de vrede van het fluitje van een bewaker kende?

Yuri was een ongelovige. Hij kende louter verbittering voor vergiffenis, voor martelaarschap en andere-wangtoekeerderij, de waardeloze Jezusdromen van verlossing. Zijn weegschaal voor gerechtigheid was de oog-om-oogbalans van het Oude Testament. Als zijn dromen te erg werden, het nachtelijke geschreeuw te schril, was tellen Yuri's enige verlichting, om zichzelf te bewijzen dat sommigen van de onzen sommigen van de hunnen hadden overleefd. Maar het hielp nooit. Want wat Yuri was kwijtgeraakt waren niet alleen twee ouders, of twee vingers, een muzikale gemeenschap of een continent. Wat Yuri kwijt was geraakt was een manier om de wereld te vertrouwen, het vermogen om zich voor te stellen dat de immense stilte van de wereld ook een soort luisteren bevatte. Wat Yuri was kwijtgeraakt, was de mogelijkheid van God.

De hel kon Yuri verdragen, maar een goddeloos universum niet. Die leegte kon hij niet verdragen. Hoe vaak hij zichzelf ook een ongelovige noemde, zijn ijzeren Russische idealisme moest enig houvast hebben, en ik was wat over was. Mijn talent beheren was zijn manier om orde te scheppen in de chaos. Maar door het vangnet dat ons opving te knopen, door nooit te vergeten, had Yuri ons vastgeknoopt aan de moordenaars. Het verlies van God was nooit geheeld. En toen ik met zijn voorschriften brak, de avond van mijn debuut, stormde hij natuurlijk naar buiten, en mijn moeder ging achter hem aan, en hij reed hen te pletter in razernij. Ik had Yuri niet vermoord, maar ik had het gewild, de vermoorde vermoorden, het deel van hem vermoorden dat dood was, het deel dat me jarenlang het gevaar door mijn strot had geduwd en mij tot zijn muzikale fantoomledemaat had gevormd. Thuis na mijn debuut nam ik het fluitje waarop ik tegen Yuri blies in zijn slaap en verborg het in mijn cello, en wist dat ik het voor altijd bij me zou dragen. Maar ik had een vrede gekend.

Op een bankje naast me leverden twee toeristen die een harmonica van ansichtkaarten bekeken kritiek op de goedkope jaren-zestig imitatie Bauhaus-meubels waarmee het voormalige Gestapo-hoofdkwartier was ingericht. Dat was er van deze plek geworden: een sjofele toeristische attractie. Ik hoorde een gerommel van onweer in de verte. Mijn hoofd bonsde. Ik moest het afmaken.

Ik stond op en ging op weg naar het grasveld bij de muur, naar waar ik dacht dat een goede plek zou zijn. Een groot deel van het kamp was omheind, en ik moest tussen de rijen barakken doorlopen om weer bij de muur komen. Het licht begon af te nemen. Ik kwam langs een ander klein begraafplaatsje met lukraak neergeplante, overwoekerde, onherkenbare grafstenen, de onleesbare inscripties weggevreten of bedekt met korstmos. Dat moest het vooroorlogse zijn. Ik liep snel door een straat tussen een stel barakken en belandde in een vierkant parkje. Een man en een vrouw maakten in het Duits ruzie over de hoge bomen die bladloos zwaaiden in de vroege lentewind.

'Die waren er toen niet', zei de man.

'Kijk dan hoe hoog ze zijn,' drong zijn vrouw aan. 'Die bomen zijn meer dan vijftig jaar oud.'

'Nou, dan moeten ze achter een schutting hebben gestaan,' zei de man en keek naar mij. 'Want ik heb ze nooit gezien.'

'*Bitte*,' zei ik, 'naar het crematorium?'

Ze wezen allebei naar een opening in de dikke muur waar een weg doorheen liep en waar drie mensen, twee lange en een heel kleine, door de hekken stonden te turen naar een donkere kamer die in de dikke dwarsdoorsnede van de muur was gebouwd.

'Waar die mensen staan is de Litomerice-poort,' zei de vrouw terwijl ze mijn elleboog nam. Ze wezen naar de plek waar ik het stadje was binnengekomen, realiseerde ik me.

'Dat was het mortuarium,' zei de man. 'Waar de lichamen werden bewaard.'

'Je moet daar naar buiten,' zei de vrouw, 'en dan linksaf de weg op.'

'Ongeveer een halve kilometer,' zei de man.

Ik bedankte ze voor hun hulp.

'Deze straten waren altijd zo vol,' voegde de vrouw er aan toe, alsof het haar nu pas te binnen schoot. 'We hadden maar twee uur, weet je, om familie te zien of iets te eten te halen. Nooit waren ze leeg.'

Ik knikte en liet hen achter. Bij de Litomerice-poort lagen op de grond, volop in zicht, treinrails. Ik was erlangs gelopen, op nog geen drie meter afstand. Had ze volkomen over het hoofd gezien.

De lucht werd donkerder. De enorme populieren langs de weg zwiepten in de opstekende storm. Ik haastte me over het lange wandelpad naar een gigantische, lelijke menora met dikke, vierkante, moderne armen die aan de andere kant van een veld oprees. Een vrouw met een geschonden gezicht holde langs me, huilend, met zakdoekjes tegen haar gezicht gedrukt. Ik kwam bij een enorm, nauwelijks gemaaid veld. Twintig of dertig kniehoge, driehoekige grafstenen stonden verspreid over een veld van bruin, hoog opschietend gras. Links was een laag gebouw met een plat dak, dat eruitzag als een garage of een schuur.

De vrolijke Tsjechische gids was een kleine man met een polyester sportbroek en een verweerde leren schoudertas. In zelfverzekerd gebroken Engels legde hij uit dat de joodse begraafplaats een massagraf bevatte waar negenduizend mensen begraven waren. Ik probeerde me te concentreren op zwijgen. Tegelijkertijd hoorde ik mijn stem vragen waarom er maar dertig grafstenen waren. De gids antwoordde dat ze geen geld meer hadden gehad. *Ze.* Hij wees naar het veld aan de andere kant van het garage-achtige gebouw waar taillehoog gras vrijelijk groeide. Geld was de reden dat er in dat veld helemaal geen grafstenen waren. Ik dacht aan de begraafplaats voor de christelijke soldaten, de sprinklers op de rozenstruiken, het chique golfclubgazon. Ik barstte in lachen uit. Geen wonder dat ze geen geld meer hadden gehad. Was dit het beste dat ze konden doen? Deze pathetische schijnvertoning was een keurige poging tot verminderen, het omgekeerde van Jezus die één vis in een oceaan van vissen veranderde en één brood in oceanen van brood. Het was een landschap van de leugen, de nog steeds heersende leugen. Toen dacht ik aan de as van mijn ouders, zoek gemaakt door het expeditiebedrijf onderweg naar Milwaukee, omdat ik hen niet had meegenomen. Het deed er waarschijnlijk niet toe.

De drie mannen liepen bij me weg, het geelbruine schoolgebouw in. Twee oudere vrouwen kropen rond in bruin gras aan de voet ervan. Erachter glibberde een rookslang de lucht in. Ik dacht dat ik hallucineerde.

'Nergens vind ik *Topf und Sonne*,' riep een van de oude dames in het Duits toen ik dichterbij kwam.

'Dus dit zou de enige zijn die niet door Topf uit Erfurt is gemaakt?' riep de andere sceptisch. Ze kroop nog wat verder langs het gebouw, het hoge gras opzij duwend.

Hoewel ik van plan was geweest alleen te vragen waar het crematorium was – het zou te surrealistisch zijn als het dit gebouw was, waar de rook uit kwam – schoot mijn stem weer onbedoeld uit.

'Wat is Topf?' vroeg ik aan hun achterwerken.

'Ze maken brouwerijen en crematoria,' zei de linker, een weduwe helemaal in het zwart, zonder op te kijken.

'Ze ontwikkelden het gebruik van lichaamsvetten voor zeep,' riep de tweede, verderop bij de muur.

'In Erfurt,' zei ik, om te zorgen dat ze niet nog meer zei.

'Niet meer uit Erfurt. Uit Wiesbaden,' zei de eerste. 'Ze zijn verhuisd naar Wiesbaden in maart of april vijfenveertig.'

'Ja,' zei de andere, 'nu eisen ze compensatie van de Duitse regering omdat ze moesten vluchten toen de Russen kwamen.'

'De oude man en de bedrijfsleider waren zo elegant om zelfmoord te plegen,' ging de eerste verder, 'maar nu hebben de zoons het lef om compensatie te eisen.'

Ze keek hulpeloos naar me op vanaf handen en knieën. Ik liet de Savant en de plunjezak vallen, greep haar elleboog en hielp haar overeind.

Toen ze stond was ze een plompe Italiaanse weduwe, in het zwart, met een dikke, weerbarstige grijze knot. Ik staarde in de glanzende, braamkleurige ogen die uit het labyrint van rimpels op haar bruine, getaande gezicht priemden. Ze was het droombeeld van hoe mijn moeder eruit zou hebben gezien als ze zo oud was geworden. Ik kon mijn ogen niet van haar af houden. Ze had mijn moeders volle lichaam, haar uitdagende, theatrale houding. Zelfs de manier waarop de keel van de vrouw trok als ze slikte, was mijn moeder. Dit was mijn moeder, in een lichaam dat nog ouder was dan wanneer ze nog zou leven. Ze wierp een blik op de Savant achter me, opende haar mond en deed hem toen weer dicht.

'Manfreda Levante,' zei ze, en stak haar hand uit.

Ik had mijn korte opmerkingen in het Duits gemaakt, maar ze sprak me aan in het Engels. Mijn keel zat dicht. Ik stak mijn linkerhand uit. Ze schudde hem. De hare was warm en droog en kussenachtig.

Mijn ogen kwamen tot rust op het grote, verticale litteken dat haar linkerwenkbrauw in twee dikke, warrige halve rusten kliefde.

'Daar heeft een bewaker me geschopt,' zei ze glimlachend.

'Ik ben niet –'

Ze pakte mijn hand en hield hem in de hare. 'Helga spreekt Engels,' zei ze.

Helga stond in de deuropening. Een laatste zonnevlek viel op haar en deed haar groene jurk oplichten.

'En wie is dit?' vroeg Helga. 'Familie?'

'Inderdaad,' zei Manfreda met mijn hand nog in de hare. 'Ze is een fatsoenlijk mens. Ik ben familie van alle fatsoenlijke mensen.'

'Ik was ook musicus,' zei Helga toen haar oog weer op de Savant viel. 'Stel je voor, een klein meisje als ik dat de contrabas speelde. Jammer dat ik geen cello speel.'

'Ze had veel talent,' zei Manfreda. 'Ik speelde hoorn, maar niet zo goed.'

'Bent u ermee opgehouden?'

'Toen we eruit kwamen,' zei Helga, 'waren we zo blij dat we nog leefden –'

Manfreda haalde haar schouders op. 'We vergaten onze talenten.'

Ik knikte met een beleefde glimlach en pakte mijn spullen weer op. Links, achter glas, was een onverlichte, witbetegelde ruimte met matglazen ramen en lege glazen vitrines. Tegenover ons stond een lange, crèmekleurige stenen tafel met een houten blok aan het eind. Het blok zag eruit als de onderste helft van een guillotine, met een halfronde uitholling in het midden. Aan onze kant van de tafel zat een stenen wasbak, waar een metalen staafje uit omhoog stak dat eruitzag als een watersproeier, en er onderaan hing een rood stuk slang. Behalve de drie glazen potten met rode, gele en blauwe poeders die in een van de vitrines stonden, was de slang de enige kleur in de schemerige, vaalwitte kamer.

In het raam zag ik de vader en zoon van daarnet en de parmantige kleine gids achter me naar binnen gluren. De zoon vroeg wat die gekleurde poeders waren.

'Gewoon versiering!' verkondigde de gids opgewekt. 'Er waren geen medische experimenten in Terezin. Geen medische experimenten!'

Ik keek om naar hem. Hij glimlachte. Ik glimlachte.

'Waar is die tafel voor?'

'Dat was gewoon een werktafel.'

Er volgde een stilte. Ze liepen weg.

Manfreda kwam achter me staan en greep mijn elleboog. 'Die wasbak was waar ze de gouden tanden en kiezen eruit braken,' zei ze kalm. 'Ze legden je nek op dat blok. De rode slang zat daar om het bloed weg te laten lopen.'

Ik kon niet meer verdragen. Ik wist zeker dat ze van Yuri gehoord zouden hebben. Toen hij werd opgepakt, had Yuri overal in Europa gespeeld. Hij en zijn vader waren bekend geweest als de enige Russische gevangenen in het kamp. Ik probeerde me los te wringen, weg te komen. Maar Manfreda omklemde mijn elleboog met haar pezige hand en wilde me niet loslaten.

'Waarom bent u gekomen?'

'We zaten hier, in L-418,' zei ze. 'En jij? Je bent te jong en te levendig om deze hel te hebben gekend.'

'Waar is uw nummer?' vroeg ik.

Manfreda knoopte haar vest en gesteven blouse open en ontblootte de bovenkant van haar kleine, hangende borsten, met een huid als boomschors. Ze trok de huid uit elkaar om een kleine, verschrompelde tatoeage te onthullen.

'Deze was van Auschwitz. Ik was daar twee dagen voordat mijn man, die een christen was en gezant bij de Tsjechische regering, me hierheen wist te laten overplaatsen. Ik was een van de twee mensen die in de tegenovergestelde richting gingen. Het heeft mijn leven gered.'

'En de tatoeage van hier?'

'Ik had een nummer hier,' zei Helga, 'twaalf-drie-negen. Negende lid van het derde transport uit Frankfurt, dat twaalf was. Maar niet op mijn lichaam.'

'Was u bijzonder, dat ze u niet hebben getatoeëerd?'

'Die waren hier niet,' antwoordde Helga.

'Ze moeten er zijn geweest,' hield ik vol.

Manfreda schudde haar hoofd. 'Hier deden ze dat niet,' zei ze.

De wanhopige berekeningen in mijn hoofd vielen stil.

'Ik heb iemands nummer nodig,' drong ik aan. 'Hij ging dood voordat ik het had opgeschreven.'

'Waar heb je het voor nodig?' vroeg Helga.

'Om te weten wat het was.'

'Iemand die alleen hier geïnterneerd was en nergens anders?'

Ik knikte.

'Dan heeft hij er geen gehad,' zei Helga.

Een dofheid begon zich door mijn lichaam te verspreiden, een stomme, doffe razernij. Het was hier geen fort, maar een oord vol geesteszieken; op de muren groeiden bloemen; en het crematorium zag eruit als een schoolgebouw. Nu kon ik niet eens meer een beeld oproepen van Yuri's tatoeage op zijn arm. Het was een fineer van herinnering. Mijn jaren van zinloze berekeningen losten op als rook in de lucht.

'Hij moet er een hebben gehad,' zei ik, en probeerde niet te huilen. Ik wilde een berekening om me aan vast te houden, een vergelijking om jaren van domme opoffering te definiëren en te omvatten.

'Dit is belachelijk,' barstte Helga uit. Ze rommelde in haar tas en haalde er een groen met goud gevlekte vulpen uit. 'Opgerold in deze pen heb ik in Theresienstadt het geld binnengesmokkeld dat mijn leven heeft gered. Zonder deze pen waren dit mijn botten,' zei ze, en duwde met haar teen een kalkwitte klont los uit de platgetrapte aarde. 'Kom hier,' zei ze. 'Het is op waterbasis.' Ze hield mijn onderarm naar voren, schoof mijn mouw omhoog en schreef langzaam zeven tekens, SSS7777, en zei: 'Zo. Dat is meer dan wij ooit hebben gekregen. Voordat je Terezin verlaat, was je het van je huid. En ontsier jezelf niet meer met nog meer van die Ilse Koch-obsessies.'

'Wie is Ilse Koch?'

'Die ene in Buchenwald,' zei Manfreda. 'Die mensen liet vermoorden voor hun fraaie tatoeages. Ze maakte er lampenkapjes van.'

'Laten we gaan,' zei Helga.

De vrouwen stapten naar buiten. Toen keek Helga om en wenkte me. De betrekkende lucht was dik en zwaar, de artilleriesalvo's van donder kwamen dichterbij. Het stoffige veld was verlaten op een verwaarloosde kat met een vlekkerige koolzwarte vacht na. Manfreda keek omlaag toen het uitgemergelde schepsel zijn ribben tegen haar schenen schuurde. Ze keek omlaag en lachte.

'Jou zouden we opgegeten hebben,' zei ze.

Ik zei dat ik nog heel even nodig had. Tactvol stapten ze weg van de deur. Ik liep terug door de voorruimte en stapte de korte trap af naar de vier enorme, gitzwarte ovens. Elk was verpakt in een verkoold netwerk van aderen en slagaderen, buizen die overal en nergens heengingen. Een absurde verzameling Israëlische vlaggetjes was in de gitzwarte beesten geplant. Yuri had me deze as als brood gevoerd, dacht ik, en toch waren deze ovens zo ongeveer het enige dat ik wist van joods zijn. Ik liep langs de eerste twee ovens naar een van de twee achterin, zette de Savant neer en deed de kist open. De lage deur van de oven lag open en was bezaaid met as. Was dat *decoratieve* as, vroeg ik me af, of was het hier nooit schoongemaakt? Ik haalde het instrument te voorschijn. Belachelijk voorzichtig legde ik het op een van de verrijdbare plateaus die uit de crematoriumdeuren staken. Ik schroefde het blik open en sprenkelde benzine over de Savant. De schilderingen van vroomheid en gerechtigheid in de lak begonnen te verdwijnen. Ik hoorde iemand aankomen. Er was geen tijd. Ik pakte het doosje lucifers dat ik uit het hotel had gestolen.

'Kom je nog?' riep Manfreda die in de deuropening verscheen op het moment dat ik een lucifer afstreek. Boven aan de trap bleef ze stokstijf staan. We stonden daar te staren, de geringe warmte van de vlam kroop naar mijn nagels toe. Ik weigerde omlaag te kijken naar de Savant. Giulio wist waar ik heen ging, en kon ieder moment opduiken, en dan zou ik nooit meer een kans hebben om de Savant achter te laten.

Het enige wat overbleef was de lucifer te laten vallen.

Manfreda zette een hand op haar heup. 'We wachten,'

zei ze, alsof het feit dat ik een lucifer boven mijn cello hield de gewoonste zaak van de wereld was.

'Waarop?'

'Ben jij de muziek niet?' vroeg ze.

Ik keek haar wezenloos aan. 'De muziek?'

'Ze hebben ons muziek beloofd voor onze reünie,' zei ze.

'Dat ben ik niet,' zei ik.

Ze wierp een blik op de Savant. 'Kun je niet invallen?'

Ze had me aangezien voor een muzikale niemendal, had me voor het eerst van mijn leven in een mantel van gewoonheid gehuld. Ik voelde me zo licht dat ik dacht dat ik op zou stijgen van de aarde. De lucifer die mijn wijsvinger en duim schroeide brandde op. Ik hoorde een gestaag tikken, een zacht *pizzicato* van tonen. Het was de taal van de regen. Ik sloot mijn ogen en luisterde naar het poreuze neuriën van druppels op gras, het eentonige, ritmische getinkel uit de metalen goot boven de deur. Ik luisterde naar de muziek van de natuur, hoe die de wereld reliëf gaf als een hoorbare mantel, elk voorwerp een stem gaf, elk onzichtbaar beest een veilige, bekende vorm. Als ik naar buiten stapte, zou ik een van die dingen zijn, een ding in het heden, niet meer, niet minder. Net als Helga kon ik mijn talent vergeten.

Het ruisen van een auto in een straat zwol aan en stierf weg. Even snel als hij gekomen was, verdween de regen weer. In de frisse stilte verpulverde ik de houtskool van de lucifer en liet hem vallen. Manfreda klapte haar enveloptas open en gaf me een zakdoek. De benzine had de laatste rest verf van de schilderingen op de klankkast van de Savant weggebeten. Toen ik hem afveegde, begon de Savant eruit te zien als een doodgewone cello. De oude vrouw verdween uit de deuropening. Ik pakte hem op en ging achter haar aan.

Aan de achterkant van het crematorium hadden zich een stuk of tien mensen verzameld. Er siste en knapte een open vuur en er hing een ziekelijk zoete stank in de lucht. Bij het podium lazen een priester en een rabbijn om beurten namen en data uit het *Totenbuch* van Theresienstadt. Bij elke naam die werd uitgesproken pakte iemand een lelie uit een enorme stapel achter op een boerenvrachtwagen, stapte naar voren en liet hem op de brandstapel vallen. Een paar meter verderop, op de overwoekerde begraafplaats, stond Giulio met gekruiste armen tegen een grafsteen geleund. Zijn gezicht, een verwoest landschap, smeekte me hem erbij te betrekken.

'We hadden een vriend,' fluisterde Manfreda, 'een jongen die buiten het kamp de zuivelproducten van de boeren moest gaan halen. Wij mochten niets planten. Hij smokkelde een stekje binnen, verstopt in zijn sok, en plantte het. Dat is de boom. Om de paar jaar komen we samen en zeggen de namen van iedereen die iemand zich herinnert.'

Ik ging op de treeplank van de vrachtwagen zitten en spande mijn strijkstok. Een dikke man met één been, in lederhosen en een groene loden jas, met een kleine accordeon voor zijn borst hobbelde naar me toe op zijn houten been.

'Kan ik van dienst zijn?' vroeg hij in het Duits.

'Bent u de ingehuurde muzikant?'

'Ik ben accordeonist bij een biergarten in Chemnitz. Als jongen leerde ik hier piano spelen van Gideon Klein. Ik had deze alleen meegenomen omdat de Duitse regering muziek beloofde. En met hun beloftes... Ach. U weet hoe dat gaat. Kent u de *Jewish Song* van Bloch?'

Hij speelde een akkoord. Opeens hoorde ik *de Kreutzer Sonate* zoals die in de oorlog door gevangenen was uitgevoerd, op viool en accordeon. Toen, daaroverheen, het *Requiem* van Verdi. Toen een enorme kakofonische wolk lawaai, de honderden concerten die in Theresienstadt waren gegeven braken allemaal tegelijk los in de zolder van mijn oor. Ik kon van geen enkele melodie uit de duizenden die hier schreeuwden de lijn ontwarren. Het idee van een wiegelied om al deze zielen te sussen leek hopeloos klein.

Ik vroeg of hij de *Hebraic Suite* kende. Het was het enige stuk joodse muziek dat ik kende.

'Voor *viola*?' vroeg hij sceptisch. Ik sloeg mijn ogen neer en zei dat ik het een vijfde lager zou transponeren.

Hij legde een hand op mijn rug om mijn beven te stillen. 'Wat dacht je van de solo uit *Quatuor pour la fin du temps*?'

Bij het einde van deze vraag viel mijn geest stil.

Ik staarde naar de rookkrul die de schemering verduisterde. Mijn moment van openbaring was dagen geleden geweest, in de auto, maar in ware Yuri-stijl was ik te gedreven geweest door mijn missie om het te zien. De opname die ik op de radio had gehoord was natuurlijk mijn enige, ondoordringbare optreden in Carnegie Hall geweest, toen mijn moeizaam verworven mengeling van illusie en Eros, van kunst en liefde, naar buiten stroomde als gesmolten erts. Toch had zelfs die uitvoering Yuri niet gered, de tijd niet teruggedraaid en het gedane niet ongedaan gemaakt. Zelfs als de crematie van de Savant misschien het dode gewicht van *bijzonder* had weggebrand, had de daad nooit of te nimmer Yuri's stempel uit mijn vlees kunnen branden. Muziek was de verwarde liefde die ik had gekregen; zij was wat ik had. Ik zou nooit meer optreden zoals ik had gedaan; ik kon nooit meer toeven in Yuri's bunker; maar muziek was nog steeds mijn logos, nog steeds mijn betekenis en de structuur ervan; het volmaakte heden dat nog steeds de beste vorm was die mijn tijd op aarde kon aannemen. Ik was ervan gemaakt en alle dingen die ik maakte zouden gemaakt zijn in haar tijd. Tenzij ik mezelf op de brandstapel gooide, kon geen vuurzee de ademhaling van een noot verschroeien.

De accordeonist schraapte zijn keel. Het werd snel donker; de rouwenden gooiden de laatste lelies van de vrachtwagen. Ik raapte een bloem op die naast het vuur was gevallen. Zwijgend zong ik de namen van mijn grootouders Masurovsky, van Yuri en mijn moeder en Clayton, en gooide de lelie erin. De stilte die volgde, bevatte een ademhaling, een polsslag, de stille vreugde dat Giulio leefde. Ik hief mijn strijkstok, snakkend naar zijn melodie. Het onweer was voorbij en nu bungelden er sterren uit de koolzwarte hemel. Ik verspreidde het openingsmotief over de sterren, over het zich verdichtende donker. De accordeonist viel in en wiegde teder mijn stem. Deze kleine, gedeelde zoetheid ontketende mijn ondergrondse rivier, mijn moedertaal, die nog steeds het enige verdriet was dat ik zou kennen.

Dankwoord

Naast mijn fantastische agente Tina Bennett en mijn redactrice Tina Pohlman, dank ik bij dezen het Blue Mountain Center, het Czech Music Fund (en Miroslav Drozd), het Ruth Ingersoll Goldmark Fund, de MacDowell Colony, de Ireneaus Trust, de Pennsylvania Council of the Arts, de Ragsdale Foundation, de Puffin Foundation, het Virginia Center for the Creative Arts, en de Claire Woolrich Foundation, evenals het geweldige personeel aan het Leo Baeck Institute en het United States Holocaust Memorial Museum. Ik dank ook de vele eerste- en tweedegeneratie overlevenden van Theresienstadt die hun ervaringen met mij deelden.